LA PROIE
DU LYNX

VIRGINIA HENLEY

LA PROIE DU LYNX

Traduit de l'américain par Nicole Ménage

Titre original :
A Year and a Day
Published by arrangement with Delacorte Press,
an imprint of Dell Publishing, a division of
Bantam Doubleday Dell Publishing Group, Inc.

1

Jane Leslie frissonna au contact de l'eau glacée. Ce premier bain de l'année dans l'étang de la forêt était un vrai délice. Elle avait nagé en compagnie d'une loutre qui, fatiguée d'avoir tant plongé, sauté, tournoyé, se réchauffait à présent sur la berge, au soleil du printemps. Depuis toujours, Jane jouissait du don tout à fait particulier de communiquer avec les animaux sauvages. Ils l'approchaient naturellement, sans crainte, et une compréhension instinctive et réciproque s'instaurait aussitôt entre eux.

Tout à coup, la loutre releva la tête, les narines frémissantes. Elle avait flairé un danger. Ses yeux scrutèrent les alentours afin d'identifier ce qui dérangeait la tranquillité de ce petit paradis terrestre.

Consciente elle aussi d'une présence, Jane observa les feuillages, guettant le moindre frémissement des branches. Elle devina sans la voir la forme rampante d'un animal à l'affût, capable de se déplacer sans que rien, pas même un souffle, le trahisse. Un maître en la matière. Elle respira profondément. Le parfum des iris sauvages qui venaient d'éclore, l'exhalaison plus fade de l'eau et la puissante fragrance de la forêt où se mêlaient les notes iodées de la mer toute proche lui montèrent à la tête.

C'est alors qu'elle perçut son odeur. Une odeur de mâle. Reconnaissable entre toutes.

Protégé par la verdure, il observait la baigneuse. Il

avait longuement marché pour atteindre l'étang où il comptait se désaltérer. Cependant, il ne s'attendait pas à y trouver aussi de quoi apaiser une faim que le spectacle de la chair tendre venait de réveiller.

Sans cesser de la fixer de ses yeux verts, il s'étendit plus confortablement, répartissant son poids de façon égale sur le sol.

Feignant de l'ignorer, la jeune fille leva les bras et laissa l'eau ruisseler jusqu'à son buste tout en réfléchissant à la ruse qu'elle allait bien pouvoir inventer afin d'obliger l'intrus à se montrer. Elle possédait d'étranges pouvoirs dans l'art de parler aux animaux. Tout doucement, elle entonna une lente mélopée tout en s'approchant imperceptiblement de la rive. Rien ne laissait deviner la nature de ses pensées.

Charmé par le chant de cette sirène, la bête sortit lentement de sa cachette, déployant souplement son long corps musclé tout en dévorant des yeux celle qui serait sa proie. Elle ne lui échapperait pas. Relevant fièrement la tête, il contint tant bien que mal son impatience.

Quand il émergea du sous-bois, Jane en resta bouche bée, hypnotisée par le regard le plus féroce qu'elle eût jamais vu. Elle croyait voir surgir un renard, peut-être un cerf. Mais jamais, jamais elle n'aurait imaginé se retrouver face à un lynx !

Elle fut prise de terreur. Non pas tant pour elle-même que pour son amie la loutre qui s'était assoupie. Si elle ne détournait pas l'attention de l'animal immédiatement, il ne ferait qu'une bouchée de sa petite compagne de jeu. Bravement, elle sortit de l'eau et feignit de vouloir le chasser par de grands gestes. Comme il fallait s'y attendre, le félin ne se laissa pas intimider une seconde. Ignorant la loutre, il focalisa toute son attention sur la jeune fille et fit un pas vers elle.

Jane se mit à courir en poussant un cri de frayeur. Seuls ses pouvoirs pouvaient la sauver. Sans ralentir l'allure, elle toucha l'amulette celte qu'elle portait autour du cou et implora la déesse Brigantia de lui venir en aide.

D'un bref coup d'œil par-dessus son épaule, elle comprit qu'il était trop tard. Aucune force divine ne la sauverait de ce mauvais pas. Le lynx était presque sur elle ! Une exclamation de rage lui échappa lorsqu'elle se prit le pied dans une racine et s'étala de tout son long. Le puissant animal bondit sur elle et la retourna sur le dos d'un coup de patte, dont, heureusement, il avait rentré les griffes.

Jane hurla en fermant les yeux. Elle tremblait de tous ses membres et n'entendait plus que les battements de son propre cœur. Il se mit à flairer ses cheveux et elle retint son souffle. Puis, contre toute attente, il lui lécha la joue. Seigneur Dieu ! Allait-il jouer avec elle, comme se plaisent à le faire les bêtes sauvages avant de dévorer leurs proies ?

Affolée, elle ouvrit les yeux. Ses prunelles vertes étaient à quelques millimètres des siennes. Il lui léchait l'oreille à présent... Étrangement, il ne semblait pas animé d'intentions féroces. Comme il continuait sa besogne le long de sa gorge, elle comprit peu à peu que, si curieux que cela puisse paraître, il ne lui voulait pas de mal.

Sans bien savoir pourquoi, elle ne put s'empêcher de regarder avec bienveillance la magnifique créature au pelage fauve. Tout, en lui, évoquait le pouvoir, la fierté des prédateurs qui ne connaissent ni la peur ni la soumission.

À présent, il lui léchait le buste et descendait vers son ventre. Pourtant, si Jane n'avait plus peur qu'il ne la dévore, elle se souvint brusquement qu'elle était nue et qu'il serait indécent que la bête continue ainsi l'exploration minutieuse de son corps que d'étranges sensations parcouraient.

C'est alors qu'un bruissement tout proche attira l'attention du lynx. Il leva la tête brusquement et aperçut un lièvre qui venait d'émerger d'un talus. D'un bond, il s'élança à ses trousses et disparut aussi soudainement qu'il était venu.

Avec un soupir de soulagement, Jane saisit son amulette et remercia Brigantia, la déesse de l'Inspiration. Était-ce elle qui avait envoyé ce lièvre providentiel ? Les divinités sont connues pour être capables d'intervenir sur le cours du destin de certains humains.

Avant de se rhabiller, elle plongea son corps dans l'eau afin de le laver de l'odeur du félin. Elle avait l'intuition que l'apparition du lynx était un présage. De quoi ? Elle n'en avait pas la moindre idée.

Son cœur battait toujours à grands coups tandis qu'elle enfilait sa robe et ses bas de laine. Peu à peu, l'atmosphère autour de l'étang s'apaisa. Les oiseaux reprirent leurs chants, les libellules leur vol à la surface de l'eau, les écureuils leur va-et-vient le long des troncs d'arbres. Une tortue sortit lourdement de l'étang et monta sur la berge.

Jane chaussa ses bottes de cuir et reprit le chemin du château de Dumfries, l'une des grandes forteresses situées sur la frontière de l'Écosse, dans l'Annandale. Son père, Jock Leslie, y occupait les fonctions d'intendant.

Sa mère ayant trouvé la mort en lui donnant le jour, Jane avait été élevée par sa grand-mère maternelle, Megotta, une Celte robuste et fière. Elle n'avait guère apprécié que sa fille épouse Jock Leslie. Celui-ci n'était pas un Celte de pure souche. Afin de réparer sa faute, Megotta s'était acharnée à inculquer à ses petits-enfants les traditions ancestrales. Jane, la cadette de sept frères et deux sœurs, était sa préférée. Elle avait hérité d'elle le don de guérir et, probablement aussi, celui de double vue.

La porte était ouverte lorsque Jane arriva au seuil de la chaumière où elle habitait. Des éclats de voix lui parvinrent. Sa grand-mère était en grande discussion avec ses deux sœurs mariées et, à sa vive confusion, la jeune fille comprit très vite que le sujet de leur désaccord n'était autre qu'elle-même.

Ses sœurs lui en voulaient depuis toujours. Megotta et Jock la traitaient différemment. Ils lui accordaient une liberté qu'elles n'avaient jamais eue. Notamment, celle d'aller seule explorer la forêt et de s'occuper des animaux. Jane ignorait toutefois que ce n'était pas ce privilège qu'elles lui enviaient le plus, mais sa grande beauté. Avec sa magnifique chevelure rousse, son corps souple et harmonieux, ses formes voluptueuses, elle possédait des attraits que la nature n'avait pas octroyés aux deux autres.

— Cessez donc de vous mêler de ce qui ne vous regarde pas, tempêtait Megotta. Jane a d'autres ambitions que le mariage. De toute façon, elle est bien trop jeune pour y songer maintenant.

— Trop jeune ? À son âge, j'avais déjà trois marmots ! cria Mary en entourant de ses bras son ventre rond qui portait son sixième enfant.

— Sauvage comme elle est, elle ne risque pas d'être courtisée ! renchérit Kate. D'ailleurs, les gens causent. Aucun homme ne s'est encore intéressé à elle. Faut les comprendre, aussi, ils ont peur d'avoir affaire à une sorcière. Mais tout ça, c'est à cause de toi ! Tu as passé ta vie à lui bourrer le crâne avec tes superstitions celtes !

— Vous devriez être fières de nos racines !

— Les racines, c'est bien joli, mais ce qui compte pour une jeune fille, c'est d'avoir une dot, remarqua Mary. Je plains notre père ! Il faudrait qu'il soit richissime pour qu'un homme pose les yeux sur Jane.

Sur un point, elle avait raison : si Jane entrait facilement en contact avec les animaux, il en allait tout autrement avec les êtres humains. Ses pouvoirs étranges la coupaient du monde. Chercher un mari, comme la plupart des filles de son âge, avoir des enfants et fonder une famille ne la préoccupait guère. Elle n'en était pas moins passionnée et très sensible. Seulement, elle s'efforçait en général de cacher ses sentiments de crainte de susciter les moqueries. Par exemple, elle ne montrait pas combien la méfiance des villageois à son égard, à cause des pouvoirs qu'on lui prêtait, la blessait.

Pourtant, ce jour-là, elle réagit impulsivement. Elle entra dans la pièce et fit face à ses sœurs.

— Je ne veux pas d'un mari ! s'écria-t-elle. Je préfère vivre avec père et Megotta !

Surprises, elles se retournèrent brusquement. Parties toutes deux pour élever une nombreuse famille, elles vivaient hors de l'enceinte du château, dans de petites maisons en pierre et en torchis. Elles se regardèrent et se mirent à rire aux éclats.

— Elle ne sait pas ce qu'elle perd ! dit Kate à Mary.

— On ferait peut-être bien de l'éclairer un peu sur la question, suggéra l'autre.

— Vous n'avez pas honte ? s'indigna Megotta.

— Ne t'inquiète pas, grand-mère, je sais parfaitement ce qui se passe entre deux époux, répliqua Jane en rougissant. Cela ne m'intéresse pas, c'est tout. Pour moi, les hommes sont…

Elle faillit dire *terrifiants* mais, sachant que ses sœurs se gausseraient de plus belle, elle tempéra son propos :

— Grossiers, ajouta-t-elle.

Jane n'avait jamais avoué à quiconque qu'un jour elle avait été attaquée par un fugitif qui se cachait dans la forêt. Il s'était jeté sur elle et avait déchiré ses vêtements, ne laissant aucun doute possible sur ses intentions. Grâce à Dieu, elle avait réussi à se dégager des odieuses mains qui la touchaient et avait fait fuir son agresseur en le menaçant avec la faucille qu'elle emportait toujours avec elle, pour couper les herbes de ses cueillettes. Mais cet incident l'avait profondément marquée et, depuis, les inconnus lui faisaient peur.

— Les hommes ne sont pas les seuls à être grossiers, lança la grand-mère. Rentrez donc chez vous ! Votre mari vous flanquera une bonne correction si vous n'êtes pas là pour préparer le repas. Et vous l'aurez bien méritée !

Les deux femmes haussèrent les épaules avec insouciance. Être battues faisait partie intégrante du mariage. Elles en avaient l'habitude et l'acceptaient. Jane trouvait cela odieux. Heureusement, elle avait d'autres projets. Megotta lui avait transmis les secrets des anciennes prêtresses celtes, la connaissance des plantes et de leurs pouvoirs. Elle voulait consacrer sa vie à soigner les habitants et les animaux de Dumfries.

Keith, le plus jeune des frères Leslie, fit irruption dans la chaumière. Célibataire, il vivait toujours avec sa famille et travaillait comme palefrenier aux écuries du château. Il adorait les chevaux et s'en occupait à merveille.

— Une jument est en train de mettre bas, annonça-t-il, essoufflé. Des jumeaux. L'un des deux se porte bien, mais je vais perdre le second si tu ne viens pas m'aider, Jane.

Sans un mot, Jane suivit son frère jusqu'aux immenses écuries de Dumfries et entra dans le box où la jument guidait son nouveau-né valide du museau afin de l'allaiter. Le second, minuscule, gisait un peu plus loin sur la paille. Jane s'agenouilla près de lui. Seuls d'imperceptibles frémissements de la peau signalaient qu'il vivait encore. Elle savait que le contact des mains, les caresses, étaient parfois aussi vitaux que la nourriture, quand il s'agissait de survie.

Lentement, elle se mit à masser l'encolure du poulain tout en lui parlant doucement. Elle le réchauffa par ses mouvements qui peu à peu changèrent de nature pour devenir plus courts et plus fermes. Elle imitait la langue de sa mère qui l'aurait léché avant de le nourrir.

— Aujourd'hui, je suis tombée sur un lynx au bord de l'étang, dit-elle sans s'interrompre.

— Tu n'as pas eu peur ?

— J'étais terrifiée ! J'ai d'abord cru qu'il allait s'attaquer à une loutre qui se reposait sur la berge. J'ai voulu le distraire, pour l'éloigner, et il s'est jeté sur moi. J'ai bien cru que ma dernière heure était arrivée mais, tout à coup, il m'a laissée pour poursuivre un lièvre. Merci, Brigantia !

Elle passa sous silence l'étrange façon dont l'animal l'avait léchée…

Keith fronça les sourcils.

— Ce lynx n'était pas dans son territoire. Ils se cantonnent d'ordinaire dans les montagnes, bien au-delà de la forêt. Tu en as parlé à Sim et à Ben ?

Jane secoua la tête. Leurs frères en question étaient bergers, au château. Ils s'occupaient d'un immense troupeau de moutons.

— C'est vrai, j'aurais dû, reconnut-elle. Mais cet animal était tellement beau que je n'aurais pas supporté qu'ils le tuent.

Elle regrettait de n'avoir pu entrer en communication spirituelle avec le félin. En fait, il avait mené le jeu du début à la fin, agissant à sa guise. Mais elle gardait de cette rencontre un souvenir étrange.

— Tu crois qu'il s'agit d'un présage ? l'interrogea-t-elle tout en continuant de masser le poulain avec tendresse.

— Sûrement, affirma son frère avec une gravité qui ne lui était pas coutumière.

Avec son visage piqué de taches de rousseur et ses cheveux raides d'un roux vif, il se montrait plus volontiers espiègle et rieur que solennel. À part Jane et Keith, le septième fils des Leslie, les autres étaient tous bruns aux cheveux noirs.

— De grands changements s'annoncent, continua-t-il sur le même ton. Aussi bien internes qu'externes, j'en ai peur. Des hommes puissants, venus de loin, sont sur le point d'arriver. L'Écosse va être déchirée.

Jane comprit en frissonnant la signification symbolique de ce lynx surgi des lointaines montagnes. Il avait dominé sa proie en l'envoûtant.

— Tu as parlé à père de ta prémonition ?

Keith acquiesça.

— Père a du sang normand et ses sentiments sont partagés. Il dit que si Dumfries a changé de main plusieurs fois au cours des siècles, c'est parce qu'il appartient à la couronne. Les Bruce ont régné sur toute la région de Carrick et d'Annandale jusqu'à ce que Baliol devienne roi. Puis ces terres furent confisquées par Comyn, le connétable d'Écosse. Dans la mesure où nous assurons l'intendance du château, que nous ne sommes pas des soldats, les changements ne devraient pas nous affecter… bien que tous les changements aient des conséquences, Jane.

À la différence de ses sœurs et des épouses de ses frères qui travaillaient comme servantes ou femmes de charge, le temps que Jane passait au château, elle l'employait aux écuries ou à la distillerie. Elle s'aventurait rarement dans les parages de la forteresse où les hommes d'armes de Comyn étaient en garnison. Bien qu'ils fussent là depuis trois ans, elle ressentait toujours leur présence comme une menace. À présent, l'idée que des étrangers pussent envahir Dumfries la bouleversait !

Le petit poulain commença à vouloir se redresser et Jane l'aida à trouver son équilibre sur ses jambes frêles.

Avec Keith, elle l'amena jusqu'à sa mère et contempla avec un regard attendri la façon dont elle accueillit son nouveau-né. Elle humecta ses doigts avec un peu de lait de la jument et mouilla le museau du poulain. Elle dut recommencer plusieurs fois avant que l'animal se mette à lécher puis à téter la jument.

Tout en accomplissant ces gestes familiers, elle songea au lynx et se dit qu'elle préférait mille fois affronter un félin plutôt qu'un homme...

2

— Wigton ? C'est sur la frontière de l'Écosse ! s'écria Alice Bolton avec une expression horrifiée.

— Je ne te demande pas d'aller t'enterrer vivante, mais de faire une escale dans mon château de Wigton pendant que je poursuivrai vers le nord, rétorqua sèchement Alan de Warenne à sa maîtresse.

— C'est du pareil au même ! Quand nous sommes arrivés sur la côte, je pensais que nous prendrions bientôt le bateau pour la France. Voilà des mois que je rêve d'être à Bordeaux.

— Tu parles de la France comme si nous étions en vacances. Je te rappelle que nous nous apprêtons à faire la guerre.

— La guerre, c'est ta vie ! s'impatienta la jeune femme en rejetant soudain ses jupes sur ses longues jambes. Quand je pense à tout ce temps que j'ai passé à t'attendre au fin fond du pays de Galles, j'en pleurerais. Et tu voudrais maintenant que je te suive dans un endroit encore plus reculé ?

— Le château de Chester n'est pas perdu au bout du monde, corrigea Alan. C'est un vrai petit palais, au contraire. Tout comme cette forteresse de Newcastle.

— Ce n'est pas Windsor !

Alice avait été dame d'honneur de la reine Éléonore. Vivre à la cour somptueuse des Plantagenêt l'avait profondément marquée.

Alan haussa les épaules avec indifférence.
— Fais ce que tu veux, Alice. À toi de choisir.
— Mon nom est Alicia. Tu ne m'appelles Alice que pour m'énerver. Et tu te moques éperdument que je t'accompagne ou non. Pour toi, je ne suis qu'une... commodité, une habitude!
Il lui jeta un regard glacial.
— Une habitude dont je pourrais me défaire sans problème.
— Oh! Tu *adores* te montrer cruel. Après tout ce que j'ai sacrifié pour toi!
Exaspéré, Alan se leva et la toisa du haut de son mètre quatre-vingt-dix.
— Il y a une chose que je ne supporte pas, en tout cas. Ce sont les scènes comme celle-ci. À plus tard.
— Alan, ne me laisse pas, je t'en prie!
Dans le château, il y avait au moins une trentaine de femmes qui rêvaient d'attirer Alan de Warenne dans leur lit et toutes lui inspiraient une jalousie féroce. Elle considéra la porte qu'il venait de refermer en plissant les yeux de dépit. Il ne l'avait même pas claquée. C'était bien la preuve de son indifférence!
Elle se précipita vers son miroir en argent poli pour examiner son reflet. Elle était mince comme un fil et belle comme le jour. Que voulait-il de plus? Bien sûr qu'elle le suivrait dans le nord! Si elle le lâchait d'une semelle, une autre viendrait aussitôt lui mettre le grappin dessus. Il ne se rendait pas compte qu'elles étaient toutes à l'affût et deviendraient de véritables prédatrices si elle ne veillait pas.
Alice se dirigea vers l'armoire et prit un petit flacon qu'elle cachait là. Elle se versa une dose du liquide brunâtre et l'avala d'un trait. Elle buvait du vinaigre depuis si longtemps qu'elle appréciait presque son aigreur à présent. Il l'aidait à rester mince. Elle aurait bu de l'urine de cheval, dont elle se servait pour décolorer ses cheveux, si celle-ci avait pu l'empêcher de grossir. La reine Éléonore avait conçu quinze enfants avec le roi Édouard Ier et rien ne dégoûtait plus Alice que les ravages que les grossesses produisent sur le corps d'une femme.

Alan oublia totalement Alice dès l'instant où il la quitta. Pour lui, la plupart des femmes étaient des êtres égoïstes et superficiels, même s'il reconnaissait que, bien que limitées, elles parvenaient de temps en temps à l'amuser.

La grande salle était bondée. Les hommes jouaient aux dés tout en buvant et riaient à gorge déployée, vociférant. La fumée des torches répandait une odeur âcre. Alan cherchait son oncle, John de Warenne. Ne le voyant nulle part il se dirigea vers la salle des cartes.

John de Warenne, comte de Surrey, leva brièvement les yeux sur la silhouette fortement charpentée de son neveu avant de se replonger dans l'examen de la carte étalée devant lui.

— Newcastle est plein à craquer et il en arrive un peu plus chaque jour. Mes archers gallois ont dressé leur camp hors de l'enceinte du château. Quand les hommes du comte d'Ulster seront là, ils devront en faire autant, dit Alan.

— Ils ne se montreront pas avant quelques jours. Leurs bateaux n'ont pas encore accosté à Carlisle. J'ai donné l'ordre à Percy d'escorter le roi au nord de Berwick. Cela nous permettra de garder des chambres libres pour Clifford et ses hommes.

Général de toutes les armées du roi Édouard, John de Warenne avait appris l'art de la guerre auprès de Simon de Montfort, le plus grand guerrier de l'histoire de l'Angleterre.

— Ce serait de l'inconscience de sous-estimer Édouard Plantagenêt. Les Écossais risquent de le comprendre à leurs dépens.

— Montrer sa force reviendrait à ridiculiser le roi Baliol qui jugerait une fois de plus fidélité à l'Écosse et fournirait des troupes à Édouard pour vaincre la France. Baliol doit être aveugle, sourd et muet pour ne pas se rendre compte qu'Édouard l'utilise comme une marionnette, remarqua Alan.

— Ce qu'il ne semble pas bien comprendre, c'est que le roi a le pouvoir de le faire descendre de son trône aussi vite qu'il y est monté. Si ce John Comyn, comte de Bucham et acolyte de Baliol, fomente une révolte sous prétexte que nos vues sur la France nous occupent ailleurs, c'est qu'il ne voit pas plus loin que le bout de son nez. Édouard pourrait envoyer son armée envahir l'Écosse avant de partir. Cela ferait d'une pierre deux coups.

— Oui, mais n'oublions pas que si la noblesse écossaise s'unissait contre nous, ils seraient à peu près invincibles.

John de Warenne ricana.

— Les poules auront des dents avant qu'ils ne rassemblent leurs forces sous le même drapeau. Les chefs de clan sont trop orgueilleux pour se plier aux ordres d'un chef unique. Ils se battraient les uns contre les autres plutôt que de se liguer ensemble contre l'Angleterre.

— C'est Robert Bruce qui aurait dû être nommé roi à la place de Baliol. Même s'il n'a du sang celte que par sa mère. D'ailleurs, rares sont les nobles écossais à être des Celtes de pure souche. La plupart d'entre eux sont d'origine normande et détiennent des terres à la fois en Angleterre et en Écosse. Ils changent de camp aussi souvent que d'épouses !

Alan tendit une bière à son oncle. Ce dernier se détourna de la carte et sembla enfin oublier l'armée pour aller s'asseoir près du feu et reporter son attention sur la puissante silhouette de son neveu.

— À propos, quand vas-tu te décider à te remarier ? Le temps passe, Alan, et je ne voudrais pas que tu finisses comme moi, sans avoir conçu un fils.

Alan devait y songer, en effet. Le devoir l'exigeait. En tant que baron, il possédait des terres au pays de Galles, dans l'Essex et le Northumberland. De plus, il était l'héritier du comté de John de Warenne, le Surrey, un immense territoire comprenant de nombreux châteaux forts. Il lui fallait des fils pour gérer tous ses biens. S'il mourait sans héritiers, Édouard d'Angleterre s'emparerait aussitôt des terres des Warenne.

Le plus cher désir d'Alan était d'avoir un fils, ou, à défaut, une fille. Il approchait de la trentaine et à sa connaissance, il n'avait pas eu d'enfants auparavant. Dans un pays où les grandes familles étaient considérées comme essentielles, il faisait piètre figure. Même le roi Édouard avait donné l'exemple : il avait eu quinze enfants avec la reine Éléonore. Maintenant qu'il était veuf, on disait qu'il cherchait une nouvelle épouse afin de recommencer une lignée.

Alan avait été marié pendant cinq ans avant de perdre sa femme. Mais leur union était restée infructueuse. Il se demandait s'il n'était pas l'unique responsable de la stérilité de leur couple. Les Warenne n'avaient jamais brillé par leur fécondité. D'ailleurs, si Alan était l'héritier de John, c'est que ce dernier n'avait pas d'enfant légitime.

— Tu as Fitz-Waren, non ? rappela Alan à son oncle.

John avala une longue gorgée de bière avant de secouer la tête.

— Un bâtard qui n'est pas le mien, mon garçon. Sa paupière gauche qui retombe lourdement sur l'œil ressemble trop à celle de mon meilleur ami mort sur le champ de bataille pour que je sois dupe. Certains signes ne trompent pas... D'ailleurs, nous partagions souvent nos maîtresses. Quand cette toute jeune fille est venue vers moi en larmes, un beau jour, en affirmant qu'elle portait mon enfant, je l'ai reconnu.

Alan comprenait maintenant pourquoi John n'avait jamais légitimé Fitz-Waren. Effectivement, ce dernier ne ressemblait en rien aux Warenne.

Ses pensées revinrent une fois de plus sur la nécessité pour lui de prendre femme. Bien que son premier mariage eût été arrangé, il avait connu avec Lady Sylvia Bigod une union sans nuages. Riche, bien née, ravissante et cultivée, Sylvia avait toutes les qualités. S'il avait un reproche à lui faire, c'était peut-être d'avoir tant aimé son séjour à la cour des Plantagenêt. Toutefois, ils n'avaient jamais échangé un mot plus haut que l'autre. Quand Sylvia était morte à la suite d'une infection rénale, Alan s'en était voulu de ne pas lui avoir consacré assez de temps. Depuis, il s'occupait beaucoup trop à guerroyer et à amasser des terres pour songer à se remarier. Il y avait bien Alicia... Il s'étonnait que depuis deux ans qu'ils se fréquentaient elle ne soit toujours pas enceinte. Parfois, il se sentait prêt à l'épouser, si jamais cela advenait.

— Je trouverai une femme convenable, je te le promets, John.

Au poste de garde du château, Fitz-Waren veillait. Une centaine de chevaux avaient franchi les grilles pour se rassembler dans la cour. Il faisait presque nuit et les hommes de Clifford n'étaient pas attendus avant le lendemain. Il reconnut la devise de Bohun sur un bouclier et comprit qu'il s'agissait du comte de Hereford, connétable d'Angleterre.

Tout à coup, son sang se mit à courir plus vite dans ses veines quand, sous une capuche rouge, il reconnut des tresses d'un blond cendré, si clair, si argenté qu'il évoquait la couleur de la lune.

Marjory de Warenne! Abandonnant aussitôt sa tour de guet, il se faufila entre les chevaux écumants et se dirigea vers la jeune veuve pour saisir les rênes de sa monture.

Jory le reconnut elle aussi et un sourire lumineux éclaira aussitôt son visage fatigué.

— Fitz ! Ces butors m'ont épuisée, jeta-t-elle en battant des cils. Sois un chou, occupe-toi de mon cheval, tu veux bien ?

Subjugué par sa beauté, ses traits, d'une finesse sans pareille, Fitz songea que nombre de ses semblables se damneraient pour exaucer le moindre de ses souhaits. Se secouant, il se traita d'imbécile et aida la créature de ses rêves à descendre de cheval en se disant qu'elle était comme les autres, une moins que rien, une traînée.

Le beau-père de Marjory, comte de Hereford, s'interposa et poussa Fitz sans ménagement. Bien qu'elle fût la veuve de son fils aîné, Humphrey, John de Bohun la destinait à présent à son deuxième fils, Henry.

— Tout va bien, mon seigneur. Fitz-Waren est mon cher cousin. Si vous voulez bien m'excuser, j'aimerais faire la surprise de mon arrivée à Alan.

Sur ce, Jory courut vers le château avec la légèreté

d'une danseuse malgré les douze heures qu'elle venait de passer à cheval.

Alan de Warenne assista avec stupeur à l'irruption de sa sœur dans la grande salle.

— Seigneur Dieu ! D'où sors-tu comme ça ? Et où est ton escorte ? s'exclama-t-il.

Jory plissa le nez.

— Mon escorte n'est autre qu'Hereford, hélas. Il ne me lâche pas d'une semelle ! lança-t-elle en se haussant sur la pointe des pieds pour déposer un baiser sur la joue de son frère. As-tu encore grandi où suis-je en train de me ratatiner ? plaisanta-t-elle.

— N'essaie pas de faire diversion. Que diable fabriques-tu ici, Jory ?

Elle poussa un soupir déchirant.

— Je suis en grande disgrâce. Je te donnerai tous les détails dès que nous serons seuls.

— Viens dans ma chambre.

Il se tourna vers ses deux fidèles écuyers.

— Taffy, demande au châtelain de faire préparer une chambre pour ma sœur, quitte à déloger le roi en personne. Thomas, qu'on nous monte de la bière.

— De la bière ? répéta le domestique irlandais. Une dame respectable ne boit rien d'autre que du vin.

— Ma sœur mange et boit comme trois guerriers à elle seule, voilà comment elle tient la maladie à distance. Exécution !

Jory jeta au domestique un regard qui le fit fondre et il s'empressa d'exécuter les ordres sans se poser de questions.

Dès que Jory fut seule avec son frère, elle se laissa tomber dans le fauteuil devant la cheminée et leva une jambe.

— Aide-moi à enlever ces satanées bottes de malheur !

Alan lui tourna le dos, coinça la botte entre ses genoux et tira. La première vint facilement mais, la seconde ne cédant pas, Marjory dut l'aider en posant un pied sur ses reins et en poussant.

— Tu fais une femme de chambre parfaite !

Alan posa les deux bottes devant le feu.

— Ce n'est pas une femme de chambre qu'il te faut mais un valet en pleine santé !

— Hum, l'idée n'est pas mauvaise. L'un des tiens ne me déplairait pas.

— Décidément, tu ne changeras jamais ! soupira Alan.

— Non, répliqua gaiement Jory en relevant ses jupes pour offrir ses jambes à la chaleur des flammes. As-tu enfin trouvé une femme digne de toi ?

— Non, pas encore.

— Bah, cela veut dire que tu traînes toujours cette insupportable créature qui se pend à tes basques. Tu n'as qu'une envie, c'est d'avoir des enfants. Alors pourquoi perds-tu ton temps avec Alice ?

— Nous ne sommes pas ici pour parler de mes défauts mais des tiens, lui rappela-t-il sèchement.

Un silence s'ensuivit. S'appesantit.

— J'attends.

— On ne peut rien te refuser, plaisanta-t-elle avant de rassembler ses pensées, sachant qu'elle lui devait une confession détaillée. Quand Humphrey a été tué au pays de Galles, j'ai cru devenir folle de chagrin.

Elle s'interrompit pour ravaler les larmes qui lui nouaient la gorge dès qu'elle évoquait ces funestes souvenirs.

— Ma très chère amie, la princesse Joanna, finit par avoir pitié de moi et m'invita à passer quelque temps chez elle. À Gloucester. Hereford n'est situé qu'à vingt-cinq miles de Gloucester et nous nous rendions visite assez souvent.

— Je suis sûr que la distance entre les deux villes est d'une importance cruciale pour le reste de l'histoire, ponctua-t-il.

Jory leva les yeux au ciel.

— Mon beau-père désapprouvait ces visites. Quand je me suis rendu compte que de Bohun avait des vues sur moi pour son fils Henry, je suis tombée des nues. Je le soupçonne d'avoir déjà tout arrangé. Alan, je ne pourrai jamais épouser le frère de mon mari !

— D'où ta disgrâce ? Je vais dire deux mots à Hereford.

— Non, non, tu ne sais pas tout encore. Je suis parfaitement capable de me débrouiller avec Hereford, Dieu merci.

Alan contenait de plus en plus mal son impatience.

— Jory, est-ce que tu vas enfin te décider à en venir au fait ?

— Oui. Je crois que mon séjour chez Joanna a été providentiel. Figure-toi que son vieux mari s'est alité et, en l'espace de quelques semaines, il est mort.

Le roi avait marié sa fille Joanna au noble le plus puissant du royaume, Gilbert de Clare. Comte de Gloucester et de Hereford, il possédait aussi une partie de l'Irlande et du pays de Galles. Un beau parti, certes, mais un peu âgé pour la princesse Plantagenêt.

— Je suis heureux que tu te sois trouvée près d'elle en ces instants douloureux. Le roi et toute l'Angleterre regretteront Gilbert de Clare.

— Oh, il ne s'agissait pas d'un mariage d'amour. De Clare était un vieillard. Joanna est tombée éperdument amoureuse de l'écuyer de Gilbert, Ralph de Monthermer.

Choqué à l'idée que Joanna ait pu trahir le célèbre comte de Gloucester, Alan dévisagea sa sœur avec un regard accusateur.

— Tu l'as incitée et même aidée à commettre l'adultère ! s'écria-t-il.

— Ce n'est pas vrai ! Tu es comme les autres ! C'est tout juste s'ils ne m'accusent pas de les avoir moi-même poussés dans le même lit !

— Je veux la vérité, Marjory, exigea Alan sévèrement.

— Bon, j'ai peut-être... oh, trois fois rien. Tu connais ma nature impulsive.

— Tu as encouragé la princesse Joanna à se conduire avec une impulsivité égale à la tienne ? Et tu t'étonnes que les de Clare s'estiment outragés ? Seigneur Dieu ! Le comte était à peine dans la tombe que... Comment s'en sont-ils rendu compte ?

— Nous avons fait notre possible pour que le mariage reste secret mais... le prêtre a dû parler.

Alan de Warenne dévisagea sa sœur avec une horreur non dissimulée.

— Juste Ciel ! Coucher avec lui et l'épouser, ce n'est pas du tout la même chose ! Mais où as-tu la tête ? Ce Monthermer est un filou !

— En tout cas, il n'est plus écuyer mais comte de Gloucester et de Hereford...

— Mais... tu as raison ! s'exclama Alan, comprenant peu à peu les répercussions de ce mariage hâtif.

— Les Clare ont délégué un messager au roi. Quant à moi, ils m'ont renvoyée avec armes et bagages à mon ogre de beau-père. J'ai promis à Joanna de venir parler au roi ici, à Newcastle, afin de tout lui expliquer.

— Expliquer au roi Édouard que Gloucester, son plus puissant comté, appartient désormais à un simple écuyer ? Mais... tu es devenue folle !

— C'est de famille, tenta de plaisanter la jeune femme.

Mais sa remarque tomba à plat. Alan n'avait pas envie de rire.

— C'est à l'homme que je m'adresserai, pas au roi. Et il n'est pas un homme qui ne puisse être manip...

Devant le regard menaçant de son frère, elle n'osa achever sa phrase.

— Toi et la princesse Joanna vous vous ressemblez comme deux gouttes d'eau ! Deux têtes de mule qui se croient très malignes !

— C'est pourquoi nous sommes des amies aussi proches.

— Tu choisis mal ton moment. Je t'interdis de le déranger ce soir. Il a assez de soucis comme ça. La situation écossaise l'a mis dans une rage folle.

L'expression accablée qui se peignit sur les traits de Marjory toucha Alan. Elle venait de parcourir cent cinquante miles à cheval par amitié pour la princesse. Il remarqua les cernes sous ses yeux magnifiques et le léger affaissement de ses épaules sous le poids de la déception.

— Prends ma chambre et essaie de te reposer. Je viendrai te chercher pour le dîner.

Il partit aussitôt à la recherche de Taffy, son écuyer gallois, qui lui apprit qu'il ne restait plus une seule chambre libre à Newcastle.

Quand Marjory entra dans la grande salle au bras de son frère, tous les regards masculins se tournèrent vers elle. Sa robe vert pâle rehaussait la couleur de ses yeux et la pâleur de son teint. Elle portait peu de bijoux mais ils attiraient subtilement l'attention sur ses courbes féminines. Au bout d'une épaisse chaîne en or massif, un cabochon serti d'émeraudes parait le creux de ses seins superbes, fermes et ronds. Autour de sa taille fine, une chaîne identique agrémentée elle aussi d'une émeraude descendait jusqu'à son bas-ventre, dont elle semblait caresser la courbe à chacun de ses pas.

Les murmures des hommes sur son passage ressemblaient à des grognements de désir. Elle chuchota à Alicia, pendue à l'autre bras de son frère :

— Oh, oh... on dirait une meute de chiens affamés.

Jory réprima un sourire devant le visage révulsé d'Alicia. En ce qui la concernait, rien ne lui paraissait plus stimulant qu'une foule d'hommes subjugués par sa beauté.

Souriante, elle longea la table des seigneurs où comtes et barons étaient rassemblés. John de Bohun, qui lui vouait une affection particulière et regrettait qu'elle ne soit plus sa belle-fille, lui fit une place à ses côtés. Elle le gratifia d'une gracieuse révérence.

— Merci de m'avoir escortée jusqu'ici. Mais je dîne avec mon oncle John ce soir. Voilà des mois que je ne l'ai pas vu. Je suis sûre qu'Alicia se sentira très honorée de s'asseoir auprès du connétable d'Angleterre.

Ignorant le regard incendiaire de cette dernière, Marjory s'installa entre John de Warenne et Alan.

— Au moins, elle te laissera respirer un peu, ce soir, murmura-t-elle à son frère.

John la contempla avec une tendresse infinie.

— Marjory, tu te fais plus belle de jour en jour !

— Elle s'est mise dans un sacré pétrin, dit Alan.

— Encore ! s'exclama John avec une indulgence amusée.

— Je suis venue transmettre un message au roi de la part de sa fille Joanna.

— Tu n'aurais pas dû entreprendre ce voyage, lui

reprocha gentiment son oncle. L'Écosse est une vraie poudrière en ce moment. Notre armée est basée ici, prête à passer à l'action.

Le visage de Marjory s'éclaira aussitôt.

— Tu pourras donc me fournir une escorte des plus sûre. Je te promets de partir dès que j'aurai parlé au roi. Je voudrais aller à Carlisle, chez ma marraine, Marjory de Bruce. Elle m'accueillera les bras ouverts.

— Sûrement pas ! s'emporta Alan. Le château de Carlisle a été choisi comme point d'approvisionnement des armées et sera d'ici peu envahi par les troupes de De Burgh. Carlisle est tout sauf un lieu de villégiature pour une dame.

Jory scruta le regard orageux d'Alan en se demandant comment contourner l'obstacle. Un grand sourire s'épanouit tout à coup sur ses lèvres.

— Dans ce cas, j'irai à Wigton. Tu ne vas tout de même pas me refuser l'accès à ton propre château, mon cher frère ?

Wigton ne se trouvait qu'à huit ou neuf miles du château de Carlisle gouverné par les Bruce.

Alan sourit à son tour.

— D'accord pour Wigton. Alicia sera ravie d'avoir ta compagnie.

— Bon sang ! pesta Marjory. Il faut toujours qu'il y ait un hic !

— Pourquoi es-tu dans le pétrin ? voulut savoir John. Parce que tu as refusé de te remarier ? Mais qu'avez-vous donc tous les deux contre le mariage ?

— Je n'ai rien contre... quand il s'agit des autres, répliqua-t-elle. Non, je plaisante. J'aimais profondément Humphrey et j'aurais fait n'importe quoi pour ne pas le perdre. Mais maintenant que j'ai expérimenté le veuvage, j'ai compris qu'il valait cent fois mieux être veuve que célibataire, voire femme mariée. Je n'ai plus besoin de m'agenouiller devant un homme et pour la première fois de ma vie je suis libre de décider de ce que je veux faire ou ne pas faire.

— Je doute que tu saches toujours choisir à bon escient, lui rappela Alan.

Marjory posa une main sur la sienne.

— Joanna ne peut aller contre son destin. Aurais-tu oublié ce que c'est que de tomber amoureux ?

— L'amour n'est qu'un mythe inventé par les femmes pour les femmes. Nous jouons le jeu pour obtenir ce que nous voulons mais je doute qu'il existe un seul homme de bon sens pour croire à ces sornettes.

Jory haussa les sourcils.

— Et Sylvia ?

— Notre mariage était arrangé, comme le sont tous les bons mariages. Il n'a jamais été question d'amour entre nous !

Jory observa son frère sans répondre. Alan de Warenne était l'un des plus séduisants soldats de toute l'Angleterre. Musclé comme Apollon, coiffé d'une longue crinière blonde, il faisait des ravages auprès des femmes. Elle ne comprenait pas qu'il soit passé à côté de l'amour. L'espace d'un instant, elle eut pitié de lui mais s'empressa de baisser les yeux pour lui cacher ses sentiments.

Il changea de sujet à point nommé.

— Il semblerait que le roi ne dîne pas avec nous ce soir.

— Non, il vient de recevoir un message qui l'a mis hors de lui, dit John en baissant la voix. Baliol a démis tous les dirigeants qu'il avait choisis et il a confisqué les terres occupées par les Anglais. Édouard est en train de rédiger des ordres pour que toutes les forteresses écossaises situées le long de la frontière soient annexées par les Anglais en attendant la fin de la guerre avec la France.

— Ce qui veut dire que nous devons nous mettre en marche avec nos hommes dès demain, conclut Alan.

3

Sa Majesté Édouard Ier, roi d'Angleterre, le plus fin législateur que le royaume ait connu, était dans une rage noire.

— Le voyou ! Le fumier ! Le bandit !

Devant lui, trois hommes attendaient que l'orage passe avec une mine abattue. Ils savaient que leur vie ne valait plus bien cher. Les espions du roi les avaient surpris alors qu'ils livraient un message au roi Philippe de France, dans le port de Berwick.

— Si ce chien galeux de Baliol et son lèche-bottes de Comyn s'imaginent que je vais les laisser s'allier avec la France, c'est que les asticots sont déjà en train de dévorer leur matière grise ! Comment peuvent-ils être assez bêtes pour ne pas savoir que je vais les écraser comme des larves ? Si Baliol occupe le trône d'Écosse depuis trois ans, c'est uniquement parce que je l'y ai mis. Voilà des mois qu'il tourne autour du pot, discute les ordres, tergiverse et jappe comme un jeune chiot irresponsable ! N'a-t-il donc pas compris qui régnait sur l'Écosse ?

Tout en hurlant de colère, le roi brandissait un parchemin dans chaque main. D'un côté, la lettre que les traîtres s'apprêtaient à remettre au roi de France, de l'autre, le serment d'allégeance de Baliol. Les yeux durs d'Édouard s'arrêtèrent sur les trois coupables.

— Le fourbe ! Le traître ! Alors comme ça, il envisageait de soulever des insurrections contre moi ? L'Angleterre ? Il pourrait ramper à mes pieds que je ne le lui pardonnerais pas !

Le chef des trois messagers déglutit avec peine et osa prendre la parole :

— Majesté, permettez-moi de rapporter vos paroles à Baliol. Peut-être que...

Effaré de constater l'audace de ce traître, Édouard leva un doigt impérieux et appela un garde.

— J'ai mes propres messagers, pauvre naïf ! Je n'ai que faire des déchets écossais. Qu'on les pende !

Sur ce, le roi retourna dans ses appartements privés situés tout en haut de Newcastle. Là, il demanda qu'on lui amène les hommes qui avaient déjoué le complot et permis d'arrêter les prisonniers. Ils travaillaient pour l'évêque palatin de Durham, chargé de former une armée à partir des troupes d'Édouard cantonnées au nord. D'une main décidée, le roi écrivit à l'évêque en question, tout d'abord pour le remercier de sa diligence et pour lui demander d'emmener ses hommes d'armes au château de Norham, sur la rive sud de la Tweed, aux frontières de l'Écosse.

Quand ils verront la force que vous détenez, ils vont pâlir d'effroi. Je n'ose imaginer leur mine quand je vous rejoindrai avec ma propre armée, dans moins d'une semaine.

Le roi scella la missive du sceau royal, sa bague gravée d'un léopard qu'il ne quittait jamais, et la rendit à l'envoyé de l'évêque de Durham. Il acheva la lecture de la dépêche de ce dernier et son visage déjà rouge tourna au violet.

— Convoquez tous mes chefs militaires à un conseil exceptionnel ! Immédiatement ! ordonna-t-il à John de Warenne.

Peu après, Édouard pénétrait dans la salle voûtée où ses commandants d'armées s'étaient rassemblés à sa demande. Quelques jours plus tôt, il s'était réjoui de voir le nombre de soldats qu'ils avaient réussi à réunir. Quand Richard de Burgh et ses troupes irlandaises arriveraient, son armée ne compterait pas moins de cinq mille cavaliers et quatre cents soldats à pied. Il était persuadé qu'un tel déploiement de force mettrait les Écossais à genoux.

Aujourd'hui, néanmoins, il était furieux.

— L'évêque de Durham m'informe qu'une partie de la flotte anglaise a été attaquée sur la Tweed alors qu'elle acheminait des vivres pour notre armée ! Les pirates ont tout volé !

L'insurrection était partie du port de Berwick et, dans sa fureur, le roi agonit d'injures la population de Berwick, aussitôt imité par son assistance.

John de Warenne échangea des regards entendus avec les comtes et les barons. Ils devraient leur donner une leçon avant d'entreprendre l'invasion de la France.

Des éclats de voix précédèrent l'arrivée inopinée de Robert de Bruce qui fit irruption dans la pièce sans se faire annoncer par le garde qu'il écarta de son chemin sans perdre de temps.

Les manières du séduisant Bruce, qui estimait que la souveraineté de l'Écosse aurait dû lui revenir, n'étonnèrent personne. Il s'inclina devant le roi et entra dans le vif du sujet sans préambule.

— Sire, les Écossais ont envoyé une armée dans le Cumberland. Ils ont ravagé tous les comtés du nord jusqu'à Carlisle d'où nous avons pu les déloger par une contre-offensive réussie. Ils se sont retranchés sur leur territoire.

La fureur du roi atteignit son paroxysme.

— Quoi ? Ces sauvages se permettent d'envahir l'Angleterre ? éructa-t-il.

Tout le monde se mit à parler en même temps pour exprimer stupeur, colère et outrage. Le roi leva les mains pour réclamer le calme.

— Silence ! Les Écossais conspirent pour s'allier avec le France contre nous, c'est clair ! De Warenne, que suggérez-vous ?

Le comte de Surrey se leva. C'était un homme de décision. Édouard l'avait nommé général à la tête de toutes ses armées.

— Votre Majesté, je pense que nous devrions venir à bout des insurgés écossais avant d'attaquer la France comme nous l'avions prévu.

— D'accord avec vous, John ! hurla le roi en écrasant son poing sur la table. Nous envahissons l'Écosse !

Les réactions furent partagées entre l'enthousiasme et le doute, voire le désaccord. Mais tout le monde savait que, lorsque Édouard avait pris une décision, il ne revenait jamais en arrière.

Le regard bleu de ce dernier se planta dans celui de Robert Bruce.

— C'est la guerre. De quel côté êtes-vous ? Avec nous ou avec l'Écosse ?

Les Bruce comptaient parmi les Écossais les plus puissants. S'ils s'étaient alliés à l'Angleterre, tout le monde savait qu'ils nourrissaient toujours l'espoir, avec le concours d'autres nobles écossais, que le trône leur revienne un jour ou l'autre. Édouard savait aussi qu'il ne pourrait jamais contrôler véritablement l'Écosse sans leur appui. Mais quand il avait choisi Baliol plutôt que Robert Bruce, les nouveaux dirigeants avaient confisqué tous les biens des Bruce, à l'ouest du pays, pour les donner à leurs pires ennemis, les Comyn. Diviser pour régner. En tout cas, les Bruce ne portaient pas le roi Baliol dans leur cœur.

Robert saisit le bras du roi et soutint fièrement son regard.

— Nous sommes avec vous pour cette fois, déclara-t-il lentement.

Il sous-entendait clairement qu'il ne s'alliait à Édouard que dans l'espoir de récupérer ses biens. Le roi comprit aussi qu'en échange de son soutien Bruce réclamerait la couronne écossaise.

Sans le quitter des yeux, Édouard lança un ordre à de Warenne.

— Notre première cible sera Berwick !

Alan de Warenne se signa en murmurant :

— Dieu vienne en aide à la population de Berwick ! Espérons qu'une fois la ville tombée, Baliol ne s'avisera plus de désobéir à Édouard.

Percy, Stanley et Bohun se réunirent pour mettre au point leur stratégie pendant que Robert Bruce prêtait serment de fidélité au roi. De son côté, le roi s'engagea à restituer aux Bruce toutes les terres et les biens que Baliol leur avait confisqués et à les laisser demeurer gouverneurs du château de Carlisle, quartier général et réserve d'armes et de provisions venues du pays de Galles et d'Irlande.

Alan de Warenne rejoignit son ami Robert Bruce et ils se donnèrent l'accolade. Les deux hommes étaient des amis d'enfance. Ils avaient grandi ensemble dans l'Essex, où les domaines de leurs familles étaient exploités en commun.

— De Burgh a reçu l'ordre d'amener ses hommes à Carlisle. Est-ce qu'on a des nouvelles ? lui demanda Alan.

— Oui. Dès que nous avons repoussé les envahisseurs au-delà de la frontière, les voiles irlandaises étaient en vue dans le golfe de Solway, répondit Robert avec ironie. Mieux vaut tard que jamais. Ils devraient commencer à arriver ici dès demain.

— Ils feraient bien, commenta le roi. Nous levons le camp demain.

Marjory de Warenne se sentait frustrée. Le roi Édouard avait passé toute la journée enfermé avec ses généraux pour mettre au point sa stratégie en Écosse, et elle n'avait pu le voir. Elle se souvint alors qu'il était le plus puissant souverain de la chrétienté et qu'elle faisait peut-être preuve de présomption en s'imaginant qu'il avait du temps à lui consacrer alors qu'il était en train de préparer la guerre. Pourtant, si elle voulait plaider la cause de Joanna, c'était aujourd'hui ou jamais. À l'aube, le roi s'en irait et elle partirait pour Wigton.

Le soir commençait à tomber et leur réunion n'était toujours pas terminée. Marjory songea que les femmes tenaient bien peu de place dans la vie des hommes. Ils gouvernaient le monde, faisaient les lois, les guerres, gagnaient de l'argent sans qu'elles aient leur mot à dire. Elles étaient tout juste bonnes à assurer la survie de l'espèce.

Pourtant, peu d'entre elles se plaignaient de leur sort. Serait-elle la seule ? Certes, si elle avait un enfant, la condition féminine lui semblerait plus douce. Elle se demanda pour la énième fois si, par bonheur, elle ne serait pas enceinte.

Décidant de chasser ses pensées moroses, elle alluma une chandelle et se lava les mains et le visage. Avec un peu de chance, elle verrait le roi au dîner, et lui demanderait de lui accorder un bref entretien. Elle décida d'ôter sa guimpe. Ses cheveux blond cendré avaient toujours produit sur les hommes un effet spectaculaire, et ce soir, elle ne devait rien négliger si elle voulait attirer l'attention d'Édouard Ier.

Quand elle arriva dans la salle à manger, flanquée de Thomas et de Taffy, ses yeux se tournèrent aussitôt vers l'estrade sur laquelle était installé le roi. Le majestueux trône en bois sculpté qu'il devait occuper était vide. Elle scruta rapidement la pièce à la recherche de l'imposante silhouette. Édouard Plantagenêt n'était pas là. Déçue, elle s'installa le plus près possible du dais et remercia les barons qui s'écartèrent pour lui laisser une place sur le banc.

On venait de servir la viande quand son frère apparut, accompagné par un homme. Ils s'installèrent sur l'estrade et Thomas accourut vers Alan qui lui glissa un mot à l'oreille. L'instant d'après, Thomas allait chercher Marjory pour qu'elle s'attable avec son frère.

— Pas de chance, Jory, lui dit-il. John dîne en privé avec le roi, ce soir.

— Oh non, j'ai attendu toute la journée en vain et...

Elle s'interrompit en découvrant l'homme assis près d'Alan. Celui-là, au moins, valait le coup d'œil. Très brun de peau, doté d'une carrure impressionnante, il était d'une beauté à couper le souffle. Tout à coup, elle écarquilla les yeux :

— Robert ! C'est toi ? Je ne rêve pas ? Seigneur, je ne t'avais pas vu depuis des années ! La dernière fois, c'était lors de la cérémonie où ton père t'a attribué le comté de Carrick.

Robert Bruce sourit.

— Tu n'avais que dix-sept ans, à l'époque, mais tu étais déjà assez belle pour briser les cœurs des frères Bruce.

— Sauf le tien. Si je me souviens bien, tu passais ton temps à me taquiner !

— Je n'étais pas le seul, Jory, répondit-il sérieusement en contemplant de ses yeux sombres la beauté délicate de la jeune femme.

Elle se mit à rire.

— Je vois que tu n'as pas changé. Tu continues de te moquer de moi.

Quand Alan décida de s'asseoir entre eux, elle s'en amusa. Son frère avait remarqué le courant qui passait entre elle et Robert Bruce.

— Désolé que tu n'aies pas eu l'opportunité de parler au roi, Jory. Ton voyage a été une perte de temps.

Elle regarda Robert avec une petite moue.

— Peut-être pas tout à fait, glissa-t-elle. Et puis il reste demain.

Mais Alan secoua la tête négativement.

— Le roi et toute son armée partent pour l'Écosse dès l'aube.

La lueur rieuse disparut des yeux de Jory.

— C'est la guerre ? s'inquiéta-t-elle.

Comme Alan acquiesçait, elle se tourna vers Robert.

— Quel camp choisis-tu ?

— Celui de Robert Bruce, répondit-il franchement.

— Il se bat avec nous, confirma Alan.

— Tout au moins pour le moment, rectifia Bruce. Je veux me débarrasser de Comyn et récupérer mes terres de l'Annandale et du Carrick. L'aide d'Édouard me sera très précieuse, ajouta-t-il avec arrogance.

— Tu es gouverneur du château de Carlisle. Tu es censé le protéger.

— Je m'y applique et c'est là que je retourne dans un premier temps, mais dès que les combats commenceront, je me joindrai à vous. J'ai assez de frères capables de protéger le château en mon absence.

Le visage de Jory s'illumina.

— On m'exile dans le château familial de Wigton. Tu sais qu'il n'est pas loin de Carlisle. Accepterais-tu de m'y escorter ?

Elle savait très bien que son frère, aussi bien que son oncle, l'aurait pourvue d'une escorte sûre pour ce voyage, mais la protection du puissant comte écossais n'était pas pour lui déplaire.

— Ce sera un plaisir pour moi, ma chère Jory.

— Ne sois pas trop sûr de toi, Robert, le prévint Alan. Ma sœur n'a pas son pareil pour semer la plus grande confusion sur son passage.

— Elle trouvera à qui se frotter, rétorqua Robert Bruce.

À cette seule pensée, Marjory se sentit toute chose...

Ce soir-là, Jory eut du mal à trouver le sommeil. Elle arpenta longuement sa chambre en essayant de trouver une solution. Elle ne supportait pas d'être aussi près du but et de ne pouvoir résoudre son problème. Il fallait qu'elle ait une entrevue avec le roi cette nuit même et un seul endroit lui sembla convenir à la situation : sa chambre à lui, puisqu'elle n'en avait pas.

Elle brossa ses cheveux, puis elle fit glisser une goutte d'huile parfumée entre ses seins. Ensuite, elle se drapa sous un long voile de la tête aux pieds, et, munie d'un plateau chargé de gâteaux, elle prit le chemin des appartements du roi.

Grâce à l'heure tardive, elle ne croisa que quelques domestiques dans les couloirs de Newcastle. Elle gravit l'escalier qui menait à la tour royale, s'apprêtant à affronter le garde qui serait en faction devant sa porte. Quand elle le vit, elle réprima un soupir de soulagement. Au moins, il ne la connaissait pas.

— Sa Majesté s'est retirée. Elle ne veut plus être dérangée, annonça-t-il d'emblée.

— Je suis ici à la demande du roi, murmura-t-elle, surprise par sa propre audace.

L'homme secoua la tête.

— Sa Majesté n'a demandé aucune femme ce soir.

— Vraiment? Pourtant, le roi Édouard aime s'octroyer quelques douceurs, le soir, avant de s'endormir, insista-t-elle en montrant son plateau.

L'homme eut un sourire goguenard.

— Il n'est pas le seul, jeta-t-il en essayant de soulever le voile qui dissimulait les traits de Jory.

— Non! s'écria-t-elle en reculant d'un pas. Je suis une dame, pas une fille d'un soir! Le roi serait furieux si mon identité venait à être connue.

Elle sentit qu'il hésitait et elle profita aussitôt de son avantage.

— Il m'a prévenue que vous seriez là et il a précisé que vous étiez le plus discret des hommes.

Pendant qu'il digérait l'effet du compliment, elle en profita pour taper à la porte du roi, l'ouvrit et se glissa à l'intérieur.

Vêtu d'une robe de chambre de velours rouge, le roi Édouard leva la tête.

— Oui? Qu'est-ce que c'est?

Elle avança de quelques pas.

— Majesté, je suis Marjory de Warenne.

Il fronça les sourcils.

— Que diable faites-vous ici?

— Sire, c'est la princesse Joanna qui m'envoie.

L'expression du roi se durcit aussitôt.

— Je ferai jeter ce voyou de Monthermer au cachot!

Ce moins que rien a profité de ma fille, mais elle porte sa part de responsabilité dans cette histoire. Tout comme ceux qui l'ont aidée dans son entreprise. Elle a déshonoré la mémoire de Gilbert de Clare et de sa famille. J'obtiendrai l'annulation de ce mariage !

Jory desserra légèrement son voile de manière à laisser entrevoir un peu ses cheveux et se prosterna devant le souverain.

— Majesté, Joanna m'a envoyée vous demander clémence et pardon. Elle voudrait que vous essayiez de la comprendre et tient à ce que vous entendiez la vérité de ma bouche avant que les autres ne sèment leur fiel et ne la corrompent à dessein.

Jory soutint vaillamment le regard glacé du roi. Elle remarqua qu'il descendait sur ses lèvres, puis sur sa chevelure, s'y attardait… Elle devina qu'il avait perçu son parfum. Il se pencha vers elle et lui prit la main pour l'aider à se relever.

— Je vous écoute, dit-il un peu moins durement.

Elle prit une profonde inspiration et vit les yeux de glace fondre dans la contemplation de son décolleté.

— Majesté, Joanna sait combien vous l'avez honorée en la mariant au plus grand noble du royaume, le comte de Gloucester. Mais elle n'a pas épousé Gilbert de Clare par amour pour lui mais… pour vous.

Jory se demanda si le roi se souvenait des fureurs terribles de Joanna à l'idée d'épouser le vieux comte, avant qu'elle ne se résigne et n'obéisse.

— Cette fois, elle a suivi son cœur, poursuivit-elle vaillamment. Elle aime profondément Ralph de Monthermer.

— Monthermer n'est qu'un écuyer de bas étage !

— Il était le plus vaillant soldat de Gilbert de Clare, son bras droit. C'est lui qui défendait ses couleurs, quand l'âge ne permit plus au comte de se battre lui-même. Le comte de Gloucester lui accordait une confiance totale et je crois qu'il a fait jurer à Ralph de veiller sur Joanna après sa mort.

Jory laissa descendre un peu plus le voile sur ses cheveux.

— Joanna en aurait le cœur brisé de voir son bien-aimé enchaîné, sire. Son souhait le plus cher serait que vous connaissiez Monthermer et que vous l'appréciiez. Les hommes de Gloucester et de Hereford qui sont sous ses ordres lui vouent un profond respect. Envoyez-le chercher, sire. Laissez-lui une chance de faire ses preuves et de vous montrer sa loyauté.

— Vous plaidez bien sa cause. Qu'a donc ce Monthermer pour avoir réussi à vous séduire, Joanna et vous ?

Jory eut un éclair d'inspiration.

— Il lui fait penser à vous, sire. C'est vous qu'elle voit à travers lui. Voilà ce qui le rend irrésistible à ses yeux.

À ces mots, le visage du roi s'adoucit un peu et il s'attarda sur les traits infiniment délicats de la jeune femme.

— Joanna a beaucoup de chance d'avoir une amie comme vous. La loyauté me semble être une qualité répandue chez les Warenne.

— C'est notre désir de vous honorer qui nous élève, sire. La confiance que vous nous inspirez est sacrée.

En proférant cette affirmation pour le moins exagérée, Jory craignit qu'Édouard ne la foudroie sur place. Non, il ne se passa rien. Au contraire, le roi s'installa près du feu et l'invita à prendre place en face de lui.

— Majesté, demain vous partez à la guerre. Pour l'amour de Joanna, je vous supplie de ne pas vous lancer dans la bataille sans lui avoir accordé votre pardon. Elle ne supporte pas ce désaccord qui vous oppose. L'amour d'un père est tellement précieux.

Le roi contempla Marjory avec un air attendri.

— Vous rappelez-vous votre père ?

— Non, Alan se souvient bien de lui mais j'étais trop jeune quand il est mort.

— Il était mon ami le plus cher. C'est lui qui a organisé mon évasion quand Simon de Montfort m'a fait prisonnier.

— Je sais, sire. On m'a maintes fois raconté cette histoire.

— Il me manifestait une loyauté totale, comme vous envers Joanna, apparemment. Je vais sommer ce Ralph de Monthermer de se présenter à moi et je jugerai par moi-même.

— Merci, Majesté, dit Marjory en s'inclinant devant le roi. Merci. Et que Dieu vous protège.

Elle referma le voile autour d'elle et se retira, le cœur léger.

Certaine que tout le château dormait, Jory longeait les couloirs de Newcastle pour regagner sa chambre quand un bras la saisit soudain à la taille et l'attira dans une encoignure. Jory allait crier quand elle reconnut son cousin Fitz-Waren qui abaissa son voile.

— Un baiser, ma cousine ?

— Nom d'un chien, Fitz ! Tu m'as fait une peur bleue !

Il la plaqua contre le mur.

— Lâche-moi immédiatement ! exigea-t-elle, plus furieuse qu'effrayée.

Sans l'écouter, il lui prit le menton et attira sa bouche contre la sienne. Elle le repoussa, dégoûtée.

— Tu as bu !

— Tu te crois trop bien pour moi maintenant que tu sors de la chambre du roi ? Tu n'aimerais pas que ton oncle ou ton frère apprenne que tu joues les catins avec le roi, n'est-ce pas ? susurra-t-il en refermant une main sur l'un des seins de Jory.

— Si Alan te voyait, il te tuerait !

— Alan est occupé avec sa catin à lui.

Jory devait trouver un moyen d'échapper à ce vil personnage. Si elle hurlait, elle réveillerait tout le château. Elle pourrait appeler Thomas mais le couloir était vide. Il n'y avait pas beaucoup de solutions possibles. Fermement, elle agrippa les deux pans de la veste de Fitz-Waren et lui assena un violent coup de genou dans le bas-ventre.

L'homme se plia en deux de douleur et s'écroula à terre.

— Tu me le paieras, sale traînée ! jura-t-il, les dents serrées.

4

Jane Leslie cherchait des plantes médicinales dans les collines qui s'élevaient derrière Dumfries. Elle cueillit une pensée jaune, la coinça derrière son oreille et s'enfonça dans la forêt ombragée où elle tomba sur un parterre de véroniques aux feuilles duveteuses d'un vert très pâle, connues pour leur effet contre la toux et les affections pulmonaires. Elle atteignit ensuite une zone marécageuse et reconnut un aulne qui commençait à bourgeonner. Jane ramassa une pleine brassée de feuillage qu'elle mit dans l'un des grands sacs en toile qu'elle avait emportés, avant de pénétrer plus profondément dans les bois.

Elle trouva diverses variétés connues pour leurs pouvoirs antivomitifs, antiseptiques, décongestionnants, antihémorragiques. Notamment lors des fausses couches.

Lorsqu'elle arriva aux abords de l'étang, une étrange excitation mêlée de peur à l'idée de revoir le lynx magnifique qui l'avait tant fascinée par sa beauté l'envahit. Elle ralentit, continuant sans bruit.

Elle sentit sa présence avant de le voir. Sa force omniprésente, sa puissance invisible. Cachée dans la futaie, elle scruta la rive et l'aperçut, penché sur l'eau où il se désaltérait. C'était le plus bel animal qu'elle eût jamais rencontré.

Lentement, il entra dans l'eau et se mit à nager sous le regard émerveillé de la jeune fille. Comme elle aurait aimé l'apprivoiser, créer ces liens particuliers qu'elle avait tissés avec d'autres animaux, évoluer à ses côtés dans les eaux calmes. Mais elle se souvint des paroles de son frère au sujet du présage qu'il pouvait représenter, et elle recula prudemment. Dès qu'elle fut à bonne distance, elle courut se réfugier derrière les murs protecteurs de Dumfries.

C'était la saison de l'agnelage. Jane passa l'après-midi avec ses frères Ben et Sim à aider les brebis à mettre bas.

— Sim, aucun loup n'a fait de ravages dans ton troupeau, ces temps-ci ? demanda-t-elle.

— Très peu. Les chiens sont bien entraînés maintenant. Ils nous préviennent dès qu'ils sentent leur présence.

Après une hésitation, elle ajouta :

— Et tu n'aurais pas vu un lynx, dans les parages ?

— Non. Ce n'est pas leur territoire. On en verra sûrement quand on conduira les bêtes sur les hauteurs. Il y en a beaucoup dans les Pentlands et les Lammermuirs.

Jane fut soulagée d'apprendre que son beau lynx ne s'était pas attaqué au troupeau.

Elle sauva trois agneaux qui n'auraient pas survécu sans elle. Sim les transporta dans la maison et Jane s'installa devant l'âtre pour les masser jusqu'à ce qu'ils reprennent vie. Megotta lui apporta de l'eau bouillie pour qu'elle puisse les laver du sang et des mucosités qui les recouvraient.

Quand Jane eut fait sa propre toilette, Megotta insista pour qu'elle se repose devant la cheminée et mange un peu avant de continuer.

— Tu dois reprendre des forces toi aussi, sinon tu ne seras plus bonne à rien.

Elle lui tendit une grande bolée de ragoût rehaussée d'herbes aromatiques.

— Dis-moi, Megotta, j'espère que Kate et Mary n'ont pas parlé à père de la nécessité de me trouver un mari ?

Le sujet avait été évoqué plus d'une fois mais Megotta savait que Jock ne se laisserait pas influencer.

— Ne te tourmente pas avec ça, Jane. Je te donne ma parole que l'on ne t'obligera pas à te marier contre ton gré. De toute façon, il n'y a pas un seul mari digne de toi, dans les environs. Jamais tu n'épouseras un porcher ou un sombre butor sous prétexte qu'il faut te marier !

Rassurée, Jane reprit sa tâche auprès des agnelets. Elle trempa un linge dans du lait chaud et tamponna le museau du plus petit. Au début, il était trop faible pour téter, mais à force de douceur, de tendres paroles et de massages, la magie finit par opérer.

Une heure plus tard, les trois nouveau-nés dormaient devant le feu, leur petit ventre plein. Épuisée par cette longue journée, Jane se coucha et s'abîma elle aussi dans le sommeil. Sa dernière pensée fut pour son beau lynx...

Elle rêva qu'elle était dans la forêt et que des yeux l'épiaient. Apeurée, elle voulait s'enfuir mais d'immenses vignes rampantes enroulées autour de ses chevilles la clouaient au sol, l'empêchant de faire un pas. Le regard invisible se rapprochait inexorablement.

Elle ouvrit la bouche pour hurler mais un lynx surgit d'entre les feuillages. Soulagée de constater qu'il ne s'agissait pas d'un homme, elle se laissa choir sur le sol pour reprendre son souffle. C'est alors qu'une chose horrible se produisit. Au moment où elle se croyait sauvée, le lynx avança vers elle lentement.

Quand il sauta sur elle, il s'était transformé en être humain. À nouveau, elle voulut crier de terreur mais la beauté de l'homme immense lui coupa la voix. Une longue chevelure blonde comme le sable flottait sur ses larges épaules et ses yeux d'un vert lumineux l'observaient avec une telle intensité qu'ils semblaient percer tous ses secrets les plus intimes.

Il posa sur elle ses grandes mains et, à sa grande surprise, elle comprit qu'il n'était pas animé de mauvaises intentions. Il respira l'odeur de ses cheveux, lui effleura la joue de ses lèvres chaudes. Puis de sa langue. Lentement, il la lécha, descendant le long de sa gorge. Jane se laissa faire, totalement envoûtée.

Peu à peu, tandis qu'il approchait de sa poitrine, elle prit conscience de sa nudité. Sa langue légèrement râpeuse suivit le contour des aréoles roses de ses seins, éveillant en elle des ondes de feu. Un plaisir intense remplaça son effroi, se cristallisant au creux de ses jambes, en une brûlure délicieuse.

Les lèvres charnues de l'homme continuèrent leur chemin jusqu'à son ventre. La moiteur tiède de sa bouche lui faisait l'effet d'un élixir magique qui décupla son extase. Un gémissement incontrôlable lui échappa. Jane ferma les yeux, se cambra et s'offrit à lui, corps et âme...

Elle se réveilla en sursaut et rougit de confusion au souvenir de ce rêve où elle s'était abandonnée à une sensualité sans limites. S'efforçant de chasser l'image de cet homme de son esprit, elle s'aperçut que celle du lynx la remplaçait. Il faudrait qu'elle se procure un nouveau talisman afin de se protéger de ces songes troublants. Cet animal l'avait ensorcelée.

Elle passa en revue les différentes divinités qu'elle connaissait, les symboles qu'elle pourrait utiliser pour conjurer le sort, serpents, dragons, cervidés. Aucun n'effaçait l'image du lynx. Elle la poursuivait d'une manière obsédante et elle comprit qu'il s'agissait d'un signe. Le magnifique félin lui conférerait sa force, sa puissance, son courage, tout en la protégeant.

Après une longue chevauchée vers le nord, Alan de Warenne et les autres chefs militaires rejoignirent l'armée que l'évêque de Durham avait rassemblée à Norham. Une fois le camp installé, Alan, John et les autres chefs partirent en reconnaissance pour voir à quoi ressemblait la ville fortifiée de Berwick. Bien protégée par la mer et par un profond canal dévié de la Tweed, elle n'était pas facile d'accès. Cerné par une douve et de hautes palissades, le château se dressait sur la rive nord.

— Qui commande la garnison ? s'enquit Édouard.

— William Douglas, Majesté. Il est réputé pour être un guerrier intraitable.

— Envoyez une délégation afin d'exiger la capitulation du château ! ordonna le roi.

John de Warenne chargea Alan de la mission. Son jeune neveu avait fait ses armes avec succès au pays de Galles. Il guerroyait sans concession mais ne répandait jamais le sang inutilement.

Entouré de ses chevaliers, il brandit un drapeau blanc et franchit le pont-levis du château de Berwick où il resta près de vingt heures assis à la table des négociations avec William Douglas. Aux premières heures du jour, ce dernier capitula enfin, acceptant toutes les conditions. Grand seigneur, Alan lui permit de quitter le château en arborant le drapeau écossais à côté des couleurs anglaises.

Le roi Édouard se dirigea vers le château avec ses hommes pour sceller la capitulation. Quand Douglas sortit, les citadins de Berwick rassemblés aux abords du fort conspuèrent les Anglais en brandissant des armes, criant des sarcasmes, des insultes dont certaines s'adressaient directement au roi. Il ne put le supporter et sa colère explosa comme un boulet de canon. Il dégaina son épée en criant :

— À l'attaque ! À l'attaque !

John de Warenne ordonna immédiatement à la cavalerie légère de se regrouper autour d'Édouard pour le protéger et organisa en même temps un petit bataillon de soldats à pied qui les suivirent. Flanqué de son neveu Richard de Cornwall, et de Fitz-Waren, le roi franchit la douve sur son grand étalon noir puis la palissade en bois qui protégeait l'accès au château. Fitz-Waren ordonna qu'on y mette le feu. En haut des tours de guet, les gardes décampèrent. La marée de soldats qui déferlèrent dans Berwick sema une véritable panique.

Soudain, une flèche se ficha dans la fente du casque qui protégeait les yeux de Richard de Cornwall. Horrifié, Édouard vit son neveu s'écrouler sur son cheval, touché à mort. Il chercha John de Warenne du regard en criant :

— Pas de quartier ! Que tous les hommes de Berwick passent par les armes !

Dans la cour du château, attendant que les troupes assiégées se rendent, Alan ignorait ce qui se passait à l'extérieur de l'enceinte. Quand il émergea enfin du château avec ses chevaliers, il eut la stupeur de découvrir qu'une bataille sanglante ravageait la cité de Berwick.

— Que se passe-t-il ? demanda-t-il à son oncle, dès qu'il l'eut trouvé.

— Richard de Cornwall a été tué. Édouard a donné l'ordre de ne pas faire de quartier.

Alan remit son casque et son destrier fit un demi-tour,

aussitôt imité par ses chevaliers. Ils retournèrent vers le château, les armes baissées, mais aucun des insurgés n'osa s'attaquer à eux, tant ils étaient immenses et impressionnants.

Alan de Warenne fit irruption dans la grande salle du château où se trouvait le roi.

— Le château de Berwick est à nous ainsi que la cité, commença-t-il. Il est inutile de continuer le massacre, Majesté.

Les yeux bleus d'Édouard étincelèrent dangereusement.

— J'ai donné l'ordre de ne pas épargner un seul homme de Berwick!

— Sire, la plupart d'entre eux sont des civils, des artisans, des citoyens paisibles.

— Vos *paisibles citoyens* ont coulé nos bateaux et tué Richard de Cornwall! Auriez-vous l'outrecuidance de discuter mes ordres, de Warenne?

— Oui, Sire. Ce carnage ne vous honore pas. Quelle image voulez-vous que l'Histoire retienne de vous? Celle du plus grand roi d'Angleterre, du plus fin législateur ou celle du boucher de Berwick?

Les yeux du roi s'étrécirent.

— Vous êtes aussi persuasif que votre sœur. Je vois! Vous êtes bien présomptueux, vous, les Warenne!

— Vous savez combien je vous suis fidèle, Sire. C'est pourquoi je me permets d'exposer mon point de vue. Si vous n'arrêtez pas tout de suite ce massacre, la haine qui divise l'Écosse et l'Angleterre va encore s'aggraver et il deviendra impossible d'unir les deux pays. Le spectacle auquel je viens d'assister m'a couvert de honte, mais le plus grave, c'est que cette honte vous salit aussi. On assassine des femmes et les enfants à quelques pas!

— Non, j'ai donné l'ordre de ne tuer que les hommes. Qu'on cesse les combats!

Alan de Warenne ne perdit pas une seconde pour aller répercuter l'ordre du roi à une armée ivre de sang.

Le voyage de Newcastle à Wigton fut l'un des plus agréables que Jory de Warenne eût connu. Dès qu'elle se retrouvait seule avec Robert Bruce, à chevaucher un peu à l'écart, un jeu de séduction s'instaurait entre eux, empli de plaisanteries aux sous-entendus évidents, de regards et de sourires sans équivoque. Le fait de se cacher pour flirter ainsi rendait leur petit jeu encore plus exaltant.

Sur le chemin de ronde du château de Wigton, accoudée à un créneau du parapet, Jory contemplait Carlisle qui s'étendait à une dizaine de miles de distance. Robert l'avait emmenée sur les remparts, sachant qu'ils seraient seuls tous les deux. Il se tenait derrière elle, si près que leurs corps se touchaient presque. Jory renversa la tête en arrière pour le regarder. Ses yeux sombres la parcouraient avec la vivacité d'une flamme.

— Je connais Wigton par cœur, lui apprit-il. C'est l'un des châteaux que nous avons saisis lorsque Baliol monta sur le trône et que nous étions en désaccord avec les Anglais.

— Je t'imagine très bien, aujourd'hui, trouvant la brèche pour forcer l'Angleterre à se soumettre, la réduisant à ta volonté.

Il souleva une mèche de ses longs cheveux blonds qui frémissaient sous la caresse de la brise.

— Je suis un conquérant. J'ai cela dans le sang.

Jory se représenta Robert en guerrier, le pourpoint ensanglanté. Pour le moment, il portait un plastron de cuirasse. Ses larges épaules, ses bras d'athlète étaient nus, couverts de poussière collée par la sueur due au long voyage qu'ils venaient d'effectuer.

Leurs regards se scellèrent et, sous la gravité du sien, elle ne put que se troubler.

— Robert! s'entendit-elle murmurer d'une voix sourde.

Il la souleva aussitôt dans ses bras comme si elle n'avait pas pesé plus lourd qu'un oiseau et s'engouffra dans l'escalier.

Elle s'y abîma tout entière dans la nuit de ses yeux et oublia le reste du monde. Elle se sentait si bien contre lui. Même la dureté de la cuirasse lui semblait une caresse. La force qui émanait de lui la rendait folle. Tant qu'il la tiendrait ainsi, entre ses bras puissants, rien ne pourrait lui arriver. Elle était en sécurité, impatiente de s'abandonner aux sensations de son corps en émoi.

Ils avaient fini de jouer. Cette fois, ils savaient l'un comme l'autre que la faim qui les possédait ne pouvait plus être contenue. Un désir animal les consumait.

Elle lui désigna la direction de sa chambre et il s'y dirigea sans mot dire, referma la porte du pied et la posa sur le tapis afin de se débarrasser de sa cuirasse. Jamais de sa vie elle n'avait vu un torse aussi large. On l'aurait dit sculpté dans le bronze. Fascinée par le spectacle de ses muscles magnifiques, Jory chancela.

— Robert...

Il l'attira dans ses bras et s'empara de ses lèvres pour s'abreuver au souffle de son nom qu'elle murmurait comme une incantation magique. L'attente ayant décuplé sa passion, il lui infligea un baiser sauvage auquel Jory répondit avec une égale violence. Pris de frénésie, ils se déshabillèrent mutuellement, bouillonnant d'impatience. Leurs vêtements volèrent dans la pièce jusqu'au dernier.

Immédiatement, Jory s'accrocha à lui, enroulant ses jambes et ses bras autour de son corps puissant. Ils n'avaient pas pris le temps de se laver après leur long voyage. L'odeur de la poussière et de la sueur attisa leur désir.

Il referma ses mains sous les cuisses de la jeune femme et la pénétra sans attendre. Ils crièrent en même temps, éperdus de bonheur. Jory gémissait de le sentir en elle. Toutes les fibres de son corps vibraient sous ses caresses.

Il l'amena ainsi jusqu'au lit et, sans se séparer d'elle, il la renversa sur la courtepointe avant de la pénétrer plus profondément tandis qu'elle se cambrait de volupté.

Leur joic émerveillée leur arracha un éclat de rire. Jory n'avait rien ressenti de pareil, même avec son mari. Dans son exaltation, elle se mit à le mordre, décuplant l'urgence de leur plaisir. Accrochée à lui, elle se laissa emporter. Il continua d'aller et venir en elle, prolongeant sa béatitude avant de céder à son tour à l'apothéose de l'ivresse.

Une fois apaisé, il roula sur le dos en l'entraînant avec lui. Jory se retrouva sur lui. Elle plongea dans ses yeux un regard chaviré. Ce qu'elle venait de vivre dans ses bras l'avait profondément bouleversée. Tout à coup, elle avait l'impression d'avoir changé. D'avoir été révélée à elle-même. D'être devenue une femme, dans toute sa splendeur et sa sensualité. Comme si elle avait fait l'amour pour la première fois. Robert Bruce n'était pas seulement un homme magnifique, il était un amant divin et elle semblait faite pour lui.

Il contempla son corps d'un regard impérieux, comme si elle lui appartenait. Il respira leur odeur mêlée, admira la délicatesse de son visage en forme de cœur. Elle lui parut si fine, si délicate qu'il craignit soudain de s'être comporté comme une brute. Il aurait pu la briser tant elle semblait fragile...

Il avait envie d'elle depuis qu'il l'avait vue à Newcastle. Non, en vérité, il l'avait déjà désirée cinq ans plus tôt. Elle n'avait alors que dix-sept ans.

— Je suis désolé, Jory.

Une lueur rieuse illumina le regard de la jeune femme.

— Menteur ! s'écria-t-elle.

Il se mit à rire.

— Non, je ne suis pas désolé, je suis... heureux.

Elle posa ses lèvres sur sa poitrine, à l'endroit du cœur, et lécha la sueur salée qui faisait luire sa peau.

Il la souleva et la posa sur le dos, près de lui, avant de rouler sur elle tandis que ses doigts commençaient une lente exploration.

— Robert, non, pas encore... nous venons à peine de...

— Jory, c'est maintenant que je vais te faire l'amour, murmura-t-il.

Un frémissement la parcourut. Elle n'avait pas conscience du contraste qu'ils offraient, lui si puissant et si brun, elle si blonde, si fine et si délicate. Pourtant, sous ces apparences, tout les rapprochait, pas seulement sexuellement mais spirituellement.

Il lui fit l'amour sans hâte et ils en retirèrent un plaisir décuplé. Bouleversant.

— Emmène-moi de Carlisle, murmura-t-elle en le regardant se rhabiller, un peu plus tard.

— Ne me tente pas.

— Je suis une tentatrice-née.

Tout à coup, la réalité de la situation la frappa. Ce fut comme si elle redescendait brutalement sur terre.

— Tu ne restes pas à Carlisle, n'est-ce pas, Robert ?

S'approchant du lit, il l'attira contre lui et la serra dans ses bras entre lesquels elle semblait si petite.

— J'ai un roi à détrôner, des châteaux à récupérer et l'Annandale aussi.

Robert Bruce était un homme ambitieux et déterminé. Comment avait-elle pu l'oublier ?

— Et l'Écosse à reconquérir ?

Il scruta son regard de ses yeux brillants comme des diamants noirs.

— Tu sais lire en moi, Jory, et percer mes secrets.

Il effleura ses lèvres d'un baiser avant d'ajouter :

— Je suis fou de m'ouvrir ainsi à une femme. Allons, rhabille-toi maintenant.

Une semaine plus tard, Jory comprit qu'elle ne pourrait rester enfermée plus longtemps. En ce début de printemps, la nature renaissait et le spectacle des arbres en bourgeons, des moutons dans les pâturages, des fleurs sauvages dressant un peu partout leurs corolles colorées, l'attirait irrésistiblement. Elle décida de sortir se promener à cheval, et même d'organiser une chasse.

Relevant ses jupes, elle courut sans délai à la recherche d'Alicia, songeant qu'elle aussi serait ravie de prendre un peu l'air.

La maîtresse de son frère avait choisi deux superbes chambres donnant sur les monts Cumbrian et les hauts sommets du Skiddaw. Elle frappa doucement. Personne ne répondit. Pensant qu'Alicia devait être en bas, elle s'apprêtait à rebrousser chemin quand elle perçut un gémissement à travers la porte.

Elle tendit l'oreille et appela doucement la jeune

femme. Un nouveau gémissement se fit entendre. Cette fois, Jory entra sans plus attendre.

Il lui était déjà arrivé de trouver Alice Bolton dans des états de fatigue terribles mais, cette fois, elle était pliée en deux par la douleur.

— Ô mon Dieu ! Qu'avez-vous ? s'écria-t-elle en se précipitant près d'elle.

— Rien. Laissez-moi seule.

— Rien ? Mais vous êtes à l'agonie... Vous aurait-on empoisonnée ?

Jory prit la timbale posée sur la coiffeuse et huma le fond de liquide noir qui s'y trouvait.

— Arrêtez de m'espionner ! cria Alicia en se tenant le ventre comme une femme en proie aux douleurs de l'enfantement.

C'est alors que Jory vit le sang sur sa robe.

— Seigneur, vous êtes en pleine hémorragie ! Laissez-moi vous aider.

Alicia éclata en sanglots.

— Ne dites rien à Alan, je vous en prie. Promettez-le-moi.

Marjory de Warenne se raidit en comprenant ce qui arrivait à Alice Bolton : elle était victime d'une fausse couche. Ou plus exactement, elle avait absorbé une potion abortive pour se débarrasser de l'enfant qu'elle portait...

Sans perdre une minute, Jory retira un drap du lit et se mit à le déchirer pour en faire des bandages.

— Il faut arrêter cette hémorragie !

Son cœur battait à tout rompre. Cette femme ne se rendait pas compte qu'elle risquait de mourir.

— Elle s'arrêtera d'elle-même, prononça Alicia, les dents serrées. La douleur est terrible mais avec l'herbe de Saint-Laurent il n'y a pas de vomissements et il est inutile de se purger ensuite.

— Comment ? Ce n'est pas la première fois que vous en avalez ? Quel gâchis !

Marjory éprouva du dégoût pour cette femme. Mais en même temps, elle était soulagée d'apprendre que son frère était parfaitement capable de procréer. Le plus cher désir d'Alan était d'être père. Combien de fois Alicia avait-elle avorté en cachette ? Comment osait-elle lui mentir sur ce point ? Ne se rendait-elle pas compte qu'Alan l'aurait épousée depuis longtemps s'il l'avait sue enceinte de lui ? Jory s'apprêtait à le lui dire quand elle se retint. *Alan méritait mieux que cette femme !*

— Venez vous allonger.

— Jory, jurez-moi de garder le secret ! la supplia-t-elle. Je suis assez punie comme ça...

Malgré le mépris qu'elle lui inspirait, Jory eut pitié d'elle. Elle souffrait le martyre, l'imbécile.

— Je ne vous trahirai pas, Alicia. Mais je vous conseille vivement de tout avouer à mon frère.

5

John Comyn, connétable d'Écosse, avait rappelé tous ses hommes d'armes de Dumfries pour les rassembler au nord de la capitale écossaise de Scone. C'était l'homme le plus puissant du pays après le roi Baliol mais la situation de second ne lui convenait pas. Il nourrissait l'ambition d'être lui-même roi d'Écosse un jour.

Aujourd'hui à la tête de toutes les armées, il se dirigeait vers l'Annandale en vue d'atteindre l'Angleterre.

Jock Leslie, le régisseur du château de Dumfries, était en colère contre les hommes de Comyn qui pillaient toutes leurs réserves.

— Dumfries appartient à la couronne. Quand le roi Alexander dirigeait l'Écosse et que les Bruce étaient gouverneurs de l'Annandale, nous étions payés pour nos services. Or, depuis que le clan des Comyn occupe Dumfries, nous n'avons pas vu un sou. Rien. Heureusement qu'il nous reste nos bêtes pour remplir nos panses ! Si ce Comyn pouvait aller au diable avec toute sa clique !

— Tu oublies que ces hommes s'apprêtent à partir en guerre contre les Anglais, intervint Megotta. Ils ne peuvent le faire le ventre vide !

— Et toi, tu oublies qu'il y a encore une semaine ces

mêmes hommes étaient du côté des Anglais. Ils ont retourné leur veste une fois de plus. J'espère de tout mon cœur que les Bruce les chasseront, récupéreront l'Annandale et tous leurs châteaux.

— Parce que tu crois que les Bruce ne retournent pas leur veste ? Il n'y a pas moins fiables qu'eux. D'ailleurs, ils ont du sang normand, c'est tout dire ! Ils savent s'allier aux Anglais quand ça les arrange ! Je leur crache dessus ! s'emporta Megotta.

— En tout cas, tous les clans de la région, les Dunbar y compris, préfèrent les Bruce aux Comyn, c'est clair, intervint Alex Leslie.

— On ferait mieux de s'unir, dit Keith en regardant sa grand-mère avec tendresse. Les Anglais vont nous envahir plus tôt qu'on ne le croit.

— Si jamais ils viennent s'installer à Dumfries, les Anglais, ils ne seront pas mécontents du voyage ! Jane et moi, on leur fera goûter de nos petites herbes. Certaines guérissent mais d'autres sont de redoutables poisons !

— Non ! s'écria la jeune fille. Jamais je ne mettrai mes pouvoirs au service du mal !

Jock remarqua le regard éperdu de sa fille.

— Viens près de moi, mon enfant. Tu n'as rien à craindre. En tant que régisseurs du château, les Leslie se mettront au service de n'importe quelle garnison. Je suis à moitié anglo-normand, et crois-moi, les Anglais ne sont pas plus monstrueux que les Écossais. Ce sont des hommes comme les autres.

Le père de Jane venait de comprendre qu'il avait peut-être laissé sa fille trop longtemps au contact de sa grand-mère. Il aurait dû la marier depuis longtemps. Elle ne menait pas une vie normale pour une jeune fille de son âge.

Des hommes comme les autres... se répétait-elle. C'était justement ce qu'elle redoutait le plus. Elle porta la main à son talisman et se souvint qu'elle n'avait cessé de requérir sa protection depuis les dernières vingt-quatre heures. Et elle n'était pas la seule. Ces temps-ci, à Dumfries, nombre d'hommes et de femmes s'étaient munis d'une pierre de touche. Si aucun danger ne se profilait à l'horizon, pourquoi recherchaient-ils des secours magiques ?

À Berwick, la folie meurtrière qui avait mis la ville à feu et à sang s'apaisa. Les morts furent enterrés et Édouard Ier ordonna que tout ce qui avait été détruit fût reconstruit sans délai. On en profita pour surélever les fortifications et creuser la douve pour qu'elle soit plus profonde.

En l'espace d'une semaine, le roi rétablit l'ordre sur le plan politique et, dans un esprit d'apaisement, il abolit l'impôt le plus impopulaire, celui qui frappait la laine. Malgré ses efforts, le bruit du massacre se répandit à travers tout le pays comme une traînée de poudre, ranimant la haine des Écossais contre l'envahisseur anglais.

Quand Édouard reçut la lettre du roi Baliol, lui annonçant la rupture du serment d'allégeance qui le liait à lui, il entra dans une colère noire.

— Le traître ! De Warenne, vous allez vous assurer qu'il a bien renoncé au trône et vous me l'amènerez ! Je veux qu'il se traîne à genoux devant moi en m'implorant le pardon ! Je vais le jeter en prison ! La tour de Londres sera son nouveau logis !

Chargé de reconstruire Berwick, John de Warenne dut faire appel à des hommes d'Alan ainsi qu'à des bataillons commandés par Percy et Bohun. Il lui fallait assurer non seulement l'arrière-garde de la cité mais le contrôle du port. Pour la capture du roi Baliol, il désigna l'évêque de Durham et lui-même emmena le gros de ses troupes jusqu'à Dunbar où il savait que le comte Patrick resterait fidèle aux Anglais. Là, le roi Édouard entreprit de rejoindre dans les collines de Lammermuirs en vue de dégager la route d'Édimbourg.

Pendant ce temps, Robert Bruce parcourut le Northumberland où il enrôla des hommes pour grossir ses rangs. Chaque jour, de nouvelles troupes irlandaises et galloises arrivaient à Carlisle, avec des vivres et du matériel. À la fin de la semaine, Bruce était prêt à marcher sur l'Écosse afin de récupérer ses biens.

Lorsqu'il apprit le massacre de Berwick, il sut que Comyn se vengerait et qu'il trouverait ses troupes sur son chemin. Quelle ne fut pas sa surprise quand il apprit que son pire ennemi évitait les troupes anglaises à l'est et détruisait au contraire les villes de l'ouest. Les forces de Comyn se comportaient comme Édouard à Berwick. Œil pour œil, dent pour dent. Il poussait ses hommes à tout détruire sur leur passage dès qu'ils franchissaient la frontière anglaise. Ainsi fut démoli le monastère de Hexham, de même que tous les villages qu'ils traversèrent, tuant hommes, femmes et enfants, incendiant les maisons, les églises, détruisant le bétail. C'est animés de ces intentions meurtrières qu'ils s'approchaient chaque jour davantage de leur but, Carlisle.

Derrière les remparts de la cité, prêt à l'affrontement, Robert Bruce attendait son ennemi, Comyn, comte de Bucham.

Ignorant sa présence, Comyn choisit trois mille hommes parmi ses plus fins guerriers, pour attaquer Carlisle. Il comptait sur l'effet de surprise pour venir à bout de la ville sans problème.

Le plus surpris, ce fut lui. Laissant l'un de ses frères au château de Carlisle pour le défendre, au cas, très improbable, où il aurait été menacé, Robert Bruce et ses autres frères fondirent sur les Écossais dès qu'ils franchirent les remparts de la ville. Ils tentèrent de refluer mais ils se retrouvèrent prisonniers derrière les hauts murs, cernés de tous côtés. Avant la fin de l'après-midi, près d'un millier d'Écossais gisaient dans les rues de Carlisle.

Comyn parvint à ressortir de la ville avec une poignée de ses capitaines que le massacre avait épargnés. Ils rejoignirent le reste de leurs soldats toujours à l'extérieur de l'enceinte et donnèrent l'ordre de riposter mais les chefs de clan hésitèrent après la tuerie qui venait d'avoir lieu. Enhardis par leur victoire, les hommes de Bruce sortirent de Carlisle pour continuer de pourfendre l'armée de Comyn, qui battit en retraite pour regagner la frontière.

Lorsque le soir tomba, Robert Bruce était victorieux. Avec ses hommes, il aida les habitants de la cité à éteindre les quelques feux allumés par l'ennemi et à évacuer les cadavres. Il s'octroyait enfin une chope de bière pour rafraîchir sa gorge desséchée quand il songea brusquement à Marjory de Warenne. Elle n'était pas en sécurité à Wigton.

Il partir la chercher sur-le-champ, la ramena au château de Carlisle avec Alice Bolton, puis il repartit pour finir de débarrasser la région de l'ennemi. Il ne tarda pas à reconquérir son territoire.

Il chargea ensuite son frère Nigel de localiser le corps principal de l'armée anglaise et de transmettre un message disant que les Bruce tenaient l'Annandale, Dumfries, Galway et Carrick et que le roi Édouard n'avait pas de souci à se faire.

Il faisait nuit. Alan de Warenne patrouillait autour du vaste camp anglais. Il était fier de la vigilance de ses archers gallois. Leur aptitude à voir dans le noir et leur ouïe étaient bien supérieures à celles des Anglais et, selon lui, ce n'était pas seulement dû à l'entraînement. Il était persuadé que les Gallois avaient un sixième sens capable de les prévenir du moindre danger. Quand il entendit le signal, un ululement de chouette, il se mit en alerte et intercepta Nigel Bruce au moment où il allait se glisser dans le camp.

Un couteau sur la gorge, son cœur battant à tout rompre, Nigel cria :

— Bruce ! Je suis un Bruce !

Sans lâcher prise, Alan l'observa de plus près. Les deux hommes se reconnurent au même moment et leur empoignade se transforma en une étreinte fraternelle.

Peu après, sous la tente de John de Warenne, Bruce leur raconta ce qui était arrivé à Carlisle. Il leur assura que Marjory et Alicia étaient en sécurité.

Ses espions l'avaient informé que les Écossais étaient venus à bout du château du comte Patrick de Dunbar. En écoutant Nigel, il comprit où voulait en venir Comyn : une fois que les armées écossaises seraient réunies, elles constitueraient une force formidable qui attendrait les Anglais à Dunbar.

Pendant les heures qui suivirent, John de Warenne établit une stratégie très ingénieuse. Cependant, il savait que son succès dépendait de la coopération de Robert Bruce avec l'armée qu'il commandait désormais.

Nigel secoua la tête.

— Mon frère place les intérêts des Bruce avant toute chose. Je l'ai laissé dans notre forteresse de Lochmaben, à l'entrée de la vallée d'Annandale. Quand les hommes ont vu les étendards des Bruce, ils se sont immédiatement ralliés à nous. Nous n'avons pas rencontré la moindre opposition. Maintenant que Robert a retrouvé ses positions sur les frontières de l'ouest, il sera très difficile de l'en déloger.

Mais John de Warenne était persuasif. Il interrogea Alan du regard. Sans les Bruce, l'issue était incertaine et des rumeurs couraient à propos d'alliances que ces derniers auraient conclues dernièrement avec de nombreux nobles du sud de l'Écosse. Or, il fallait une victoire décisive pour que l'Écosse comprenne que Baliol était définitivement destitué.

— D'accord, s'inclina Alan. J'accompagnerai Nigel pour persuader Bruce de se joindre à nous. Mais à une condition.

Avant de l'énoncer, il soutint le regard de son oncle sans ciller.

— Je veux ta parole – pas celle d'Édouard, la *tienne* – que Robert récupérera définitivement tous ses biens, terres et châteaux, et que tout ce qui est allé à Comyn lui sera restitué immédiatement.

Le lendemain de l'arrivée d'Alan à Lochmaben, il partit à cheval avec son ami Robert pour visiter les châteaux des Bruce, depuis Caerlaverock à Lockryan. Du haut des versants plongeant dans la vallée, la vue était grandiose.

— Toutes ces terres nous viennent de mon ancêtre Adam de Brus, le premier seigneur de l'Annandale.

— Le sang des conquérants normands court toujours dans nos veines, remarqua Alan.

Robert sourit.

— Oui, mais j'ai aussi du sang celte par ma mère, précisa-t-il. Un mélange explosif, n'est-ce pas ?

Comme ils pénétraient dans la magnifique ville de Dumfries, avec son monastère franciscain, son superbe pont de pierre dont les neuf arches enjambaient le Nith, Alan ne put réprimer un sentiment de convoitise.

— Je comprends pourquoi tu tiens autant à tout cela. L'Annandale est la plus belle région que j'aie jamais vue. Bien sûr, l'Essex ou le Surrey sont très beaux aussi mais... ici, tout est tellement majestueux ! J'aimerais voir le château. Tu crois que c'est possible ?

Robert sourit.

— Dumfries ne m'appartient pas, c'est un château royal. Néanmoins, il est situé sur mes terres. Il me vient une idée ! Quand nous aurons vaincu Comyn, tu devrais demander au roi de te nommer gouverneur de Dumfries. Ainsi nous serons voisins.

Alan jeta un bref regard à son ami.

— Dois-je comprendre que tu te bats avec nous ?

Alan avait presque perdu espoir. Il avait même reproché à Robert d'avoir récupéré lui-même ses fiefs au lieu d'attendre qu'Édouard les lui restitue. Le roi n'appréciait guère l'arrogance mais le Bruce semblait indifférent aux rages du Plantagenêt.

Et voilà que, tout à coup, il capitulait... Alan doutait qu'il n'agisse que par amitié et il le soupçonna de céder à son goût immodéré pour les défis. Il ne s'imagina pas un instant combien son regard vert, dont le soleil d'avril relevait toute la brillance, rappelait à Robert celui de sa sœur Jory.

Dès que Robert Bruce franchit les portes de Dumfries, toute la ville fut au courant de sa présence. Le comte de Carrick, seigneur de l'Annandale, ne laissait personne indifférent. Dumfries avait été sous la domination des Comyn durant les trois années passées et tous, à part les régisseurs du château, s'inquiétaient des dispositions qui animeraient Robert Bruce.

Quand il arriva devant l'énorme portail du château aux côtés de son ami Alan, Jock Leslie l'attendait. Il leur offrit ses services ainsi que des rafraîchissements.

— Je me souviens de vous, dit Robert avec un air approbateur, car Dumfries était admirablement tenu. Depuis quand êtes-vous régisseur ici ?

— Depuis plus de vingt ans, mon seigneur.

Robert lui présenta Alan qui lui posa des questions pertinentes sur le domaine, notamment en ce qui concernait l'élevage, vital pour eux.

— Quelle est l'importance de votre troupeau ? voulut-il savoir.

— Il se monte à un millier de têtes. Le prix de la laine de nos moutons nous aurait fourni de quoi vivre pendant une année. Hélas, l'armée de Comyn a réquisitionné les bêtes avant la tonte.

Une lueur de colère s'alluma dans les yeux de Bruce.

— Dumfries possède-t-il sa propre forge ?

— Oui, mon seigneur, ainsi que son moulin et sa brasserie. Nous nous suffisons à nous-mêmes, voyez-vous.

Jock Leslie se sentit très honoré de susciter un tel intérêt auprès des deux seigneurs, deux hommes intelligents qui appréciaient à sa juste valeur l'importance des fonctions de régisseur. Il les invita à dîner et ils acceptèrent.

Les sœurs de Jane arrivèrent à la chaumière plus excitées que jamais.

— Viens vite ! Le Bruce est là ! En personne ! On dit qu'il est le plus bel homme de toute l'Écosse ! s'écria Mary.

— Et le plus fort ! ajouta Kate.

Jane perçut la désapprobation de Megotta qui trouvait leur empressement indécent mais sa curiosité était éveillée. Elle entraîna sa grand-mère.

— Viens, allons voir à quoi ressemblent ces demi-dieux !

Elles se mêlèrent à la foule rassemblée dans la cour et Jane n'eut aucun mal à identifier Robert Bruce : il était aussi brun que son compagnon était blond.

— Qui est l'autre ? Il a le type normand, on dirait, remarqua Megotta avec suspicion.

— Il paraît que c'est un ami intime du Bruce, un Anglais, lui apprit une femme.

Jane reçut cette nouvelle comme un outrage. Comment le Bruce osait-il amener un Anglo-Normand à Dumfries ? En tout cas, elle était sans doute l'une des rares à ne pas regarder Robert Bruce mais le magnifique blond qui l'accompagnait. Avec sa crinière ondulant sur ses épaules et ses yeux d'un vert lumineux, il était la personnification humaine de son lynx ! Jane en resta bouche bée.

Elle prit son talisman entre ses doigts et tenta de refréner son émotion. L'espace d'un instant, elle crut que le regard perçant se posait sur elle et qu'il détenait le pouvoir de lire les secrets de son âme. Elle comprit brusquement qu'elle avait déjà vu cet homme et elle rougit copieusement : c'était celui de son rêve dont tout le scénario se déroula à nouveau devant ses yeux dans le moindre détail.

C'est alors qu'une prémonition la figea sur place, et l'effroi la fit trembler. Cet homme possédait un pouvoir terrible. Il était leur ennemi ! Un Normand capable de la soumettre à sa volonté, elle et eux tous !

— Megotta, il n'est pas le bienvenu, murmura-t-elle à l'oreille de sa grand-mère. Nous devons nous débarrasser de lui !

Quand Jock entraîna ses visiteurs vers le château, Megotta lui dit :

— Allons aux cuisines. J'ai ma petite idée.

Elles pénétrèrent dans la pièce par la porte de derrière. Les cuisiniers s'activaient autour de l'âtre où un sanglier rôtissait. D'autres mettaient divers légumes à bouillir.

— Je m'occupe de la sauce, décréta Megotta au moment précis où Jock Leslie arrivait.

Dès qu'il vit Megotta, il fondit sur elle.

— Hors d'ici, femme ! Vous avez mal choisi votre

jour pour accomplir vos mauvais tours ! Vous voulez nous couvrir de honte ?

Megotta eut beau protester de son innocence, rien n'y fit. Jock connaissait bien sa belle-mère et sa haine des étrangers.

— Andrew ! tonna-t-il. Ne la laisse franchir cette porte sous aucun prétexte !

Tapie dans une encoignure, Jane attendit que les plats soient prêts pour sortir de sa cachette. Des sentiments confus l'agitaient mais, pour elle, le Normand était le plus dangereux des deux visiteurs.

Elle s'approcha de l'un des cuisiniers qui versait le potage dans une grande soupière avant d'y mélanger de la crème et du vin.

— Andrew ? susurra-t-elle. Puis-je servir le potage ? Son frère lui sourit.

— D'accord, mais ne traîne pas. Il refroidit vite.

Quand elle pénétra dans la salle à manger, son cœur battait à tout rompre. Elle s'étonnait de sa propre témérité. Aurait-elle le courage d'aller jusqu'au bout ?

Elle commença par Robert et parvint à remplir son assiette sans trembler. Jetant alors un bref regard à l'homme aux cheveux blonds, la vision de ses lèvres lui rappela les paroles si troublantes qu'il lui avait murmurées dans son rêve, et elle s'émut. De plus, lui aussi la regardait, s'attardant tout d'abord sur les courbes de ses seins puis sur sa chevelure de feu. Il ne put masquer l'attrait qu'elle exerçait sur lui. Un sourire sans équivoque se dessina sur la bouche de l'étranger et la décision de Jane se précisa. Feignant un geste maladroit, elle renversa tout le contenu de la louche sur les jambes du Normand.

Alan de Warenne sauta aussitôt sur ses pieds. Heureusement, sa tunique de cuir et ses chausses l'avaient préservé des brûlures. D'un geste vif, il saisit le poignet de Jane, l'empêchant de s'esquiver. Il semblait furieux.

— Qui diable êtes-vous ?

— Une Celte ! cria-t-elle avec un air de défi.

— Une mégère qui a besoin d'être domptée ! rectifia-t-il, furieux.

— Je suis l'ennemie jurée des Anglais, ces suppôts de Satan !

Jock Leslie, qui avait sorti son meilleur vin en l'honneur de ses hôtes, se précipita pour tenter de réparer les dommages que sa fille était en train de causer.

— Qui est cette fille ? demanda de Warenne.

— Une servante maladroite, dit Jock, trop embarrassé pour reconnaître que Jane était sa fille.

— Maladroite ? Je ne crois pas. Elle a agi délibérément.

De Warenne la fixa en plissant les yeux avant de la lâcher. Il savait qu'elle brûlait d'envie de le griffer au visage, tel un petit chat sauvage, mais elle n'oserait pas.

— Je vais vous apprendre les bonnes manières, ajouta-t-il plus bas, d'une voix qui insinuait clairement des intentions d'un tout autre ordre.

— Sors d'ici tout de suite ! ordonna Jock. Elle sera punie, mon seigneur.

Dès que Jane se fut éclipsée, Robert Bruce intervint.

— Accepte mes excuses au nom de tous les Celtes. Notre nature passionnée nous entraîne parfois à des conduites irrationnelles. Il ne faut pas en prendre ombrage.

Alan de Warenne ne put s'empêcher de sourire. Pour sa part, il montrerait bien à cette petite servante qu'il avait lui aussi une nature passionnée.

— Ne la punissez pas, Jock Leslie, dit-il. Je sais que la haine des Anglais n'est pas morte en Écosse. Cette fille a simplement cédé à son impétuosité, ce n'est pas grave.

Jock appela Kate d'un geste impérieux.

— Ma propre fille vous servira le reste du repas, mon seigneur. Il n'y aura pas d'autre incident, je m'y engage.

Jane courut jusqu'aux écuries comme si le diable en personne était à ses trousses. Son frère Keith avait installé les chevaux des deux nobles dans les meilleurs box, avec de la paille fraîche. Bien qu'elle détestât leurs maîtres, elle admira les deux étalons, les plus beaux qu'elle eût jamais vus. Elle passa un long moment auprès du gris, à lui parler, à laisser courir ses doigts dans la crinière soyeuse en lui murmurant de douces paroles. Elle sourit lorsqu'il hennit en réponse.

L'idée lui vint alors d'ouvrir les sacoches de selles pour voir ce qu'elles contenaient. Peut-être apprendrait-elle qui était l'homme aux cheveux blonds ? Devinant d'instinct que le cheval gris appartenait à Robert Bruce, elle se glissa dans l'autre box, et flatta l'encolure de l'étalon noir tout en fouillant dans les sacoches. Déçue, elle ne trouva que quelques pommes, des gants de cuir noir et un parchemin qui semblait représenter une carte de l'Annandale. Comme elle ne savait pas lire, elle la replia et remit le tout en place, sauf une pomme qu'elle offrit à croquer à l'étalon.

— Que diable faites-vous à mon cheval ? lança soudain une voix furieuse qui la fit violemment sursauter.

Jane partit en courant mais il n'eut aucun mal à la rattraper en lui saisissant le bras.

— Prenez garde, Normand, je suis une sorcière dotée de pouvoirs puissants que j'exerce contre les ennemis de l'Écosse !

— Vos superstitions ne m'intéressent pas. Je veux seulement savoir ce que vous avez donné à manger à mon cheval.

Jane s'indigna, oubliant aussitôt sa colère.

— Je ne ferais jamais de mal à un animal ! C'est une pomme que je lui ai donnée. Lâchez-moi, vous me faites mal !

— Voyez-vous ça ! C'est une bonne correction que vous méritez, petite coquine !

— Que se passe-t-il ici ? Aurais-je interrompu les préludes à une partie de roulades dans le foin ? intervint Robert en souriant.

— Très drôle, riposta Alan en lâchant la fille. Comment une femme peut-elle causer tant de désordre en si peu de temps ?

— Tu sais ce qu'on dit des rousses ? Qu'il faut les éviter comme la peste !

Les deux hommes enfourchèrent leurs montures et quittèrent les écuries et Dumfries au grand soulagement de la jeune fille. Pourtant, une ombre tempérait sa détente… un nouveau pressentiment. De même qu'elle avait déjà vu le Normand en rêve, il reviendrait. Inévitablement.

6

Le plan de John de Warenne fonctionna à merveille. Avec l'aide des Bruce, ils n'eurent aucun mal à vaincre l'armée écossaise déjà mise à l'épreuve par son incursion dans le Cumberland. Ils remportèrent une victoire totale. Non seulement Comyn fut capturé, mais cent trente des plus grands chevaliers écossais ainsi que les comtes de Menteith, Atholl et Ross. Pour couronner cette écrasante supériorité, ils s'emparèrent du château de Dunbar.

La soirée suivant une victoire était toujours consacrée à la fête et au festin. Ce soir-là, le château de Dunbar résonnait de cris joyeux. On avait vidé les caves de leurs barils de bière et de whisky pour loger les prisonniers. Au-dehors, sous sa tente, Alan de Warenne, fatigué, ne partageait pas la gaieté générale et n'éprouvait pas la joie qui le comblait d'habitude, à l'issue d'une bataille remportée.

Une petite phrase d'Alicia lui revint alors en mémoire. « La guerre, c'est ta vie. »

Elle n'avait pas tort. Que voyait-il lorsqu'il envisageait son avenir ? La guerre, toujours et encore. Une fois l'Écosse soumise, les Anglais se tourneraient vers la France, leur prochain défi.

Tout à coup, ces perspectives lui paraissaient vaines. Il se sentait insatisfait. Il ferma les yeux un instant, s'efforçant de chasser les images de guerre qui occupaient son esprit. Celles des rues de Berwick en sang le hantaient. Des enfants avaient été massacrés. Pourquoi ? Rien n'était plus précieux que la vie d'un enfant. Il vendrait son âme pour en avoir un à lui.

Édouard Plantagenêt parcourut la distance entre Berwick et Dunbar à bride rabattue. Comme il le faisait toujours pour célébrer les victoires de ses armées, il avait fait rassembler tous les prisonniers dans la grande salle, pour les obliger à se prosterner à genoux devant lui et à lui jurer allégeance. Ensuite, il les enverrait à Hereford, en Angleterre.

Au château de Dunbar, que le comte Patrick venait de récupérer, Édouard leva son verre en l'honneur de son commandant suprême, John de Warenne.

— Vous avez fait du beau travail, John. Je savais que je ne me trompais pas, le jour où je vous ai nommé chef de toutes mes armées.

— Sire, nous ne serions jamais venus à bout des Écossais sans l'action rapide et décisive de l'armée des Bruce, précisa John de Warenne en levant son verre vers Robert qui se tenait à ses côtés. Puis-je vous recommander de lui confier la seigneurie de l'Annandale ?

— Si je me souviens bien, je m'y suis engagé à condition que Baliol soit capturé et destitué, rétorqua sèchement Édouard.

Robert Bruce planta son regard dans celui du roi d'Angleterre.

— Quand Baliol sera destitué, je réclamerai le trône d'Écosse, pas seulement celui de l'Annandale.

Un silence plana.

— Vous croyez peut-être que nous n'avons rien de mieux à faire que de conquérir des royaumes pour votre petite personne ?

Sentant la situation s'envenimer, Alan intervint avec toute la diplomatie qui le caractérisait.

— Majesté, votre prochain but n'est autre qu'Édimbourg. Nous serons alors tout près de Stirling. Sachant que la nouvelle de vos triomphes a déjà atteint Elgin, en passant par Aberdeen et Banff, vous trouverez plus d'un noble, sur votre route, prêts à vous offrir leur allégeance. Le seul danger serait que l'armée décimée se reconstitue et se reforme *derrière* nos lignes. Elle risquerait alors de récupérer ses bases sur les frontières du sud et de l'ouest pendant que nous progresserons vers le nord.

Le roi Édouard comprit aussitôt qu'il ne pouvait se permettre d'offenser Robert Bruce. Il avait besoin de lui pour protéger ses arrières.

— Vous êtes un fin stratège, John. Je vous laisse les mains libres et, comme vous me le suggériez, Bruce récupérera ses châteaux sans délai. Les routes de l'ouest entre l'Angleterre et l'Écosse doivent rester ouvertes pour permettre le ravitaillement de nos armées.

Comme le roi s'éloignait avec John, Robert Bruce et Alan de Warenne échangèrent un regard amusé.

— Tu vois, rien ne vaut la manière directe. Il suffisait de demander. Pourquoi n'essaies-tu pas ? dit Robert en donnant un coup d'épaule à son ami.

Alan reçut ce geste comme un signe du destin. Sans hésiter, il se leva et traversa la pièce pour rejoindre son oncle. Comme il ouvrait la bouche pour parler, John de Warenne le devança :

— Désolé, Alan, mais je crains que tu ne doives renoncer à soumettre le reste de l'Écosse. Le roi n'a pas totalement confiance en Robert Bruce. Il veut quelqu'un pour le surveiller et tu es le seul qui n'éveillera pas la suspicion de Bruce. Il faut qu'une garnison reste en permanence au château de Dumfries. Accepterais-tu cette mission ?

Son neveu lui répondit par un grand sourire.

Le lendemain matin, Alan de Warenne prit la direction du sud avec vingt de ses plus jeunes chevaliers et soixante-dix soldats. Il plaça le reste de ses hommes sous le commandement de son cousin, Fitz-Waren. Leur ayant d'abord laissé le choix, il s'aperçut que s'ils étaient volontaires pour continuer à se battre à ses côtés, ils l'étaient beaucoup moins pour servir sous les ordres de Fitz-Waren, et il découvrit avec stupeur que non seulement ses Gallois n'éprouvaient ni respect ni sympathie pour ce dernier mais qu'ils n'étaient pas les seuls. Mêmes ses chevaliers le méprisaient. Alan en discuta avec quelques-uns de ses vétérans qui lui assurèrent que John surveillait de près son fils adoptif.

La nuit précédant son arrivée à Dumfries, Alan réunit

tous ses hommes. Il tenait à établir clairement certaines règles.

— Les habitants de Dumfries ne sont pas des soldats. Nous ne devons pas arriver chez eux comme des conquérants mais comme des pacificateurs. Nous n'établirons pas notre camp hors de l'enceinte, nous serons hébergés au château. Notre rôle sera d'aider les patrouilles de Bruce à surveiller les frontières de l'ouest et d'assurer le libre accès à la route entre l'Angleterre et l'Écosse, ou plus exactement entre Carlisle et Édimbourg. Gardez toujours à l'esprit que, bien que les gens de Dumfries soient écossais, ils ne doivent pas être considérés comme des ennemis. Nous avons besoin de leur coopération, pas de leur hostilité. Tout incident fera l'objet d'un rapport qui me sera immédiatement adressé. Si nous démasquons des traîtres, ce qui me semble inévitable, ils seront jugés par une cour que je réunirai chaque semaine. Personne ne devra faire justice tout seul. Je ne tolérerai pas le moindre écart de conduite. Vous êtes libres de nouer des liens avec les femmes du château, mais en aucun cas vous ne les obligerez à vous accorder leurs faveurs.

Dès son arrivée au château de Dumfries, Alan eut une longue conversation avec Jock Leslie. Il tenait à gagner la confiance du régisseur, établir des rapports fondés sur le respect mutuel et préserver une cohabitation pacifique.

— Vous pouvez compter sur moi, seigneur de Warenne, conclut Jock à la fin de leur entretien. Au moindre problème, n'hésitez pas à venir me parler et j'en ferai autant de mon côté.

— Entendu, et n'oubliez pas que vous restez le maître des lieux.

Devant le regard interrogatif du régisseur, Alan précisa avec un petit sourire :

— Pour tout ce qui concerne l'hébergement de mes hommes, de leurs chevaux, les repas et la vie de la maison, vous êtes le chef. Vous n'avez à répondre de votre autorité à personne, à part moi, ajouta-t-il plaisamment.

Demain, vous me montrerez comment s'organisent la vie et le travail à Dumfries.

Durant les deux jours qui suivirent, les habitants de Dumfries regardèrent les Anglais installés au château avec défiance. Ils avaient entendu parler du massacre de Berwick. Puis, quand ils s'aperçurent que leur chef était l'ami fidèle de Robert Bruce, leurs craintes se dissipèrent. L'assurance que Jock Leslie restait le régisseur du château acheva de les apaiser.

Seule Jane ne partagea pas leur soulagement. Elle ne remit plus les pieds dans l'enceinte du château. De toute façon, elle fut très occupée à aider Judith, la femme de son frère Ben, qui mit au monde son quatrième enfant. Elle avait toujours eu des accouchements difficiles mais Jane réussit à la calmer par ses paroles, les berceuses qu'elle lui chanta, l'apposition de ses mains sur son ventre. Judith parvint même à s'assoupir de temps en temps, entre deux séries de contractions.

Le bébé vint au monde au bout de vingt-quatre heures d'efforts, à l'aube d'une belle journée. Après avoir baigné, emmailloté, et mis le nouveau-né au sein de sa mère, Jane laissa Megotta prendre le relais pour aller se reposer, c'était bien mérité. Toutefois, la tension des dernières heures ne la prédisposait pas au sommeil. Aussi prit-elle le chemin de l'étang, dans la forêt.

Il se trouvait à au moins deux miles de la maison de Ben mais, sous le rayonnant soleil d'avril, avec les oiseaux qui s'égosillaient dans les arbres, Jane se sentait légère et gaie. Comme il était encore très tôt, elle aurait peut-être la chance d'apercevoir son beau lynx.

Quand elle déboucha dans la petite clairière, un tout jeune hibou se posa silencieusement sur son épaule et son aile lui effleura la joue. Il l'accueillait toujours de cette manière, pour son plus grand plaisir.

Elle aperçut ensuite son petit héron vert préféré, le plus timide des oiseaux aquatiques, occupé à chercher le fretin de son petit déjeuner.

— Je t'ai vu, Billy Crabe !

Lorsqu'il entendit son nom, l'oiseau tourna aussitôt la tête vers elle. Elle l'avait surnommé ainsi la première fois où elle l'avait vu.

Jane s'assit au bord de l'étang et ferma les yeux avec un plaisir indicible.

Avant de faire la visite approfondie du domaine avec Jock Leslie, Alan partit chevaucher tout seul sur les terres de Dumfries. Il avait envie de se familiariser avec les lieux. À son rythme, pour commencer.

Il choisit un petit faucon et monta sur son étalon noir. En traversant les pâturages, il déplora le manque de bétail. Seuls quelques moutons paissaient çà et là. Il ne vit aucune vache à lait, aucun cheval sur l'herbe grasse. Il maudit Comyn de s'être attribué les bêtes. Bien sûr, il fallait nourrir une armée mais de là à éliminer des troupeaux entiers...

Se demandant si les cochons étaient parqués dans la forêt, comme cela se faisait en Angleterre, il dirigea sa monture vers les bois touffus.

Il ne vit aucune trace de pourceaux mais constata avec satisfaction que nombre d'animaux peuplaient la forêt. Grâce à Dieu, la chasse ne les avait pas décimés. Aux abords d'une clairière, il descendit de cheval, prit le faucon et le lâcha.

Il contempla son envol quand un cri strident déchira le silence. Au même moment, il se retrouva plaqué au sol par un assaillant qu'il n'avait pas vu venir. En un éclair, Alan le saisit à la gorge et roula sur lui. À sa grande surprise, il s'aperçut que son attaquant était une femme, petite et mince, dotée de longs cheveux d'un roux flamboyant. Il reconnut la fille qui l'avait agressé, lors de sa première visite à Dumfries.

De son côté, Jane demeura stupéfaite quand elle reconnut l'homme qui la maintenait au sol. Ses prunelles vertes la scrutaient et, l'espace d'un instant, elle frémit à l'idée qu'il s'apprêtait peut-être à la lécher, comme l'avait fait le lynx. Une idée saugrenue. Non seulement ce n'était pas son intention mais il semblait furieux.

— Je… je vous ai poussé pour éviter que le faucon ne tue des oiseaux.

— Poussé ? Vous m'avez sauté dessus comme un animal sauvage !

— Les créatures de cet étang sont mes amies. Vous êtes dans mon sanctuaire. J'interdis à quiconque de chasser ici.

— *Vous* m'interdisez ? Mais pour qui vous prenez-vous ?

Jane n'avait aucune envie de lui dire son nom. Elle lutta pour se dégager mais il la tenait prisonnière sous le poids de son corps. En plaquant ses mains sur sa poitrine pour le repousser, elle sentit ses muscles d'acier sous ses doigts. Il était l'homme le plus grand, le plus puissant qu'elle eût jamais vu et la sensation de sa force la submergea. Il pouvait lui rompre le cou d'une seule pression des doigts.

— Que venez-vous faire ici ? demanda-t-elle en haletant.

Alan ne résista pas à l'attrait de ses seins. Ils palpitaient au rythme de son souffle. Sa colère s'évanouit au profit d'un désir ardent. Il sourit.

— Je fais ce que je veux, répondit-il avec un lent sourire. Je suis le nouveau seigneur de Dumfries.

Les images érotiques de ce qu'il pourrait lui faire se dessinèrent et il sentit son sexe durcir contre le corps qu'il tenait sous le sien.

— C'est impossible, vous êtes… *anglais* !

Elle prononça ce dernier mot comme s'il s'agissait d'une abomination.

— Et vous celte, si je me souviens bien. Quel est votre nom ?

— Sironi, répliqua-t-elle avec défi, utilisant le nom d'une déesse celte que Megotta lui donnait parfois.

Elle se souvint alors qu'elle lui avait dit être une sorcière déterminée à user de ses pouvoirs contre les ennemis de l'Écosse. Rassemblant tout son courage, elle ajouta :

— Vous n'êtes pas le bienvenu dans ce château. Malheur à vous si vous ne quittez pas les lieux au plus vite.

— Vos malédictions celtes me font trembler de peur,

répliqua-t-il d'un air moqueur. Je ne suis pas superstitieux. Vous oubliez que je suis normand.

Il se baissa pour respirer l'odeur de ses cheveux et Jane se rendit compte avec un effroi grandissant de l'effet qu'elle produisait sur lui. Elle le détestait mais elle se détestait tout autant d'être si sensible au trouble qu'il éveillait en elle. Un trouble inconnu.

— Je ne risque pas de l'oublier que vous êtes normand, osa-t-elle riposter.

Alan vit la peur dans les yeux de la jeune fille et il se reprit. S'il ne la lâchait pas tout de suite, il allait perdre le contrôle de lui-même et la prendre sans délai, ici même, sur l'herbe. Jamais il n'avait abusé d'une femme. Ce n'était pas dans ses principes.

— Vous mériteriez une bonne leçon, petite impertinente ! lança-t-il en se relevant. Vous êtes sûrement plus douée pour jouer les coquines que les sorcières !

Jane tremblait, mais pas au point de laisser passer un tel défi sans le relever. Il fallait qu'elle lui montre à qui il avait affaire. Elle leva les yeux vers la ramure de l'arbre dans lequel le faucon s'était perché et tendit le bras vers l'oiseau d'un geste inquisiteur.

— Viens ici ! « Talon » !

Le petit rapace émergea aussitôt du feuillage et vint se poser sur le poignet de la jeune fille. Elle caressa doucement le plumage bleu-gris en lui parlant gentiment, comme s'il avait été un animal de compagnie et sûrement pas un cruel prédateur.

— Vous voyez, je suis capable de dompter.

Alan de Warenne récupéra le faucon.

— C'est vous qui risquez d'être domptée, maintenant que je suis le maître ici, la prévint-il en plongeant son regard vert dans le sien.

Sur ce, il sauta sur son cheval et disparut sans se retourner.

7

— Alan de Warenne, je vous présente mon fils Andrew, à qui j'apprends le métier de régisseur.

Alan invita Andrew à se joindre à eux pour continuer la visite mais le jeune homme déclina son offre.

— J'espère que vous ne m'en voudrez pas mais on m'attend aux cuisines. Nous manquons de marmitons au château et il me faut trouver une solution.

— Mettez mes Gallois à contribution. Certains sont d'excellents cuisiniers, proposa Alan.

Jock Leslie accepta avec gratitude et emmena Alan aux forges où il lui présenta deux autres de ses fils, James et Alex.

Alan n'émit aucun commentaire mais il apprécia que la forge fût aussi grande.

— Je vais donner du travail à vos hommes, dit-il. Nos chevaux ont besoin d'un nouveau ferrage et nombre de nos armes et armures d'être réparées. Bien sûr, j'ai des armuriers dans mes rangs. Ils aideront à la tâche. Au moindre problème, prévenez-moi.

Ils visitèrent ensuite la basse-cour, la laiterie, les entrepôts du château, et partout, Alan remarqua les enfants, tous en bonne santé, robustes et heureux. Les enfants attiraient toujours son attention. Jock leur distribuait des mots gentils, leur ébouriffait les cheveux, caressait leurs joues bien rouges. Alan s'étonna d'entendre certains l'appeler grand-papa car le régisseur lui semblait bien jeune pour être grand-père.

— Les hommes de Comyn ont pillé nos réserves de grain et une bonne partie de notre foin, avoua Jock sans hésiter.

— Achetez tout ce dont vous aurez besoin.

— Avec quoi ? intervint David. Les coffres sont vides.

Voyant la mine gênée de Jock Leslie et de son fils, Alan comprit que la situation était sérieuse.

— Ne faites pas cette tête, messieurs. Je vous fournirai de quoi remplir de nouveau vos réserves. En prévision de l'avenir également.

Les deux Leslie semblèrent infiniment soulagés.

— Nous achèterons un nouveau troupeau, décida Alan. Je sais que votre richesse principale, c'est l'élevage du mouton. J'aimerais parler avec les bergers et les éleveurs.

— Je les préviendrai dès ce soir. Ce sont mes fils Ben et Sim qui s'occupent des bêtes. Avec mes gendres.

— Mais... combien d'enfants avez-vous donc ?

— Seulement dix, mon seigneur.

— Seulement ? répéta Alan, interdit. Moi qui n'en ai aucun, cela me paraît énorme.

— J'ai aussi trente petits-enfants. Non, trente et un ! La femme de mon fils Ben a eu un nouveau bébé cette nuit.

Alan contempla le régisseur avec une sorte de respect muet.

— Je vous envie, Jock Leslie.

— Si j'osais, mon seigneur, je vous suggérerais un *handfasting* si vous voulez devenir père, continua Jock comme ils se dirigeaient vers la brasserie. C'est une coutume locale.

— Et en quoi consiste-t-elle ?

— Eh bien, il s'agit d'une année préliminaire à un mariage pendant laquelle un couple vit un galop d'essai, en quelque sorte. Une année et un jour, précisément. Si un enfant est conçu au bout de ce temps, il est reconnu légitime. Que les deux protagonistes décident de se marier ou non.

— Cette coutume vise à préserver les femmes et les enfants, dit pensivement Alan.

— Oui, mon seigneur. La bâtardise n'est pas une situation enviable.

Alan de Warenne se demanda si Jock Leslie n'était pas en train de le mettre en garde.

— J'ai donné des ordres à mes hommes. Aucune femme ne sera violée par eux à Dumfries, crut-il bon de préciser.

En fin d'après-midi, Jock fit visiter à Alan de Warenne tout le château, pièce par pièce, sans cesser de discuter et d'organiser au mieux la cohabitation. Partout, les dalles brillaient, les meubles sentaient bon la cire, les cheminées avaient été ramonées et les lieux d'aisances récurés.

Dumfries était un château presque luxueux avec ses épais tapis, ses tentures et ses grands lits. De style normand, il était flanqué d'une tour carrée à chaque aile.

— Voici la tour de maître, dit Jock en précédant Alan dans l'escalier menant au premier étage où se trouvaient deux chambres reliées par une arche. C'est là qu'ont habité tous les gouverneurs de Dumfries.

Alan apprécia l'ameublement confortable agrémenté d'une table de jeu, d'instruments de musique suspendus aux murs, de miroirs d'argent poli. La voix de son écuyer lui parvint alors de l'étage supérieur, ainsi qu'un rire de femme. Alan monta au second niveau qui était la réplique du premier.

C'est là que Thomas l'avait installé. Ses malles étaient ouvertes et, pendant qu'il suspendait ses vêtements dans une armoire, une femme brune, aux lèvres généreuses, faisait son lit. Elle retint aussitôt l'attention d'Alan car elle était enceinte.

— Est-ce bien sérieux, dans votre état ?

— Je vous présente ma fille Mary, intervint Jock. Ne vous inquiétez pas, mon seigneur. C'est son sixième enfant.

Elle s'inclina gracieusement devant Alan.

— Bienvenue à Dumfries, seigneur de Warenne.

— Merci, Mary, répondit Alan, ému comme devant toutes les futures mamans.

— Il serait bon de faire du feu pour chasser l'humidité, Mary. Tu veux bien montrer à l'écuyer où se trouve le bois ?

Alan regardait la jeune femme, l'air pensif.

— Est-ce qu'il vous reste encore des filles à marier, Jock Leslie ?

— Il m'en reste une, oui. Vous feriez mieux de vous dépêcher si vous êtes intéressé, mon seigneur !

Jane était persuadée qu'Alan de Warenne était la personnification humaine du lynx de ses rêves. Elle se rappelait maintenant le nom de celui qui accompagnait Robert Bruce.

Alan de Warenne... Elle murmura son nom comme une formule magique. D'étranges trépidations couraient en elle. Elle avait l'impression que l'incident dans la forêt, si troublant, était inévitable. Comme si sa rencontre avec cet homme était écrite. Jamais elle n'oublierait l'incroyable tumulte qui l'avait secouée à son contact. Heureusement, elle n'avait rien révélé de la fascination mêlée de peur qu'il exerçait sur elle.

Jane regarda le talisman qui pendait à son cou. Un lynx y était peint et il évoquait Alan de Warenne à tous points de vue, depuis sa fourrure blonde jusqu'à ses yeux verts, son poitrail puissant, sa force et la menace impalpable qu'il représentait pour elle.

En revenant de la mare, Jane ne rentra pas chez elle tout de suite. Elle fit un détour par les écuries pour voir son frère Keith. Il était le seul qui la prenait au sérieux et ne se moquait pas d'elle quand elle lui parlait des sensations déroutantes qu'elle éprouvait.

Jane adorait l'odeur des chevaux, du foin et de la terre battue qui régnait aux écuries. Mais quand elle y pénétra ce jour-là, elle se figea sur place en découvrant un groupe de guerriers inconnus qui s'activaient. Elle fit une brusque volte-face quand son frère l'aperçut.

— Jane ! Ne te sauve pas ! cria-t-il.

Il jeta son étrille et la retint par le bras.

— Viens plutôt voir ces chevaux. Ce sont les plus beaux que j'aie jamais vus. Surtout l'étalon noir du seigneur de Warenne.

— Je ne peux pas... ces hommes...

— Ce sont des chevaliers qui appartiennent au nouveau seigneur. Viens, je vais ramener Talon sur son perchoir, dit-il en récupérant le faucon.

Ils grimpèrent à l'échelle qui menait à la mezzanine où les faucons étaient gardés. Reconnaissant leurs voix, les oiseaux de proie tournèrent la tête vers eux. Jane caressa doucement le plastron d'une petite femelle particulièrement craintive, la calmant immédiatement.

— Je l'ai vu, murmura-t-elle.

— Le seigneur de Warenne ?

— Oui, mais ce n'était pas la première fois.

— Effectivement, il était déjà venu avec Robert Bruce, comte de Carrick.

— Non, c'était avant... Tu te souviens de ce jour où j'avais aperçu un lynx près de l'étang ? Eh bien, je l'ai revu, ici même.

Elle lui montra l'amulette suspendue au cordon de cuir.

— Mon symbole magique est le lynx. Je pensais que, si nos esprits se rencontraient, j'y puiserais sa force, sa puissance. Le lynx m'est également apparu au cours d'un rêve, sous la forme d'un homme. Eh bien, cet homme... c'est Alan de Warenne.

— Tu as le don de double vue, Jane. Celui de voir des choses avant qu'elles n'adviennent. Il s'agissait d'un rêve prémonitoire.

— Mais qu'est-ce que cela signifie ?

Keith haussa les épaules.

— Je ne sais pas très bien. Que sa destinée et celle de Dumfries devaient se rejoindre, peut-être ? C'est un présage, sans aucun doute. Mais un bon ou un mauvais présage ? Seul l'avenir nous le dira.

— J'espérais que mon amulette me protégerait de lui !

Keith l'observa plus attentivement.

— Il t'a effrayée, n'est-ce pas ? Jane, je ne crois pas qu'il soit une menace pour toi.

— Mais je n'ai pas peur de lui, prétendit-elle avec un air de défi même si, au fond d'elle-même, elle savait qu'il n'en était rien et qu'elle redoutait plus que tout les sensations inconnues qu'il avait éveillées en elle.

Ce soir-là, les dames Leslie se réunirent chez Judith et Ben pour fêter la venue du nouveau-né. Une joyeuse excitation régnait. Le seigneur de Warenne, ses beaux et jeunes chevaliers gallois étaient au centre des conversations, même si les nouveaux venus leur inspiraient quelques craintes. Ces hommes étaient de redoutables guerriers restés invaincus depuis longtemps.

— Judith, si tu voyais les archers gallois ! Tu n'en croirais pas tes yeux tellement ils sont grands et forts ! s'extasiait Kate.

— Moi, j'ai fait le lit du seigneur aujourd'hui, intervint Mary en prenant un air important.

Tous les regards se tournèrent vers elle.

— Parfaitement ! Même qu'il était très inquiet de me voir travailler dans mon état.

Ses sœurs se mirent à rire.

— Faire un lit, ce n'est pas travailler ! dit l'une.

— En tout cas, ajouta Mary, il était si près de moi qu'il aurait pu me toucher.

— Et il l'a fait ? demanda Kate d'un ton suggestif.

— Non, père était là, avoua Mary avec une grimace.

De nouveaux éclats de rire accueillirent ces facéties.

Pendant ce temps, Jane mettait les enfants de Judith au lit. Chaque fois qu'elles se retrouvaient, ses sœurs plaisantaient ainsi à propos des hommes et Jane s'était toujours étonnée qu'elles n'aient pas peur d'eux, comme elle. En tout cas, elle se garda bien de leur dire qu'il l'avait bel et bien touchée, elle, le matin même. Et même serrée contre lui de la façon la plus intime. Elle frissonna au souvenir de son corps mâle plaqué contre le sien. S'il attirait les autres femmes comme un aimant, Jane se méfierait de lui.

Après avoir embrassé les petits, elle leur chanta une berceuse tout en songeant à l'appréhension qu'elle éprouvait à l'idée de se mettre au lit car le lynx risquait de revenir peupler ses rêves...

Dans la tour de maître, Alan de Warenne était couché et songeait à la journée qui venait de s'écouler. Tout s'était passé sans la moindre anicroche et la compétence de Jock Leslie y était pour beaucoup.

Il lui manquait seulement de l'argent pour que son domaine soit prospère. Or, les coffres des Warenne étaient pleins. Il n'y puiserait pas à pure perte bien que le château appartînt à la couronne. Quelque chose lui disait que son séjour serait plus long que prévu. D'après lui, l'Écosse ne serait pas aussi facile à envahir et à occuper que le pays de Galles.

Ses pensées revinrent aux besoins immédiats de Dumfries. Tout d'abord, quelques chasses apporteraient du gibier. Le Nith et le golfe de Solway Firth devraient fournir du poisson et des fruits de mer en abondance. En créant un marché dans la ville de Dumfries, des produits arriveraient des pays voisins, peut-être même de l'Angleterre. Il encouragerait aussi les bateaux à ramener des provisions et des produits de première nécessité.

Il se souvint enfin que, le lendemain, il comptait visiter un monastère franciscain puis, après avoir fait mentalement le point, il se consacra à la pensée qui ne cessait de le tenailler. Jock Leslie avait encore une fille à marier. Était-ce la Providence qui la mettait sur son chemin ? Afin qu'il ait enfin cet enfant dont il rêvait tant ? Un héritier ? En tout cas, les Leslie ne semblaient pas avoir de problèmes de fertilité !

Les doutes l'assaillaient toujours quant à la fécondité des Warenne. Jory elle-même n'avait jamais eu d'enfant. S'il épousait une Leslie, peut-être les dieux seraient-ils enfin avec lui ?

Certes, les nobles seraient profondément choqués s'il épousait une roturière. John de Warenne le premier. Mais Alan s'en moquait. Il était assez grand pour mener sa vie comme il l'entendait. Le roi ne serait pas content, lui non plus. Cependant, la princesse Joanna ne venait-elle pas d'épouser l'écuyer de son défunt mari ?

Il se demanda à quoi ressemblait cette fille Leslie qu'il n'avait encore jamais vue. Après tout, son apparence, son âge ou son tempérament importaient peu dès l'instant où elle lui donnait un enfant. Cette coutume du *handfasting* lui convenait parfaitement. Si leur union restait infructueuse, elle serait dissoute au bout d'un an et un jour. Au contraire, si jamais il mettait cette fille enceinte, il l'épouserait tout de suite dans les règles.

Ses pensées s'assombrirent quand il se remémora Sylvia, et le chagrin qu'il avait éprouvé quand il l'avait perdue. Un chagrin aggravé du sentiment de culpabilité de l'avoir délaissée au profit de la guerre. Mais cela ne se reproduirait pas avec une autre. Et encore moins avec une roturière. Il ne serait pas question d'amour entre eux mais uniquement de concevoir un enfant. En retour, il la traiterait avec tout le respect dû à une épouse.

Plus il réfléchissait et plus son idée lui semblait bonne. Certes, Alicia piquerait l'une de ses colères noires mais, quand il lui expliquerait que leur relation resterait inchangée, elle se calmerait. Que pourrait-elle lui objecter ? De toute façon, Alicia n'avait rien à dire pour le moment. Elle se trouvait à des miles de Dumfries et y resterait des mois durant.

Il décida de parler à Jock Leslie dès le lendemain matin. Ces résolutions étant prises, il s'endormit avec un sentiment de paix profonde en s'imaginant avec un bébé dans ses bras. Son bébé. Son fils. Plein d'autres enfants l'entouraient et tous lui ressemblaient.

8

Le lendemain matin, Alan de Warenne décida de se rendre à Lochmaben pour acheter du bétail. Les Bruce tiraient l'essentiel de leurs revenus de l'élevage. Leurs troupeaux s'étendaient sur la plus grande partie de l'Annandale. Alan demanda à Ben et à Sim Leslie de l'accompagner car ils s'y connaissaient mieux en ovins que lui. Il proposa également à Jock de se joindre à eux. Il comptait lui parler du *handfasting*.

Alan chargea ses écuyers de prendre les choses en main au château le temps de son absence. Bien que de rang inférieur aux jeunes chevaliers, il faisait à Thomas et Taffy une confiance totale.

Dans la matinée, James, l'un des frères de Jane, fit brusquement irruption dans la petite chaumière, les bras et le visage noirs de suie. La jeune fille sursauta quand elle vit le grand étranger aux cheveux blonds qui le suivait.

— Il y a eu un accident à la forge! cria James à Megotta. Un chevalier a été brûlé. Il nous faut de l'onguent!

Megotta se raidit.

— Mes remèdes, je les garde pour les Écossais! Pas pour ces ordures d'Anglais!

James en resta bouche bée.

— Tu as perdu la tête! Nous avons besoin de ton aide!

La vieille femme croisa les bras sur sa poitrine en serrant les dents.

— Pas question!

— Madame, je suis moi-même gallois, pas anglais, intervint Taffy. Certains de mes compatriotes sont guérisseurs, comme vous. Mais ils ne connaissent pas bien les herbes qui poussent ici. Acceptez au moins de leur indiquer les plantes capables de soigner une brûlure.

— Jamais.

Furieux, James se tourna vers sa sœur.

— Jane, tu veux bien venir, toi?

Elle jeta un regard craintif vers Taffy avant de hocher la tête et d'aller chercher sa trousse de médecine. Sur le chemin de la forge, l'écuyer lui dit:

— Le seigneur de Warenne vous sera très reconnaissant, mademoiselle.

Le soulagement et la gratitude étaient inscrits sur le visage du jeune homme. Elle remarqua aussi une rougeur révélatrice sur ses joues. À sa grande surprise, elle comprit qu'il la trouvait attirante.

À la forge, un groupe entourait un jeune chevalier assis sur un tabouret. Alex, le frère de Jane, et Thomas, l'écuyer du seigneur de Warenne, semblaient dépassés.

À la vue de tous ces hommes, Jane hésita mais James l'incita à continuer en posant une main délicate sur son dos. La chaleur des braseros était suffocante et Jane devina qu'elle ajoutait considérablement aux souffrances de l'homme.

— Alex, s'il te plaît, emmène-le dehors, à l'air frais, et assieds-le sur l'herbe.

Peu après, elle examina la blessure du chevalier. On lui avait ôté sa tunique. La brûlure s'étendait du coude gauche à l'épaule. Il souffrait affreusement. Des hommes se pressèrent autour de leur ami, parlant tous en même temps.

Un Thomas furibond apprit à Jane que c'était en jouant à la lutte que le chevalier, Giles, était tombé contre un brasero et que lui et son ami ne perdaient rien pour attendre. Lorsque leur maître apprendrait leur stupidité, il les punirait. Sir Harry répétait qu'il était le seul responsable. Deux Gallois s'approchèrent de Jane pour voir quelles plantes elle utilisait.

Apeurée, Jane se tourna vers son frère.

— James, tu peux leur demander de reculer ?

Devinant que la proximité de tous ces inconnus effrayait sa jeune sœur, il les pria de rester à l'écart et de tenir leur langue car elle était fort intimidée par les étrangers.

Elle demanda un seau d'eau froide et deux hommes coururent aussitôt lui en chercher un. Elle prit ensuite un linge propre de sa trousse et regarda le jeune chevalier.

— Sir Giles, ceci va ôter le feu de votre brûlure.

Jane remarqua son teint crayeux et les larmes qui perlaient au bord de ses paupières. Elle trempa le linge dans l'eau froide et l'essora sur la brûlure, répétant son geste suivant un rythme régulier. L'eau s'écoulait telle une source bienfaisante.

Deux seaux entiers furent nécessaires à l'opération. Ensuite, elle s'agenouilla près du chevalier et attendit patiemment que l'air frais sèche la blessure. Elle prit ensuite un onguent à l'odeur forte dans sa trousse et en étala une couche épaisse sur la brûlure. Des cloques se formaient déjà.

Quand elle eut terminé, Giles ferma les yeux.

— Vous êtes d'une douceur incroyable, jeune demoiselle, dit-il en soupirant.

— Avez-vous besoin de bandages, mademoiselle ? s'enquit Harry Eltham.

Sir Harry était très jeune et semblait très inquiet pour son ami.

— Non, mieux vaut ne rien poser sur l'onguent.

Il faudra simplement renouveler l'opération d'ici à quelques heures.

Sir Harry lui prit la main et la porta à ses lèvres.

— Merci infiniment, mademoiselle.

Embarrassée, Jane retira sa main et reporta son attention sur son patient. Elle mesurait l'ampleur du choc physique qu'il venait d'endurer. Les brûlures étaient les plus douloureuses de toutes les blessures mais elle avait le pouvoir de le soulager. Et même d'effacer la douleur.

— Étendez-vous à plat ventre, demanda-t-elle timidement.

Sir Giles lui obéit sans hésiter. Elle était la seule qui se soit montrée efficace et il lui faisait confiance.

— Je vais tenter d'atténuer la douleur, d'accord ?

Elle écarta ses cheveux pour dégager la nuque et pressa fermement ses mains à la base du cou. Deux minutes plus tard, ses doigts couraient de part et d'autre de la colonne vertébrale en une danse étrange.

— Je n'ai plus mal ! s'écria soudain Giles, ébahi.

— Vous devez rester étendu un moment. Vous devez vous reposer.

Jane donna le pot d'onguent à Sir Harry et ajouta :

— Il faudra renouveler l'application dans quatre heures.

— Vous ne saurez jamais à quel point nous vous sommes reconnaissants, mademoiselle.

— Vous êtes un ange tombé du ciel ! renchérit Taffy.

Thomas s'approcha, suivi par les deux Gallois.

— Voici Rhys et Gowan, nos guérisseurs. Vous voulez bien leur indiquer où trouver les plantes que vous avez utilisées ? Il est très important qu'ils puissent confectionner des remèdes sur place.

Jane hésita.

— Ma grand-mère m'a appris qu'il fallait garder nos connaissances secrètes.

— Si vous ne transmettez pas votre savoir à nos Gallois, le seigneur de Warenne vous ordonnera de soigner tous ses hommes, remarqua Thomas, perspicace.

Cette perspective produisit sur Jane l'effet escompté.

— Je leur dirai ce que je sais sur certaines plantes

mais je ne m'aventurerai jamais dans la forêt sans que mon frère James nous accompagne.

À la fin de l'après-midi, les Gallois avaient rempli de grands sacs de chardons, d'orcanette, de bryone et de ciguë. Au fur et à mesure qu'ils échangeaient leurs connaissances, Jane sentit s'estomper la peur qu'ils lui inspiraient au début. Elle leur montra la mélisse qui entrait dans la composition du baume contre les brûlures. Puis Rhys s'étonna que les chardons écossais fussent aussi différents de ceux qui poussaient au pays de Galles.

— Leurs épines sont des instruments du diable !

Jane leur montra comment les cueillir sans se piquer puis ils s'arrêtèrent dans une clairière pour manger du pain et du fromage tout en continuant de bavarder. Les connaissances de Jane impressionnèrent les deux hommes. Elle ajouta de la bétoine dans un sac.

— C'est un antivomitif. Quant à ces feuilles d'aulne, elles sont excellentes contre les poux.

Quand ils regagnèrent le château, les deux hommes ne tarissaient pas d'éloge sur le savoir, la douceur, l'intelligence de la jeune fille. La nouvelle de la manière dont elle avait soigné le chevalier brûlé fit le tour du château à une vitesse éclair, laissant les sœurs de Jane vertes de jalousie.

Quand Alan arriva à Lochmaben avec Jock, Ben et Sim Leslie, il eut la surprise d'apprendre que Robert Bruce était retourné à Carlisle pour deux jours. Ce fut Nigel Bruce qui les emmena choisir le troupeau qu'Alan comptait acheter.

Alan laissa Ben et Sim sélectionner les bêtes. Ils lui conseillèrent de les marquer avant de les conduire à Dumfries.

— Vous risquez de vous en faire voler quelques-unes en route, le prévint Nigel.

— Par les Anglais ?

— Mais non, par les Écossais eux-mêmes !

— Qu'ils essaient ! s'écria Alan, l'œil belliqueux. Tout homme qui s'aviserait de s'emparer d'un mouton de Dumfries sera pendu. Et tout homme de Dumfries qui tentera d'aller en voler ailleurs subira le même châtiment.

D'abord déçu de ne pas trouver Robert à Lochmaben, car il voulait lui demander ce qu'il pensait de son intention d'épouser la fille de Jock Leslie, Alan prit conscience que sa décision était déjà prise. Il se passerait des conseils de son ami.

Ils redescendaient la vallée d'Annandale, suivis à distance par les deux bergers qui menaient le troupeau, quand il aborda le sujet avec Jock.

— Jock, vous m'avez dit qu'il vous restait une fille à marier… Accepteriez-vous de me la céder pour un *handfasting* ?

— Vous êtes sérieux, mon seigneur ?

— Absolument. Si elle tombait enceinte, je l'épouserais sur-le-champ.

— Ma fille deviendrait… Lady de Warenne ?

— Ce n'est pas un bien grand prix à payer pour un fils.

— Et si ce premier enfant était une fille ?

— Cela ne ferait aucune différence pour moi. Je l'épouserais de toute façon avant qu'elle n'accouche.

— Votre générosité dépasse tout ce que j'aurais pu imaginer, mon seigneur. N'êtes-vous pas l'héritier d'un immense comté ?

— Le comté de Surrey.

— Pardonnez mon étonnement, mais… comment ma fille pourrait-elle devenir comtesse de Surrey ? J'avoue ne pas bien comprendre.

— En me donnant un enfant, bien sûr, répondit Alan simplement.

— Quelle date comptez-vous fixer pour ce *handfasting* ?

— Le plus tôt sera le mieux. Le roi risque de me rappeler à tout moment. Ai-je votre consentement, Jock Leslie ?

— Vous l'avez, seigneur de Warenne.

— Bien ! Reste à convaincre votre fille, ajouta Alan en riant.

— Non, mon seigneur. Je lui ferai part de ma décision, voilà tout. Ma fille Jane sera très honorée. Mais je suppose que vous voulez la rencontrer avant, l'interroger, voir si elle vous agrée ?

— Jane ? Elle s'appelle donc Jane… Il est hors de question de la forcer.

— La forcer ? répéta Jock. À se marier à un noble et à devenir comtesse ? Elle dira oui et puis c'est tout !

Alan ne répondit pas mais il n'était pas sans savoir qu'avec les femmes il en allait tout autrement.

— Non ! Non ! Et non ! Comment père peut-il croire que j'accepterai une chose pareille ?

— Jane, voyons ! Estime-toi heureuse qu'on t'impose un *handfasting* ! N'importe quel homme du seigneur de Warenne pourrait disposer de toi selon son bon vouloir, et au revoir et merci ! tempéra Kate.

— Je parie que c'est l'un des Gallois qui est intéressé, glissa Mary. Ou peut-être l'un des deux écuyers du seigneur ?

Les deux sœurs étaient tout excitées depuis qu'elles avaient surpris les confidences de leur père à Megotta.

Jane se souvint soudain de la façon dont Taffy avait rougi en lui parlant.

— Ô Seigneur ! Megotta m'avait promis que jamais on ne m'obligerait à me marier.

— Megotta n'a pas son mot à dire. C'est ce que père décide qui compte, affirma Mary. Il a été furieux d'apprendre qu'elle avait refusé de soigner le chevalier brûlé. Il lui a signifié sans ambages que le seigneur de Warenne était le maître de Dumfries à présent et qu'on lui devait obéissance.

— Que Brigantia me protège ! s'écria Jane. Et si c'était Sir Giles ? Peut-être veut-il me prouver sa gratitude de l'avoir soigné ?

— Sir Giles est un chevalier, nota Kate. Il ne choisira pas une fille aussi inférieure à sa condition.

Jane se mordit la lèvre.

— C'est vrai, suis-je bête!

— Elle lui a peut-être jeté un sort. N'oublions pas que Jane possède d'étranges pouvoirs, insista Mary, avec une voix dont l'aigreur trahissait la jalousie.

Le bébé de Judith venait de s'endormir sur son sein. Elle le mit au lit et rejoignit ses sœurs.

— Jane, dit-elle, c'est peut-être la grande chance de ta vie qui se présente là. Nous nous inquiétions toutes qu'aucun homme ne s'intéresse à toi.

— Je ne veux pas d'un homme! se lamenta Jane, au désespoir.

— Ce que tu veux importe peu. Seul le seigneur de Warenne peut décider. S'il te destine à l'un de ses chevaliers, tu deviendras Lady Jane, précisa Judith.

Kate et Mary échangèrent un regard consterné.

— Quand ce seigneur la verra, il risque de changer d'avis, suggéra Mary avec espoir, regrettant d'avoir pressé son père de chercher un mari pour sa sœur.

— Il faudrait déjà que tu brosses tes cheveux en arrière pour qu'ils ne tombent pas sur tes yeux, lui conseilla Kate.

— Et mets ta robe de laine marron, proposa Mary avec perfidie.

— Oh, non, s'insurgea Judith. Cette robe ne te met pas à ton avantage.

Kate et Mary s'empressèrent de détromper Judith. Elles préféraient mille fois que leur petite sœur paraisse trop ordinaire pour devenir *Lady* Jane!

Quand Jane rentra à la maison, son père l'attendait. D'humeur orageuse, Megotta se leva et quitta la pièce en claquant la porte.

Ignorant sa belle-mère, Jock invita Jane à s'asseoir près de lui, devant le feu.

— Jane, tu as bien agi aujourd'hui en soignant ce chevalier. Le seigneur de Warenne voudrait te parler.

— Ce soir?

— Non! dit Jock en riant. Ce soir, il a convoqué les deux chevaliers qui se sont conduits de façon irresponsable en son absence. Ils vont passer un mauvais quart d'heure.

Jane sembla soulagée. Si le seigneur était furieux après eux, il ne serait pas disposé à écouter leur demande de mariage à l'essai.

— Il paraît que le seigneur de Warenne souhaite me parler au sujet d'un *handfasting* me concernant.

— Dieu que les rumeurs vont vite ! Tes sœurs ont dû m'entendre en parler avec Megotta, c'est sûr.

Il semblait plus excité qu'en colère. Cela ne rassura guère la jeune fille.

— C'est une telle chance pour notre famille, continua-t-il en lui ébouriffant les cheveux. Et peut-être même la chance de ta vie.

Jock voulait ménager l'effet de surprise.

— Le seigneur de Warenne tient à te dire lui-même ce que nous avons décidé tous les deux.

— Comment ? Vous avez déjà pris une décision ? Père, je ne veux pas de ce *handfasting* ! Je veux continuer à développer mes pouvoirs, comme les anciennes prêtresses celtes.

— On croirait entendre Megotta ! Je suis fatigué de ces sornettes. Ton devoir est d'obéir à ton père, pas à ta grand-mère ! Va te coucher !

Jane n'osa pas insister. En s'élevant contre sa volonté, Megotta n'avait réussi qu'à irriter son père. Il ne lui restait plus qu'à affronter courageusement le seigneur de Warenne et lui faire admettre son refus.

En se déshabillant, ce soir-là, Jane regarda le lynx peint sur son talisman et songea à celui qu'elle identifiait à l'animal, Alan de Warenne. Un lien étrange, indéfinissable, semblait relier leurs destinées et la troublait au-delà de toute raison. C'était l'homme le plus puissant, le plus impressionnant qu'elle eût jamais vu. Mais il éveillait la peur en elle en même temps que l'émoi. Surtout la peur.

Quoi qu'il en soit, elle n'avait pas l'intention d'accepter ce *handfasting*, ni aujourd'hui ni jamais. Et non seulement elle trouverait le courage de lui tenir tête mais elle s'en réjouirait !

Malheureusement, le lendemain matin, elle se sentit beaucoup moins brave. Le seigneur de Warenne ne s'était-il pas mis en colère contre elle à chacune de leurs rencontres ? C'est alors qu'une idée lui vint. Elle se déguiserait de sorte que non seulement il renonce à la présenter à l'un de ses hommes mais qu'il ne la reconnaisse pas.

Avec l'aide de Megotta, elle banda étroitement sa poitrine.

— N'aie pas peur de serrer, il faut qu'il me croie maigre et décharnée.

— Mais tu ne vas pas pouvoir respirer !

— Ne t'inquiète pas pour ça. Seigneur, que vais-je faire de mes cheveux ?

— Tu vas les nouer bien serrés sur la nuque et les cacher sous un foulard.

Au château de Dumfries, quand Thomas, l'écuyer du seigneur, accueillit la jeune fille terne et sans grâce, vêtue d'une robe de gros lainage marron, il la regarda d'un air perplexe et la conduisit sans mot dire dans le petit salon où son maître l'attendait.

Adossé à la cheminée, Alan de Warenne observa l'inconnue avec une vive déception.

— Vous êtes Jane Leslie ? demanda-t-il dès que Thomas se fut retiré.

— Oui, mon seigneur, dit-elle en relevant fièrement la tête, malgré l'homme impressionnant qui lui faisait face.

Mon Dieu ! songea-t-il, affligé. Elle ne ressemble pas à ses sœurs. Elle n'a pas hérité de leurs formes généreuses.

— Quel âge avez-vous ? s'enquit-il avec brusquerie.

— Dix-huit ans, mon seigneur, répondit-elle en baissant les yeux.

— J'en ai presque trente.

Il remarqua qu'elle battait des cils sous l'effet de la surprise. Elle est beaucoup trop jeune, innocente et naïve, se dit-il. Puis il se raisonna. N'étaient-ce pas précisément les qualités qu'un homme recherchait ? Comment aurait-il réagi si elle lui avait paru sournoise, rusée ou dévergondée ?

Bien sûr, il ne l'imaginait pas ainsi. Elle semblait sèche et maigre, totalement inexpérimentée. Lui voulait une mère pour ses enfants, robuste et pleine de vie. Pas une vierge effarouchée.

Jusqu'ici, Alan de Warenne n'avait fréquenté que des femmes calculatrices, des manipulatrices. Il avait du mal à concevoir qu'il existait des êtres aussi purs que cette jeune fille. Elle semblait très intimidée. Était-ce parce qu'il était de sang noble et pas elle ? En tout cas, cette réalité lui donnait sur elle un ascendant incontestable. Il la mènerait au doigt et à l'œil.

Il la détailla plus attentivement, la trouvant presque misérable tant elle était simple et jeunette. Vraiment pas le genre de fille susceptible d'éveiller chez un homme des envies de batifoler. Encore moins de faire d'elle sa maîtresse. Mais il ne s'agissait pas de cela, se souvint-il. Il cherchait simplement une femme capable de lui donner des enfants, pas de l'affrioler. De ce côté-là, il avait ce qu'il lui fallait, après tout.

— Votre père et moi-même nous sommes mis d'accord pour un *handfasting*, commença-t-il.

Jane réunit tout son courage.

— Mon seigneur, me permettez-vous de parler franchement ?

— Bien sûr.

— J'ignore qui m'a demandée, peut-être l'un de vos archers gallois, parce que je suis guérisseuse, ou bien votre écuyer Taffy, qui m'a prise pour un ange ou je ne sais quoi. Ou même Sir Giles, pour me remercier de l'avoir soigné et soulagé. Qui qu'il soit, ma réponse est non. Je ne veux être mariée à l'essai à aucun d'entre eux.

Jane prit une longue inspiration et ajouta, les jambes tremblantes :

— Vous ne m'obligerez pas à accepter, n'est-ce pas, mon seigneur ?

— Jane, c'est entre vous et moi que nous avons conclu ce *handfasting*.

Frappée de stupeur, elle écarquilla les yeux.

— Vous ?

Jane prit son amulette entre ses doigts et scruta le

regard vert tout en contemplant les longs cheveux blonds de ce colosse au poitrail puissant.

La déesse Brigantia l'avait-elle abandonnée ? Elle s'attendait si peu à ce que ce soit lui que la peur qu'il lui avait toujours inspirée la submergea. L'air lui manqua. Sa vision se troubla. La stature impressionnante d'Alan de Warenne sembla doubler de volume. Jane chancela, perdit l'équilibre et défaillit dans ses bras, comme si la main invisible du destin l'y poussait...

9

Alan la rattrapa dans ses bras juste avant qu'elle ne chût sur le sol, évanouie. En la sentant si fine, si légère, il lui attribua un autre qualificatif : fragile. Cette jeune fille était fragile. Comme il l'observait de plus près, son visage lui sembla soudain familier. Intrigué, il ôta le foulard gris qui cachait ses cheveux dont il reconnut immédiatement le roux flamboyant. Dieu du ciel ! Elle n'était autre que l'insupportable créature qui lui avait donné du fil à retordre ! Mais qu'avait-elle fait à ses seins ? Il fit courir sa main sur sa poitrine et sentit une sorte de carcan dur sous la robe. Atterré, il comprit qu'elle s'était déguisée délibérément et qu'elle s'était bandée pour cacher ses courbes exquises.

Sans hésiter, il glissa une main sous sa robe et la débarrassa de l'affreux bandage, découvrant une poitrine magnifique, opulente et ferme. Il ne put résister au désir de la toucher, de faire courir son pouce autour des petites pointes roses de ses seins jusqu'à ce qu'elles durcissent.

Il en était là de son exploration quand Jane ouvrit les yeux. Elle comprit tout de suite ce qui se passait et une expression outragée se peignit sur son visage. Alan ôta sa main de sous la robe à son grand regret, ce qui le surprit.

— Pourquoi diable vous êtes-vous déguisée ?

— Chaque fois que nous nous sommes rencontrés,

mon seigneur, j'ai suscité votre courroux. Je ne voulais pas que vous me reconnaissiez, avoua-t-elle, le souffle court.

Sa poitrine se soulevait au rythme de sa respiration et il se plut à la contempler.

— Vous auriez pu vous rendre malade à vous emmailloter de la sorte !

— Je ne suis jamais malade ! proclama-t-elle fièrement.

Elle regretta aussitôt son impétuosité. Si elle avait prétendu être de santé fragile, il n'aurait plus voulu d'elle.

— Pourquoi ne m'avez-vous pas dit tout de suite que vous étiez la fille du régisseur ? Pourquoi m'avez-vous menti en prétendant vous appeler Sironi ?

À nouveau, il s'étonna d'avoir retenu son prénom...

— Je ne vous ai pas menti, seigneur de Warenne. Mon nom celte est bien Sironi.

Il la regarda pensivement, de plus en plus perplexe.

— Je vais vous parler franchement à mon tour, dit-il de sa voix grave, profonde. J'ai été marié autrefois. Mais aucun enfant n'est né de cette union. Si j'ai proposé ce *handfasting* à votre père, c'est que je possède un vaste comté sans aucun héritier à qui léguer mon nom et mes terres. Si vous tombiez enceinte, je vous épouserais tout de suite. Si ce n'était pas le cas, notre mariage prendrait fin dans un an et un jour, comme le veut la coutume, et votre père serait dédommagé.

Il l'intimidait beaucoup mais Jane sentit la moutarde lui monter au nez.

— Pourquoi *moi*, seigneur de Warenne ?

L'étrange impression que leur rencontre était prédestinée lui revint. Elle s'efforça de la chasser.

— Votre père a lui-même dix enfants, et je ne sais combien de petits-enfants. Vous êtes d'une famille très féconde. J'en ai donc conclu que vous l'étiez aussi.

Il la regarda gravement avant d'ajouter :

— Qu'en dites-vous, Jane ? Voulez-vous essayer de me donner un enfant ?

Visiblement, c'était là l'unique objet de sa proposition. Concevoir un héritier.

Même si son cœur battait à tout rompre, Jane releva fièrement la tête :

— Je suis désolée, seigneur de Warenne. La plupart des femmes se sentiraient très honorées par votre offre mais je ne suis pas comme les autres. Je ne veux ni de *handfasting* ni de mariage. Je ne suis pas faite pour devenir une épouse mais pour exercer mes talents de guérisseuse, à l'image des anciennes prêtresses celtes. Tel est mon destin.

Alan s'attendait à tout sauf à un refus. Mais pour qui se prenait-elle, cette paysanne ? Cette roturière ? Et comment osait-elle décliner l'offre d'un homme de son rang ?

— Votre père n'approuve pas toutes ces superstitions.

— Mon père a du sang normand, c'est ce qui le rend instinctivement méfiant à l'égard des Celtes. C'est ma grand-mère Megotta qui m'a transmis son savoir sur nos rites ancestraux et les pouvoirs magiques de certaines herbes. Elle m'a juré que je ne serais pas mariée contre mon gré, même à l'essai.

Alan l'observait en songeant qu'elle était tout le contraire de sa défunte femme, issue d'une grande famille. Pourtant, quelque chose en elle l'attirait. Peut-être était-ce sa façon de le défier qui lui fouettait le sang ? Il se dirigea vers la porte et appela Thomas.

— Fais venir la vieille femme. Je veux la voir tout de suite.

Revenant vers Jane, il ajouta :

— Je suppose que tu n'aimes pas les enfants ?

— Moi ? Mais je les adore au contraire ! J'ai des dizaines de neveux et nièces et je les aime plus que tout.

Il sembla apprécier sa réponse mais son visage demeura fermé, presque impassible. On frappa à la porte.

— Si vous voulez bien m'excuser quelques minutes, dit-il.

De Warenne ne prit pas autant d'égards avec la vieille femme que Thomas venait d'introduire dans l'antichambre.

— Jock Leslie a accepté un *handfasting* entre Jane et moi, mais vous n'êtes pas d'accord.

— Ma petite-fille est une Celte ! Je ne veux pas qu'elle s'accouple avec un ennemi ! s'écria-t-elle.

Très calme, Alan de Warenne la fixa d'un air glacial.

— Je suis désormais le seigneur de Dumfries et j'entends être obéi. Si vous vous opposez à cette union, je vous renvoie dans les Highlands où vous serez coupée de tout contact avec votre famille.

Cette menace ne désarma pas Megotta.

— Je préfère m'exiler dans les Highlands plutôt que de vivre sous la coupe des Anglais !

— Et ne plus jamais revoir votre petite-fille ?

Cette fois, l'argument atteignit sa cible. Il vit le désarroi assombrir le regard de la vieille dame et regretta de devoir jouer sur ses sentiments. Mais avant de se laisser attendrir, il s'empressa d'ajouter :

— Si vous convainquez Jane d'accepter, je saurai me montrer généreux envers vous et les vôtres. J'ai déjà le consentement de son père de toute façon, et je n'ai pas besoin du vôtre. Mais je préférerais que vous donniez à Jane votre bénédiction.

Il ouvrit la porte de communication.

Jane, votre grand-mère a quelque chose à vous dire en privé.

Dès que les deux femmes se retrouvèrent seules, Jane s'écria :

— Megotta, Dieu soit loué, tu es là !

— Jane, j'ai changé d'avis. Cette union avec de Warenne t'apportera le pouvoir. Si tu lui donnes un enfant, tu deviendras comtesse, tu seras riche et tu n'auras plus jamais à t'inquiéter pour ton avenir et celui de ton enfant.

Ce discours inattendu désarçonna la jeune fille.

— Il t'a menacée, n'est-ce pas ?

— Non, mon enfant, non. Mais dans la mesure où ton père a accepté, je n'ai pas mon mot à dire. Autant tirer parti de cette opportunité qui t'est offerte.

Quand Alan de Warenne rouvrit la porte, Jane eut l'impression qu'une main de fer venait de se refermer sur son cœur. Tout son univers basculait. On venait de l'atteindre au plus profond d'elle-même. Mais elle s'efforça vaillamment de garder la tête haute et murmura :

— Si père vous a donné son consentement, je l'honorerai, mon seigneur.

Sans rien montrer du sentiment de satisfaction que cette capitulation lui apportait, il s'inclina avec courtoisie.

— Je m'occupe de faire établir les papiers légaux. Vous pouvez commencer à préparer vos effets.

— Aujourd'hui ?

— Oui. Pourquoi attendre demain ?

Alan n'était pas homme à perdre son temps ou à s'encombrer d'obstacles. Pourtant, en regardant Jane Leslie quitter la pièce, il se dit que la partie était loin d'être gagnée…

Les sœurs de Jane attendaient son retour avec une impatience fébrile. Dès qu'elle réapparut, elles se précipitèrent sur elle.

— Alors ? Alors ?

— J'ai dit *oui*, répondit-elle d'une voix blanche.

— Ça, on s'en doute ! s'écria Kate. Ce qui nous intéresse, c'est de savoir à qui tu as dit oui !

— Au seigneur de Warenne.

— Ben voyons ! Et moi je suis la reine d'Écosse ! glapit Kate.

— Tu n'es qu'une sale menteuse ! renchérit Mary.

Megotta arriva sur ces entrefaites.

— C'est la vérité, annonça-t-elle. Votre père l'a vendue au puissant héritier du comté des Warenne !

Incapable de retenir ses larmes plus longtemps, Jane se précipita dans le petit réduit qui lui servait de chambre pour que ses sœurs ne la voient pas pleurer.

— Mais pourquoi Jane ? demanda Kate à Megotta.

— Parce qu'elle est celte et vierge. Ces Anglais de malheur n'ont qu'une idée en tête : nous humilier, nous écraser de leur joug. Jane a des pouvoirs particuliers, donc ce monstre lui met le grappin dessus.

— Ainsi les rumeurs étaient fondées, conclut Mary, ignorant les paroles de Megotta. Jane est une sorcière !

— Elle a dû lui jeter un sort. Comment pourrait-il vouloir la mettre dans son lit si ce n'était pas le cas ? jeta Kate, verte d'envie.

Ses sœurs la suivirent dans la chambre de Jane qui pliait soigneusement les deux robes de gros lainage qui constituaient toute sa richesse, en matière vestimentaire.

— Quoi ? Tu pars déjà t'installer avec lui ? C'est aujourd'hui le *handfasting* ?

— Oui, je dois me hâter.

Mary et Kate se regardèrent et, sans mot dire, elles prirent la direction du château où se tiendrait la cérémonie.

Jane ajouta ses bas et ses tabliers sur sa maigre pile de vêtements. Soudain, une idée lui vint et elle se tourna vers Megotta.

— Grand-mère, je dois me sauver !

— Pour aller où, mon enfant ? Sois raisonnable, voyons.

— N'importe où, répondit Jane, désespérée. Dans la forêt de Selkirk, par exemple. Des gens s'y sont déjà réfugiés, lors de conflits avec leurs seigneurs.

— Jane, tu n'as pas le droit. C'est moi qui serais punie. De Warenne est un homme dur. Il ne me ménagerait pas, crois-moi.

Jane songea à emmener sa grand-mère avec elle mais elle ne pouvait demander à une si vieille dame de quitter son logis pour vivre avec elle dans la nature. À ce moment, on frappa à la porte de la chaumière. Taffy se tenait sur le seuil.

— Je viens chercher les bagages de mademoiselle.

Megotta lui bloqua le passage.

— Attendez ici !

Le cœur de Jane flancha. Il était trop tard pour reculer. Le processus était lancé. Elle n'avait plus qu'à attendre que cette année plus un jour soit écoulée pour s'enfuir. Elle ne resterait pas un jour de plus que nécessaire avec de Warenne.

Jane tendit sa trousse de médecine à l'écuyer.

— Je prendrai le reste, Taffy, dit-elle doucement, embarrassée par la dureté de sa grand-mère.

Il mit le sac en bandoulière et lui montra ses mains vides.

— Je peux prendre autre chose, mademoiselle.

Jane alla chercher sa petite pile de vêtements soigneusement pliés.

— Je n'ai rien d'autre.

Taffy se souvint du temps où il se chargeait des montagnes de bagages de Lady Alicia et les sentiments qu'il éprouvait pour Jane s'intensifièrent.

Il la conduisit jusqu'aux appartements qui lui étaient réservés, au château, et lui apprit que son maître était logé juste au-dessus. Il déposa la trousse sur le carrelage et laissa Jane s'installer.

Terriblement intimidée par le luxe des lieux, Jane fit quelques pas sur le tapis moelleux. Si elle connaissait la grande salle du château, c'était la première fois qu'elle pénétrait dans les chambres de la tour. Elle en fut très impressionnée.

Elle admira les magnifiques tapisseries sur les murs, les instruments de musique, le mobilier confortable, la table de jeu, mais l'immense cheminée où brûlait un bon feu l'attira plus que tout et elle s'approcha de l'âtre, se réconfortant à la chaleur des flammes.

La chambre lui semblait si vaste qu'elle s'y sentait perdue. Jamais elle n'avait dormi dans un vrai lit et celui-ci était gigantesque et si haut qu'il fallait gravir des marches de bois pour y accéder. Surmonté d'un immense baldaquin pourvu d'épais rideaux de velours destinés à isoler les occupants du monde extérieur, il lui évoqua des images interdites. Elle se sentit toute faible en s'imaginant avec Alan de Warenne dans cet espace réservé à l'intimité la plus secrète.

Chassant son trouble, elle ouvrit l'énorme armoire de bois massif et comprit pourquoi il n'y avait pas de crochets sur les murs. Le meuble était prévu pour suspendre les vêtements. Elle y plaça ses deux robes, l'une noire et l'autre grise, rangea ses dessous et ses bas dans un tiroir, son nécessaire de peinture dans l'autre. En se retournant, elle surprit son reflet dans un miroir et sursauta violemment, croyant tout d'abord qu'il y avait quelqu'un d'autre dans la pièce.

Jane n'avait jamais vu de miroir. Le seul reflet d'elle-même qu'elle eût jamais eu lui avait été donné par l'eau claire de l'étang. Mais elle ne lui avait jamais renvoyé qu'une image trouble. Dans cette psyché, en revanche, elle se découvrait pour la première fois en détail et cette expérience la déconcerta.

Retenant son souffle, elle effleura la surface de l'argent poli, suivit la courbe de ses sourcils, de ses pommettes saillantes. Elle découvrit avec stupeur et déception qu'elle avait des yeux en amande, d'un brun presque noir. Ils lui firent penser à ceux de cette biche qu'elle avait vue un jour, dans la forêt, avec son faon. Et puis ses lèvres étaient trop pleines, ses cheveux trop brillants ! Elle paraissait auréolée d'une flamme. Pourquoi fallait-il qu'elle soit aussi rousse ? Elle aurait préféré avoir des cheveux noirs et bouclés, comme ses sœurs.

Jane se détourna, accablée. Taffy choisit ce moment-là pour frapper à la porte et elle courut lui ouvrir. Derrière lui se tenait une armée de servantes, l'une tenait du savon et des serviettes, l'autre des draps propres. Un jeune garçon apportait du bois pour le feu. Deux hommes portaient une grande baignoire de femme, un autre des brocs d'eau chaude, et Taffy lui-même tenait un plateau contenant une collation, une coupe avec du vin et de l'eau. Elle le regarda s'activer, accrocher de nouvelles torches aux murs, placer une grosse bougie dans un support de cuivre.

— Si vous avez besoin de quoi que ce soit, mademoiselle, intervint Taffy au bout d'un moment, n'hésitez pas à me le signaler. Je suis chargé de votre confort.

Il finissait à peine sa phrase que l'on frappa de nouveau. Taffy ouvrit à Thomas qui entra à son tour.

— Les papiers sont prêts. Le seigneur de Warenne…

Il s'arrêta au milieu de sa phrase et ajouta à mi-voix :

— Elle ne peut descendre dans cette tenue.

Taffy se pencha vers lui et chuchota :

— Elle n'a ni robe ni bijoux… rien d'un tant soit peu joli.

Thomas examina la jeune fille de la tête aux pieds.

— Attendez-moi.

Thomas courut jusqu'au petit salon attenant à la grande salle. Jock Leslie et son fils aîné Andrew se trouvaient déjà là avec les témoins de Jane et le seigneur de Warenne, prêts à légaliser le *handfasting*.

— La jeune fille ne possède aucun vêtement susceptible de convenir à la circonstance, mon seigneur.

— Jusqu'à présent, elle menait une vie très simple, leur rappela Jock, offensé par cette remarque.

Alan s'adressa à son écuyer.

— Amène-la telle qu'elle est. Sa mise n'a aucune importance. Seule sa signature m'importe.

Flanquée des deux écuyers du comte de Warenne qui lui servaient de témoins, Jane entra dans le petit salon vêtue de sa robe de laine marron et chaussée de cuir grossier. Alan connut un instant de doute. Thomas avait raison. Elle avait tout d'une paysanne. Cependant, il s'inclina respectueusement devant elle.

— Vous n'avez pas changé d'avis ?

Elle baissa les yeux pour cacher son effroi tout autant que l'outrage. Comment pouvait-elle changer d'avis puisqu'il avait menacé sa grand-mère ? Megotta n'avait rien dit mais Jane n'était pas dupe. Et puis comment se dérober sous l'œil sévère de son père, et devant ces cinq hommes qui l'effrayaient plus que tout ?

Quand Alan de Warenne lui prit la main et s'engagea à l'épouser pour un an et un jour, elle ajouta mentalement : *et pas une minute de plus !*

Un serment oral aurait suffi mais Alan avait tenu à laisser une trace écrite de leur union car si lui était noble et puissant, Jane Leslie n'était rien, et si un malheur lui arrivait avant la fin du *handfasting*, il tenait à préserver son héritier.

Lorsqu'il lui tendit une plume, Jane se félicita de savoir signer son nom. Il apposa le sien à son tour avec une plus grande aisance, et l'agrémenta d'un élégant paraphe. Bien qu'elle ne sût pas lire, Jane l'étudia attentivement de façon à se le rappeler à l'avenir.

Et voilà. Les dés étaient jetés.

— Nous donnons une petite fête au château, ce soir,

pour célébrer l'événement, dit Alan à Jock. Nous serions heureux de vous avoir tous parmi nous.

Sur ce, il offrit son bras à Jane qui fut prise de panique. Que comptait-il faire maintenant ? Consommer leur union sur-le-champ ? En plein après-midi ?... N'allait-il pas attendre la nuit ?

Jane se souvint que lorsque ses sœurs s'étaient mariées, leurs époux les avaient emmenées dans la chambre nuptiale dès la cérémonie terminée ! Le cœur battant à tout rompre, elle posa une main tremblante sur le bras d'Alan de Warenne qui l'entraîna vers la tour de maître.

Thomas et Taffy les suivirent en devisant.

— Il y aura beaucoup de monde, ce soir. Ils seront tous curieux de la voir, remarqua Taffy.

— Il prétend se moquer de son apparence mais je sais combien il est fier. Il faut faire quelque chose et vite ; il ne reste que deux heures avant le dîner.

— Je vais me débrouiller pour trouver une robe convenable à Dumfries, dit Taffy.

— Je t'accompagne.

Alan conduisit Jane jusqu'à ses appartements et se souvint soudain qu'elle n'avait pas de femme de chambre pour l'aider à se laver et à s'habiller.

— Aimeriez-vous que vos sœurs viennent vous servir ?

Son intention la toucha mais Jane savait pertinemment que Kate et Mary ne la serviraient jamais. Elle était la cadette et, en tant que telle, c'était elle qui les avait toujours servies.

— Merci, leur compagnie me ferait plaisir mais je suis habituée à me débrouiller seule.

Ne se rendait-elle pas compte que son nouveau statut la plaçait au-dessus de toutes les femmes vivant au château de Dumfries ? s'étonna Alan.

— J'espère que vous vous plairez ici. Cet escalier mène directement chez moi mais je ne serai pas obligé de passer par vos appartements chaque fois que j'entrerai et sortirai. Mes fenêtres ouvrent sur le chemin de ronde qui donne accès à un escalier extérieur. Vous jouirez donc d'une certaine intimité.

Et moi aussi, songea-t-il. Il n'était pas question que cette jeune fille s'immisce dans sa vie plus que nécessaire.

Quand Thomas frappa, Alan lui signifia qu'il comptait prendre son bain tout de suite.

— On est en train de monter l'eau chaude pour Lady Jane, mon seigneur.

— Dans ce cas, nous nous baignerons en même temps.

Jane frémit à l'idée d'être nue avec lui dans la même baignoire mais elle fut soulagée de le voir prendre le chemin de sa chambre. Elle avait mal interprété ses paroles.

— La verte, mon seigneur ? demanda Thomas en présentant à Alan la tunique de velours qu'il venait de sortir de l'armoire.

Dans la baignoire en cuivre trop petite pour lui, Alan frottait ses mains au luffa. Il fronça les sourcils en regardant la tenue que lui présentait son écuyer.

— Tu crois qu'elle est assez habillée pour l'occasion ?

— De toute façon, vous ferez figure de paon à côté de Lady Jane.

— Ah… soupira Alan en savonnant ses cheveux. N'a-t-elle vraiment aucune robe convenable ?

Thomas posa la tunique sur le lit, prit le baquet d'eau chaude et la versa sans cérémonie sur la tête de son maître.

— Rien. Pas une robe digne de ce nom, pas une chemise de nuit, aucun bijou ni ruban. Elle n'a même pas de brosse à cheveux. Elle utilise une sorte d'étrille qui ressemble à celles dont on se sert pour les chevaux.

— Pour l'amour du ciel, apporte-lui l'une des miennes en attendant. Tu iras acheter du tissu pour qu'on lui fasse des vêtements. Il doit bien y avoir des couturières dans ce château, des femmes qui cardent et tissent la laine. Renseigne-toi auprès de Jock.

— Oui, mon seigneur, mais cela ne résout pas notre problème de ce soir.

Dans les tiroirs de son maître, Thomas trouva un bliaud de soie qu'Alan portait sur sa cotte de mailles, lors des tournois. Il servirait de chemise de nuit, même s'il était ouvert des deux côtés. Au contraire, songea-t-il en se troublant, c'était parfait pour l'occasion. Il en trouva un autre en soie noire, sur lequel était brodé un lynx, hésita, puis partit à la recherche de quelque chose de plus féminin.

Ne trouvant aucune robe oubliée dans les armoires, il consulta Sir Giles Bernard, l'un des chevaliers les plus élégants. Comprenant immédiatement le problème, il fouilla dans sa garde-robe où il dénicha une longue tunique pourpre. Avec une chaîne en argent en guise de ceinture, elle ferait selon lui une robe convenable.

Pour remplacer les rubans, Taffy alla cueillir de l'aubépine qu'il tressa en couronne. Quand il remonta dans la tour de maître, il eut la satisfaction d'y trouver les sœurs de Jane venues pour l'aider.

10

Légèrement irritée d'entendre Mary et Kate lui répéter sans cesse à quel point elle avait de la chance qu'un comte l'ait choisie pour compagne, Jane accueillit l'arrivée de sa belle-sœur Judith avec soulagement. Celle-ci comprit tout de suite la situation et l'angoisse de la jeune fille.

Tout en l'aidant à s'installer dans l'immense baignoire, Judith lui demanda doucement si elle avait peur :

— Oui, j'ai peur… je ne sais pas ce qui m'attend avec cet homme.

Kate eut un sourire suggestif.

— Le pire, bien sûr !

— De ce côté-là, tu ne seras pas déçue, ne t'inquiète pas, ajouta Mary sur le même ton.

— Jane n'a aucune expérience des hommes, intervint fermement Judith. Elle se passe de vos conseils et encore plus de vos menaces.

— Contente-toi donc de te taire, d'ouvrir les jambes et tout ira bien, insista Kate.

— Plus ils sont grands et plus ils sont insatiables, si tu vois ce que je veux dire, renchérit Mary.

— Elles te taquinent, Jane, ne les écoute pas, dit Judith.

— Oh, je sais qu'elles aiment rire à mes dépens.

Kate reprit soudain son sérieux.

— Tu crois ? Alors écoute-moi bien, cette fois, car je ne plaisante plus. Ne pleure surtout pas, même s'il te fait très mal, d'accord ? Les hommes détestent les pleureuses.

— Il est temps de t'habiller, Jane, lui rappela Judith en dépliant une serviette.

— Non, je préfère me noyer ! gémit-elle en s'immergeant jusqu'au cou.

— Cesse de t'apitoyer sur ton sort, tu veux ? Je ne connais pas une femme à Dumfries qui ne vendrait son âme au diable pour être à ta place, glissa Mary.

— Elle a raison, admit Judith. Ce n'est pas une malédiction, au contraire. Essaie de lui plaire, montre-toi douce, docile, et tout ira bien, Jane.

Une fois Jane habillée, Judith brossa sa longue chevelure rousse jusqu'à ce qu'elle brille comme de l'or en fusion, sublimant le contraste avec le velours pourpre du bliaud.

Quand Alan de Warenne vint la chercher pour l'escorter jusqu'à la grande salle, il fut saisi par sa métamorphose. La petite paysanne un peu fruste était devenue une superbe jeune femme. Les efforts qu'avaient déployés ses écuyers l'impressionnèrent et le ravirent. La simple couronne d'aubépine qui parait la chevelure de feu de sa promise rehaussait sa beauté mieux que tous les joyaux du monde. Il la trouva plus désirable que toutes les femmes qu'il avait croisées jusqu'ici.

Quand ils pénétrèrent dans la grande salle où se pressaient tous les hommes d'Alan, la famille Leslie au grand complet et les gens du château, la main de Jane se crispa sur le bras de son compagnon. Il devina qu'elle était terrifiée. La plupart des femmes auraient adoré se retrouver au cœur de tous les regards. Pas elle.

— Je suis désolé, Jane. Ils sont tous très impatients de vous connaître mais je suis sûr qu'une fois leur curiosité satisfaite, vous ne serez plus au centre de leur attention.

Il posa une main sur la sienne pour l'encourager et l'entraîna sous le dais. Là, il leva les bras pour réclamer le silence et prit la parole. Soucieux de ménager la timidité de la jeune fille, son discours fut bref et plein de délicatesse.

— Je vous propose de porter un toast en l'honneur de Lady Jane, conclut-il en levant sa coupe, aussitôt imité par tout le monde.

Un tonnerre d'applaudissements s'ensuivit. Jane baissa les yeux, incapable d'affronter les regards rivés sur elle, fussent-ils ceux de sa famille et, pire, celui du comte de Warenne de la proximité duquel elle était intimement consciente. Ils étaient assis côte à côte, lui sur une chaise plus haute que la sienne, d'où il la dominait plus que jamais. Ses deux écuyers se tenaient derrière eux.

— L'usage veut que vous répondiez à ce toast, Jane, lui souffla-t-il.

Après une brève hésitation, elle leva sa coupe à son tour et en avala le contenu d'un trait.

Alan leva un sourcil amusé.

— Un simple « merci » suffisait. Cela aurait été plus convenable pour une lady.

Le vin avait coulé en elle comme une flamme réconfortante, faisant rosir ses joues et briller ses yeux. Elle s'enhardit.

— Si vous vouliez une lady, mon seigneur, vous n'auriez pas dû me choisir.

— Seriez-vous en train de me défier, très chère ?

Thomas emplit de nouveau la coupe de la jeune femme qui considéra le vin avec un demi-sourire, songeant au jour où elle avait renversé délibérément la soupe sur Alan. Comme s'il lisait dans ses pensées, ce dernier lui prit la main et plongea un regard dissuasif dans le sien.

— N'ayez pas peur, mon seigneur, je n'ai aucune envie de gâcher ce bon vin, dit-elle en retirant sa main comme si son contact l'offensait.

— Je risque de me lasser très vite de vous si vous êtes insolente, susurra-t-il.

— Quel soulagement si ce *handfasting* pouvait durer moins d'un an et un jour !

Alan ne lui montra rien du plaisir qu'il éprouvait à la découvrir aussi vive d'esprit. Et puis il préférait infiniment les rebelles aux peureuses effarouchées.

Jane avait toujours eu un solide appétit et les plats que l'on disposa devant elle lui mirent l'eau à la bouche. Pourtant, ce soir elle se sentait tellement intimidée qu'elle ne parvint à avaler que quelques bouchées.

Alan s'irrita. Pourquoi les femmes mangeaient-elles comme des oiseaux ? Il n'en connaissait qu'une qui ne s'infligeait pas ces privations ridicules à ses yeux, c'était sa sœur Jory. D'ailleurs, cela lui réussissait car pas un homme digne de ce nom ne restait insensible à ses charmes.

Malgré la douce musique dispensée par les harpistes tout au long du dîner, Jane ne s'était jamais sentie aussi mal à l'aise de toute sa vie. Si l'embarras mettait ses joues en feu, ses mains, et ses pieds surtout, étaient glacés. Elle était descendue sans chaussures, ses bottes de cuir avachies ne convenant pas pour l'occasion.

Alan chargea Thomas d'appeler les flûtistes écossais capables de donner une musique plus allante.

Tout le monde semblait s'amuser, excepté Jane. Elle regardait avec envie la table animée où sa famille était installée. Megotta ne s'y trouvait pas.

— Vos frères ont l'air de se divertir, remarqua Alan en suivant son regard.

Désapprouvait-il aussi leur conduite ? Elle releva la tête avec défi.

— Ils ont beaucoup d'esprit et ils aiment rire. En ce qui vous concerne, ce n'est pas l'humour qui vous caractérise, apparemment... En seriez-vous totalement dépourvu ?

Alan plissa les yeux.

— Vous aimez me provoquer, n'est-ce pas ? Il serait temps d'inverser les rôles.

Jane comprit qu'elle était allée trop loin. Elle voulut se lever mais il lui saisit le poignet pour l'obliger à rester assise.

— Il est hors de question que vous me plantiez là devant mes hommes. Vous n'avez pas la moindre idée de la façon dont doit se conduire une lady. Vous allez sourire, Jane, faire bonne figure. Ayez au moins la décence de feindre la gaieté !

— Faire semblant, c'est exactement ce dont il s'agit.

Comme la pression s'accentuait sur son poignet, elle ajouta entre ses dents :

— Je vous hais ! J'espère de toutes mes forces que je suis stérile et que jamais je ne vous donnerai le fils que vous désirez tant !

Alan de Warenne bondit sur ses pieds et, sans laisser à Jane le temps de réagir, il la souleva dans ses bras avant de s'adresser à la foule :

— Ne bougez pas et amusez-vous. Notre régisseur veillera à ce que le vin coule toute la nuit.

Il emporta sa jeune épouse sous l'ovation de l'assistance. Taffy s'interposa au moment où il allait franchir la porte.

— Votre dame est très jeune, mon seigneur, lui glissa-t-il à l'oreille.

Cette réflexion de son écuyer étonna Alan. Ce jeune idiot aurait-il peur pour elle ? Ignorant sa remarque, il continua son chemin jusqu'à la tour de maître, ses deux écuyers sur ses talons. Dans ses bras, Jane était plus pâle que les fleurs d'aubépine qui paraient ses cheveux.

Il entrait dans sa chambre quand, à sa vive stupeur, Thomas lui souffla à l'oreille :

— Elle est extrêmement innocente, mon seigneur.

Alan posa Jane sur le tapis et se tourna vers les deux hommes.

— Seigneur Dieu, auriez-vous décidé de vous y mettre à deux pour me donner des leçons ?

Sur ce, il leur claqua la porte au nez.

Maintenant qu'elle se retrouvait seule avec lui, Jane se sentait beaucoup moins téméraire.

— Mon seigneur, je suis désolée de vous avoir parlé comme je l'ai fait. Ce n'était qu'un jeu...

Alan vit l'effroi dans ses beaux yeux de biche et il se radoucit. Il ne voulait surtout pas qu'elle se sente prise au piège ou menacée.

— Cette soirée a été une épreuve pour vous, je le conçois. Si nous essayions de recommencer à zéro ?

— Oui, je veux bien, murmura-t-elle.

Alan hésita. Il ne savait comment s'y prendre maintenant. Jamais il ne s'était trouvé dans une telle situation. S'il s'était agi d'une prostituée ou d'une fille facile, il ne se serait posé aucune question. D'ailleurs, elle se serait déjà pendue à son cou. S'il s'était agi d'une lady, elle aurait su précisément ce qui l'attendait maintenant. Mais Jane n'entrait dans aucune de ces deux catégories.

Il se remémora donc sa nuit de noces. Dès qu'ils s'étaient retrouvés dans le lit nuptial, Lady Sylvia Bigod s'était accrochée à lui avec passion et les choses s'étaient déroulées naturellement. Pendant cinq ans, leurs étreintes étaient restées fougueuses... mais aujourd'hui, la situation était différente et il chassa ces souvenirs. Cette toute jeune femme qui allait bientôt être sienne exigeait la douceur, la délicatesse. Son innocence l'émouvait.

— Est-ce que tu aimes la musique, Jane ? demanda-t-il avec courtoisie.

— Oui, mon seigneur, répondit-elle prudemment.

Il s'approcha du mur d'où il décrocha un luth.

— Tu sais jouer ?

— Non...

Un silence s'installa.

— Et aux échecs ? s'enquit-il au bout d'un moment, en désignant la table de jeu.

— Non plus.

Elle regretta soudain d'avoir répondu trop vite. Cela ne ferait qu'avancer le moment de se mettre au lit... Elle se tourna vers la cheminée, contemplant les flammes avec envie.

— Tu as froid ?
— Non… oui… non, mon seigneur.
Alan se mit à rire.
— Bon, que se passe-t-il, Jane ?
— Mes pieds sont glacés, avoua-t-elle.
Il rit de nouveau et lui tendit la main, songeant qu'ils avaient un point en commun. Lui aussi avait toujours les pieds gelés !
— Viens te réchauffer.
Il approcha un fauteuil de l'âtre et Jane s'y assit docilement, les yeux baissés. Alan s'agenouilla devant et, en soulevant le bas de la tunique, il s'aperçut avec stupeur qu'elle ne portait pas de chaussures. Il prit alors ses pieds entre ses larges mains et commença à les masser lentement, l'un après l'autre. Peu à peu, Jane reprit des couleurs.
Elle éprouvait la sensation délicieuse qu'il lui transmettait sa chaleur. Son souffle s'accéléra et elle sentit la pointe de ses seins durcir à l'idée que, dans quelques instants, il la tiendrait nue dans ses bras.
— Est-ce que je te fais peur, Jane ? demanda-t-il avec douceur.
— Non… oui… non, mon seigneur.
Cette fois, Alan se retint d'éclater de rire.
— Je ne sais que penser, Jane. C'est oui ou c'est non ?
— Je ne sais pas, mon seigneur… murmura-t-elle.
— Jane, je crois que nous devrions nous détendre, décida-t-il soudain en se levant.
Il traversa la pièce pour prendre la carafe restée sur la table. Quand il vit qu'elle ne contenait que du vin dilué dans de l'eau, un breuvage bien trop pâle pour la réchauffer ou la détendre, il se dirigea vers l'escalier menant à sa chambre.
— Je vais chercher du vin, dit-il.
Une fois chez lui, Alan en profita pour se déshabiller. Il enfila sa robe de chambre de velours noir sur sa nudité et redescendit avec sa carafe en espérant que Jane en aurait elle aussi profité pour mettre sa tenue de nuit. Mais il la retrouva exactement comme il l'avait laissée.
Tout en remplissant deux coupes de vin rouge, il com-

prit qu'elle ne ferait rien pour lui faciliter la tâche. C'était à lui seul d'agir. Peut-être n'était-elle pas seulement innocente mais totalement ignorante ? Il lui tendit une coupe et la regarda avaler une première gorgée d'un air hésitant. Visiblement, elle avait aussi peu l'habitude de boire du vin que d'être seule avec un homme. Il avait tout à lui apprendre.

Il lui montra comment goûter le vin en le faisant rouler sur la langue et elle l'imita consciencieusement. Déjà, l'alcool lui faisait briller les yeux.

Une idée l'illumina. Elle allait lui demander de lui apprendre à jouer aux échecs. Pendant ce temps, elle veillerait à remplir sa coupe jusqu'à ce qu'il tombe ivre mort. Elle avait déjà vu ses frères réagir ainsi, au cours de fêtes diverses.

— J'ai chaud maintenant, annonça-t-elle soudain.

— Le vin te réchauffe de l'intérieur, lui répondit-il.

Elle se leva et s'éloigna de l'âtre.

— Voudriez-vous m'apprendre à jouer aux échecs, mon seigneur?

Il comprit immédiatement qu'elle voulait retarder le moment d'aller au lit et décida malgré lui de lui accorder un délai.

— C'est un jeu trop difficile pour s'y initier en un soir mais je veux bien te donner une première leçon.

Il comptait lui donner un tout autre genre de leçon mais il s'efforça d'être bon joueur.

Assis en face d'elle devant l'échiquier, il prit l'une des pièces en ivoire finement ciselé.

— Le roi, expliqua-t-il. La pièce maîtresse. Il a l'autorité sur toutes les autres.

Comme vous à Dumfries, songea-t-elle. Quand il en arriva aux simples pions, tout en bas de la hiérarchie, après la reine, les fous, les cavaliers et les autres, Jane se dit que c'était ce qu'elle était : un simple pion entre ses mains.

En la regardant manipuler pensivement le roi entre ses doigts fins, Alan sentit son désir s'éveiller. Il s'éclaircit la gorge et vida sa coupe.

— Je vais vous resservir, mon seigneur, dit aussitôt Jane.

— Merci, répondit-il en récupérant le roi avant que son désir ne se précise davantage.

Oubliant les échecs, il décida d'aborder le sujet sans détour.

— Jane, sais-tu ce qui se passe entre un homme et une femme ?

— Oui. Je… j'ai vu faire les animaux.

— Les animaux ?

— Oui, au printemps.

Seigneur Dieu ! songea-t-il, atterré. Elle se référait à un cerf en rut ou à un étalon chevauchant sa jument. Bien sûr, il arrivait qu'entre un homme et une femme l'amour prenne une tournure bestiale, ce qui n'était pas pour lui déplaire, mais ce n'était vraiment pas de mise ce soir ! Il décida de procéder par étapes.

— Va mettre ta chemise de nuit, lui dit-il calmement. Nous parlerons ensuite.

Jane fixait désespérément sa coupe, se demandant quand il allait enfin la vider et combien il devrait en avaler avant de s'écrouler. Déjà, il lui semblait moins poli, plus sec… Et si l'alcool produisait l'effet inverse ? Et s'il le disposait au contraire à consommer leur union sans perdre de temps et sans égards pour elle ?

Elle s'empressa de regagner sa chambre. Sur son oreiller était disposée une étoffe de soie blanche. Sans doute s'agissait-il de cette chemise de nuit dont il parlait. Jamais elle n'oserait se présenter devant lui dans un vêtement aussi transparent ! Pourtant, elle n'avait pas le choix…

Elle ôta la couronne d'aubépine, se déshabilla et enfila la chemise : une simple tunique. Dans le miroir en argent, elle remarqua ses gros bas de laine grise. On ne voyait qu'eux, entre les fentes des côtés. Ils lui parurent grossiers, en comparaison de la soie.

Contre toute attente, elle découvrit qu'elle n'avait aucune envie qu'Alan la trouve laide. Elle voulait au contraire paraître à son avantage. Sans hésiter plus longtemps, elle ôta ses bas, les plia soigneusement puis se coiffa de nouveau de la couronne d'aubépine avant de retourner au salon en toute hâte. Mieux valait ne pas trop s'attarder près de ce lit qui la troublait tant.

Alan considéra avec stupeur la fine silhouette de la jeune femme qui réapparut sur le seuil. Que diable portait-elle ? S'il ne se trompait pas, il s'agissait de l'une de ses sous-tuniques en soie… Il comprit qu'elle ne possédait pas de chemise de nuit et que Thomas s'était débrouillé avec les moyens du bord.

Comme elle avançait vers lui, son corps se dessina en transparence quand elle passa devant le feu. Il distingua de longues jambes, une poitrine généreuse. Troublé, il but la moitié de la coupe et la lui tendit pour qu'elle la finisse. Cette jeune fille éveillait en lui des pulsions inconnues…

Il se leva, la surplombant de toute sa hauteur.

— Jane, est-ce que tu sais comment est fait un homme ?

— Non, mon seigneur. Je n'ai jamais vu d'homme nu.

Tout à coup, elle se sentait impatiente de combler cette lacune. Jane ne se reconnaissait plus. Que lui arrivait-il ?

Il respira profondément.

— Il est grand temps que tu apprennes, dit-il.

Il s'assit dans le fauteuil et l'attira sur ses genoux. Ne sachant ce qu'il attendait d'elle, Jane espéra qu'il ferait le premier mouvement. Il ôta la couronne de ses cheveux et y enfouit ses mains, laissant couler les longues mèches rousses entre ses doigts, les respirant avant de plonger son regard vert dans le sien. Comme elle ne bougeait toujours pas, il demanda :

— Tu n'es pas curieuse ?

— Si, mon seigneur, admit-elle innocemment.

— Alors je te suggère de m'explorer.

Voyant qu'il semblait sérieux, Jane écarta les pans de velours noir et découvrit une toison dorée sur la large poitrine. Se rendait-il compte du contraste saisissant qu'offrait sa peau cuivrée avec le velours noir ? Mais oui, comprit-elle soudain. Il en avait parfaitement conscience, justement…

Elle se redressa légèrement, le temps d'ôter le pan de velours de la jambe d'Alan et se rassit. Un trouble étrange la prit quand elle sentit le contact de sa cuisse nue à travers la soie fine de sa tunique, seul barrage entre leurs peaux.

Comme elle ouvrait complètement sa robe de chambre, elle découvrit avec stupeur son sexe en pleine érection. Dans sa naïveté, elle l'observa sans pudeur, sans chercher à cacher la curiosité que ce spectacle éveillait en elle.

— Est-ce que tous les hommes sont faits comme vous ? demanda-t-elle ingénument.

— Plus ou moins, oui, je suppose.

Alan sourit.

— Tu n'as plus froid, maintenant ?

— Non, mon seigneur. Au contraire, j'ai très chaud tout à coup.

Doucement, il lui prit la main et la posa sur son sexe. L'instant d'après, elle refermait ses doigts autour et entamait un lent mouvement de va-et-vient, comme il le lui montrait. Il déglutit avec peine tout en lui expliquant que les caresses préliminaires entraînaient une lubrification de l'homme et de la femme destinée à faciliter la pénétration. Il constata avec plaisir qu'elle ne semblait guère offusquée par ces découvertes et se demanda soudain si elle était vraiment vierge. Peut-être n'était-elle qu'une habile comédienne, comme tant de femmes qu'il avait connues ? Décidant d'en avoir le cœur net sans délai, il glissa une main sous la tunique de soie, insinua un doigt dans la fine toison et la pénétra doucement. Rouge de confusion, elle réprima un cri et il s'arrêta. Elle était très étroite et incontestablement vierge. Il caressa sa magnifique chevelure, légèrement hésitant.

— Jane, est-ce que tu sais que c'est parfois douloureux, la première fois ?

— Je m'en doute, répondit-elle en resserrant involontairement ses doigts autour de son sexe, comme pour en évaluer la taille.

Ce geste ne fit qu'intensifier son désir. Il sentit son souffle s'accélérer.

— J'irai doucement, murmura-t-il. Tu sens mon doigt ?

— Oui...

— Il te fait mal ?

— Non, mon seigneur.

— Bon. Ce sera plus agréable pour toi si tu te détends, si tu ne résistes pas, d'accord ?

Elle humecta ses lèvres sèches.

— J'essaierai, mon seigneur.

Il releva la tunique de soie.

— Viens, dit-il dans un souffle.

Refermant ses mains autour de sa taille fine, il la positionna de sorte qu'elle le chevauche.

Tout à coup, Alan oublia le *handfasting* et tout le reste. Cette jeune fille animait son désir et il n'avait plus qu'une envie : l'assouvir.

Quand il sentit sa moiteur au bout de son sexe, il commença lentement à la pénétrer puis s'arrêta pour lui laisser le temps de s'accoutumer à cette sensation nouvelle. En même temps, il lui caressait le dos et la guidait, s'émerveillant de découvrir qu'elle avait un corps magnifique.

Jane s'étonna de ne pas éprouver de douleur. Au contraire, une sorte de brûlure lui incendiait le ventre et elle trouvait cela plus qu'agréable.

— Respire à fond, haleta-t-il. Détends-toi.

Ils se regardaient et Jane eut l'impression de se noyer dans les profondeurs vertes des yeux d'Alan. Il posa ses larges mains sur les hanches de la jeune fille et, d'un coup, perça le voile de son innocence.

Un cri échappa à Jane et Alan l'attira contre lui pour la serrer dans ses bras.

— Voilà, c'est fait, murmura-t-il.

Comme il n'avait pas envie de lui faire mal à nouveau, il se retira momentanément pour qu'elle se remette. Quelques gouttes de sang maculaient la tunique blanche.

— Tu as été très courageuse. Comment te sens-tu ?

— Bien… ça fait un peu mal. Et vous, mon seigneur ? Vous avez mal aussi ?

Il s'émut.

— Non. Enfin, peut-être un peu…

D'elle-même, elle reprit son sexe dans sa main, comme il le lui avait montré. Il frissonna de tout son être.

— Je croyais que cela prendrait plus de temps, avoua-t-elle sur un ton de regret.

Son innocence le saisit une fois de plus.

— Nous n'avons pas encore fini, Jane.

Comme elle le regardait sans comprendre, il ajouta :

— Je crois que nous serons mieux au lit.

Il l'aida à se relever, lui prit la main et l'entraîna vers la chambre. La sentant hésitante, il la souleva dans ses bras et l'emmena ainsi jusque sur les draps blancs.

Le moment tant redouté de se retrouver nue dans ses bras était venu. Certes, elle éprouvait une certaine appréhension, mais il s'y mêlait des sensations nouvelles, une sorte d'impatience, d'excitation agréable. Quand elle le vit debout près du lit, dans sa nudité superbe, son trouble s'accentua.

Il s'allongea contre elle et s'appuya sur un coude.

— Tu as toujours mal ?

Elle acquiesça de la tête, incapable de parler. Il allait la toucher, la caresser, et elle en avait envie.

Quand elle sentit sa main sur son sexe, elle retint son souffle. Une onde brûlante se propagea dans tout son corps.

— Respire, Jane, murmura-t-il.

Sa main éveillait des flammes entre ses cuisses, des flammes qui s'insinuaient au plus secret d'elle-même, remontaient dans son ventre, l'embrasaient. Jamais elle n'avait rien ressenti de tel. Son corps vibrait d'une vie inconnue. Elle crut que jamais elle ne vivrait de bonheur plus intense. Elle se trompait. Il exerçait des petites pressions, suivies d'effleurements, des séries de rondes qui lui arrachèrent peu à peu des gémissements de plaisir.

Alan tremblait de désir. Cette fois, il n'aurait pas à se retirer. Si Jane souffrait encore, le plaisir qu'il lui procurait lui faisait apparemment oublier cet inconfort. Il lui caressa les seins à travers la tunique de soie jusqu'à ce qu'elle ne sache plus où elle était. Alors il se mit à genoux et la pénétra doucement. Totalement. Jamais de sa vie il n'avait connu de femme plus étroite et plus chaude. Il se trouvait merveilleusement bien en elle.

Dès qu'il commença à aller et venir, il comprit qu'il ne pourrait retenir bien longtemps l'explosion du plaisir.

Il s'interrompit. Éperdue, le souffle court, Jane s'étonnait des sensations inouïes qu'elle éprouvait à le sentir en elle. Elle aimait ça. Pourquoi s'arrêtait-il ? D'un coup de reins, elle l'invita à poursuivre.

Il reprit son va-et-vient tandis qu'elle ondulait sous lui, suivant instinctivement le rythme qu'il lui insufflait. Elle s'enivra de l'odeur virile de sa peau, s'émerveillant que cet homme, le plus beau qu'elle eût jamais vu, l'ait choisie, elle. Animée d'une confiance nouvelle, elle referma ses bras autour de lui. Il se raidit soudain, puis intensifia le rythme jusqu'à ce qu'un grondement sourd lui échappât au moment où l'extase l'emportait et que sa semence se répandait en elle.

Éblouie, Jane aurait voulu qu'il continue. Hélas, il se laissa aller sur elle, très lourd soudain, reprenant son souffle peu à peu. Elle avait envie de l'embrasser partout, de goûter encore et encore la saveur mâle de sa peau moite, la douceur de ses caresses sur ses seins, sur son ventre. Un long moment s'écoula avant que le feu qui la dévorait ne s'éteignît. Alors qu'elle allait enfin sombrer dans le sommeil, elle s'étonna qu'il ne l'eût pas embrassée et s'endormit en imaginant que leurs bouches se mêlaient, se dévoraient...

Allongé sur le dos, les bras croisés derrière la tête, Alan pensait à Jane. Il la trouvait infiniment désirable et se félicitait de son choix mais il avait commis une erreur en laissant ses émotions entrer en jeu. Il fallait que cette union ne reste qu'un arrangement destiné à servir ses intérêts. Or, il avait déjà dépassé les limites qu'il s'était fixées. Il se promit de se contrôler davantage à l'avenir, de ne jamais se laisser déborder par la passion.

Il n'était pas question de sentiments entre eux.

Quand il fut certain qu'elle dormait, il se dressa sur un coude, déposa un baiser sur son front et regagna silencieusement sa chambre, à l'étage supérieur.

11

À Carlisle, faire l'amour dans un lit aurait été un luxe pour Jory et Robert Bruce. Leur liaison devant rester secrète, les deux amants se retrouvaient dans la nature, à l'extérieur du château. L'impossibilité de s'aimer à leur guise décuplait leur désir.

Ce jour là, Jory se rendit à son rendez-vous avec une couturière de Carlisle mais ensuite, au lieu de rentrer directement au château, elle franchit les portes de la ville pour gagner l'endroit où Robert l'attendait.

Les premières ombres du crépuscule s'étendaient quand il l'aperçut. Robert lança aussitôt son cheval au galop.

Quand il fut à sa hauteur, Jory se tourna vers lui en souriant.

— Où cours-tu si vite, jeune inconscient ?

Il répondit à son sourire.

— J'aimerais te montrer quelque chose.

Leurs chevaux traversèrent une immense prairie où ils s'enfoncèrent dans l'herbe haute jusqu'à l'encolure puis ils franchirent un pont et se retrouvèrent devant une petite tour en pierre, émergeant d'un long mur. Robert s'arrêta, sauta à terre et souleva Jory de sa selle pour la déposer près de lui.

— Qu'est-ce que c'est ? demanda-t-elle.

— Une tour de guet de l'époque romaine.

Elle se blottit dans ses bras et il enfouit son visage dans ses cheveux, pris de vertige tant elle lui avait manqué. Jory lui offrit ses lèvres en gémissant et il s'en empara avec avidité. Ensuite, il glissa un bras autour de sa taille et lui montra l'édifice.

— C'est le mur d'Hadrien. Le premier rempart qui sépara l'Angleterre de l'Écosse.

— Édifié pour séparer les Anglais civilisés des barbares écossais, je suppose, plaisanta Jory. Mais aujourd'hui encore, vous êtes des sauvages !

— Pas tous, ma chérie, murmura-t-il en l'embrassant

dans le cou. Viens, je veux te faire l'amour dans mon pays, sur cette terre que j'entends gouverner un jour !

Il l'entraîna dans la tour où il étendit sa cape à même le sol. Malgré son impatience, Jory résista à l'envie d'enlever ses propres vêtements pour s'adonner au plaisir d'être déshabillée par lui.

Il la dévêtit centimètre par centimètre, suivant de ses lèvres chaque parcelle de peau découverte. Quand sa langue s'y mêla, que ses lèvres s'engouffrèrent entre ses jambes, un cri échappa à Jory et elle oublia le reste du monde.

Ils ne se rhabillèrent que deux heures plus tard. Au moment de remonter en selle, la jeune femme exprima ses inquiétudes.

— Est-ce que tu trahirais le roi Édouard ?

— Et lui ? Me trahirait-il ?

— Sans l'ombre d'un remords, dit-elle. J'ai peur pour toi, Robert.

— Ne me crois pas plus téméraire que je ne le suis. Les Écossais sont des gens prudents. Mon grand-père et mon père ont passé leur vie à récupérer leur trône légitime. Aujourd'hui, c'est à moi qu'il revient d'être le roi d'Écosse et je m'y appliquerai avec obstination. Je réussirai, Jory. Édouard Plantagenêt se fait vieux et il est malade. Son fils est une poule mouillée. Il ne sera pas capable de gouverner à sa place. De plus, efféminé comme il l'est, personne ne le respectera jamais.

Il semblait tellement sûr de lui que Jory se sentit rassurée. De retour à Carlisle, ils échangèrent un long baiser d'adieu, à la faveur de la nuit, et elle lui souhaita bonne chance jusqu'à leur prochain rendez-vous.

Les dames du château de Carlisle étaient réunies dans le boudoir de Lady Bruce quand Jory les rejoignit.

— Je doute que vous ayez passé tout ce temps chez votre couturière, lui reprocha Alice Bolton.

— Non, je suis aussi allée consulter un astrologue pour qu'il me prédise l'avenir.

— Et que serez-vous quand vous serez grande ? ironisa Alicia.

— Une belle femme, douce, gentille. Les hommes me trouveront irrésistible.

— Vous l'êtes déjà ! glissa en riant la toute jeune Elizabeth de Burgh.

Elle était venue d'Irlande avec son père, le comte d'Ulster, qui l'avait laissée sous la protection de Lady Bruce à Carlisle, avec ses deux femmes de chambre, Maggie et Molly, chargées de veiller sur elle comme sur la prunelle de leurs yeux. Jory s'était spontanément liée d'amitié avec la toute jeune fille de quatorze ans et elles formaient deux alliées très soudées contre Alicia qui ne supportait pas les « gamines ».

Lady Bruce remplit une coupe de vin pour Jory, sa filleule.

— Vous avez froid, mon enfant. Venez donc vous réchauffer près du feu. Alicia nous racontait comment elle avait rencontré votre frère Alan.

— Une histoire très romantique, commenta Elizabeth de Burgh en soupirant.

Jory fronça les sourcils. Son frère était l'homme le moins romantique qu'elle connaissait.

— Si vous voulez du romantique, écoutez plutôt l'histoire de Lady Bruce.

Comme cette dernière faisait la grimace, Jory prit les devants.

— Lady Bruce était la plus belle et la plus jeune veuve et comtesse de Carrick quand elle rencontra le séduisant Robert Bruce senior qui chassait sur ses terres à elle. Victime d'un coup de foudre immédiat, elle ordonna à ses hommes d'enlever le comte et ils ne reparurent ensemble en public qu'une fois mariés !

— Bon, je vais vous dire la vérité, intervint Lady Bruce en rougissant malgré son âge. Il est vrai que nous tombâmes éperdument amoureux l'un de l'autre mais j'étais sous la tutelle du roi Alexandre d'Écosse. Sachant qu'en m'épousant il deviendrait comte de Carrick et que le roi ne l'y autoriserait jamais, Robert me kidnappa et m'obligea à l'épouser. Pour sauver sa peau, il répandit le bruit que c'était moi qui l'avais enlevé.

Lady Bruce jeta un regard appuyé à Jory.

— Chez les Bruce, les hommes ont toujours été diaboliquement déterminés. Il ne faut surtout pas les sous-estimer.

Jory comprit, à cet instant, que si elle et Robert parvenaient à mystifier tout le monde, sa marraine n'était pas dupe. Elle souffrait que Robert soit parti mais c'était peut-être plus sage, pour le moment.

D'ailleurs, Jory n'était pas la seule raison qui avait attiré Robert Bruce à Carlisle. Il voulait savoir précisément où se cachaient ses ennemis et comptait leur tendre un piège en envoyant un convoi vers Ayr et Glasgow. Toujours en manque de vivres dans le Galloway, ils attaqueraient inévitablement. Ce qui permettrait à Robert de les localiser.

Lorsque Jane Leslie se réveilla seule dans son lit, elle prit instinctivement son talisman et contempla le lynx en pensant à Alan. Contre toute attente, elle avait aimé faire l'amour avec lui.

Un soupir d'impatience lui échappa. Il n'était pas question pour elle de s'impliquer sentimentalement dans cette histoire. Il ne s'était uni avec elle que pour avoir un héritier. Des images de la nuit lui revinrent mais, à la lumière froide du matin, elle eut honte d'avoir répondu à ses étreintes sans plus de retenue. Non seulement elle ne voulait appartenir à aucun homme mais encore moins à un Anglais !

Quand on frappa doucement à sa porte, Jane fut prise de panique. Elle sauta du lit, vit les taches de sang sur la chemise de soie et enfila rapidement la robe de chambre de velours noir d'Alan restée sur le dossier d'un fauteuil. Aussitôt, son odeur l'enveloppa, éveillant en elle un étrange sentiment de colère et de désir mêlés.

C'était Taffy qui lui apportait son petit déjeuner. Derrière lui suivaient des domestiques chargées de l'eau nécessaire à sa toilette. Elle n'osa pas lui demander où était Alan mais il la renseigna en lui épargnant de poser la question.

— Monsieur le comte a pris des dispositions pour que des couturières viennent prendre vos mesures afin de vous constituer une garde-robe. Elles vous attendent dans le salon. Le seigneur de Warenne n'a pu déjeuner avec vous ce matin parce qu'il a dû recevoir un messager du roi.

— Merci, Taffy, murmura-t-elle.

C'est alors que ses sœurs firent irruption dans la chambre sans même frapper avant d'entrer.

— On venait s'assurer que tu avais survécu à la nuit dernière, annonça Mary en jetant à Kate un sourire en coin.

— Je suis toujours en vie, merci, riposta Jane.

— Je m'étonne que tu puisses marcher ce matin, glissa Kate avec un air entendu.

— Est-ce que ses appétits sont à la hauteur de sa stature ? voulut savoir Mary.

Comme Jane ne répondait pas, Kate enchaîna :

— Je vois mal comment notre pauvre Jane dépourvue du moindre charme aurait pu satisfaire les appétits du seigneur. Je crois qu'il a fini par la laisser dans son lit, découragé de n'avoir su lui tirer que des larmes.

Mary saisit un revers de la robe de chambre de velours et la souleva.

— C'est la sienne ? fit-elle en caressant la riche étoffe avec envie.

Quand Kate prit l'autre pan, la robe s'écarta en révélant la chemise de soie tachée de sang.

— Tiens, tiens, il semblerait qu'il l'ait prise en bonne et due forme, dit sèchement Mary, laissant percer la jalousie qui la dévorait.

— Maintenant qu'un comte l'a honorée, elle ne nous regardera même plus.

— Ce n'est pas vrai ! protesta Jane.

— Dans ce cas, nous prenons notre petit déjeuner avec toi, décida Mary en se dirigeant vers le plateau que Taffy venait de préparer.

Kate la rejoignit en continuant d'énumérer les inconvénients d'appartenir aux Warenne.

— Tu te rends compte que ta vie sera complètement différente, à partir de maintenant ? Finie la liberté d'aller et venir à ta guise dans la forêt pour jouer avec les animaux. Et puis, un Normand ne te laissera jamais t'adonner aux croyances celtes. Terminés les rites et la magie !

— Eh oui, tu devras renoncer à tout ce que tu aimes si tu lui donnes un héritier et qu'il t'épouse. Ta vie deviendra un fardeau rempli d'obligations. Être la femme d'un comte ne va pas sans contreparties. J'ai pitié de toi, ma pauvre fille !

Jane allait prendre quelque chose à manger quand elle s'aperçut que ses deux sœurs avaient dévoré tout ce qui se trouvait sur le plateau.

— Vous voulez peut-être aussi mon bain ? ironisa-t-elle.

— Non, merci, il est froid maintenant ! lança Kate.

Se rendant compte qu'elles s'étaient suffisamment attardées là où elles n'avaient pas le droit de se trouver, les deux chipies s'éclipsèrent aussi vite qu'elles étaient venues.

Jane se glissa dans l'eau tiède en se remémorant les paroles de ses sœurs. Elle espéra qu'Alan de Warenne quitterait Dumfries pour ne jamais revenir. N'était-il pas en ce moment même avec un messager du roi ? Son départ était peut-être imminent. Elle saisit son talisman entre ses doigts et répéta son vœu avec la certitude qu'il se réaliserait. Mais Alan reviendrait-il ?...

Ce dernier ne cessait de lire et relire le message écrit de la main de son oncle, John de Warenne. Il n'en croyait pas ses yeux. Il avait suffi qu'il s'absente à peine deux semaines pour que ses archers gallois refusent d'obéir à Fitz-Waren, tant ils avaient essuyé de grosses pertes. Ils menaçaient même de se rallier à l'Écosse. Le roi Édouard, furieux, lui ordonnait de rentrer sur-le-champ afin de reprendre ses hommes en main.

Alan jura copieusement en se maudissant d'avoir accordé sa confiance à son cousin. Jamais il n'aurait dû lui donner le commandement des Gallois.

Il informa Jock qu'il devait rejoindre le front sans délai et qu'il ignorait combien de temps il resterait parti.

— Je laisserai des troupes pour vous défendre ici,

mais vous êtes près de Lochmaben et vous pourrez toujours faire appel à Bruce si le moindre danger menaçait.

— Reviendrez-vous, seigneur de Warenne ?

— Je vous en donne ma parole, sauf si j'étais tué au combat. Toutefois, nous devons d'abord capturer Baliol et amener les Écossais à reconnaître Édouard comme leur souverain.

— Espérons que vous en aurez fini avant l'hiver, répondit Jock avec optimisme. Cette saison est très dure et la guerre en hiver est presque impossible.

— Je vous laisserai de quoi agrandir vos troupeaux. Vous avez ma confiance totale, en ce qui concerne la direction de Dumfries en mon absence.

Pendant le déjeuner, Alan informa ses hommes qu'ils rejoignaient l'armée à Jedburgh, à une cinquantaine de miles.

— Quatre chevaliers demeureront ici, ainsi qu'une douzaine d'archers gallois.

Il chercha Sir Giles des yeux. Ses brûlures n'étaient toujours pas guéries.

— Bernard et Eltham, vous restez avec Royce et Caverley. Tous les autres, vous vous préparez. Nous partons à la tombée de la nuit.

Peu après le déjeuner, l'arrivée de Robert Bruce à la tête d'un immense convoi surprit Alan.

— Je teste une nouvelle route menant aux frontières de l'ouest. C'est la manière la plus sûre de localiser les noyaux des troubles, expliqua Robert.

— Moi je rejoins le front, dit Alan.

— Des problèmes ?

— Rien d'insurmontable. Tu veux bien garder un œil sur Dumfries en mon absence ? J'aimerais retrouver le château debout à mon retour.

— Je t'avais bien dit que l'Annandale te séduirait !

Alan plongea son regard dans celui de son ami de toujours.

— J'ai épousé la fille de mon régisseur, pour un an et un jour.

Le sourire de Bruce s'élargit.

— Un *handfasting* ? Espèce de voyou ! Tu n'as pas perdu de temps ! Que s'est-il passé ? Elle t'est tombée dans les bras ?

— Non, elle appartient simplement à une famille très féconde et je veux un enfant depuis trop longtemps. J'ai pensé qu'avec elle, j'aurais une chance. Je n'ai plus qu'à attendre.

— Il te reste cette nuit, vieux frère, glissa Robert en clignant de l'œil.

Alan se mit à rire. L'arrivée inattendue de Bruce différait son départ. Ils prendraient la route à l'aube.

Robert était très impatient de voir la femme qui avait séduit Alan de Warenne. Sachant qu'elle n'était pas noble, il en déduisit qu'elle était irrésistible.

En la voyant enfin, au dîner, la stupeur le figea sur place quand il reconnut la superbe rousse qui avait délibérément renversé la soupe sur son ami. Une façon audacieuse d'attirer l'attention d'Alan que ses manières provocantes n'avaient pas dû laisser indifférent.

Avec ses yeux en amande, ses pommettes hautes, elle ne pouvait nier ses origines celtes. Mais Robert Bruce lui trouva un point commun avec Jory, sa bien-aimée. Elle possédait cette qualité indéfinissable et très rare qui la rendait différente des autres femmes.

Les observant, Alan et elle, une image lui vint : le lynx et la brebis qui attendait d'être dévorée. À première vue, tout au moins, car personne à part lui ne se doutait de ce courant très particulier qui passait entre eux et les soudait l'un à l'autre.

Il remarqua le pendentif de Jane :

— Vous portez une amulette celte ? lui demanda-t-il en lui montrant le sien, un cheval celte.

— L'emblème du pouvoir et de la souveraineté, dit-elle doucement.

— Pourrais-je voir le vôtre de plus près ?

La beauté du félin gravé dans la pierre avec ses yeux d'un vert perçant lui coupa le souffle.

— Qui l'a peint ?

— Moi, mon seigneur.

— Vous êtes très douée, ma chère.

Il surprit alors Alan qui les regardait attentivement et un sourire s'épanouit sur le visage de Robert.

Voyant combien Jane semblait plaire à Robert, Alan se surprit à se sentir possessif. Tous deux partageaient des racines celtes qui lui étaient étrangères et la façon dont ils parlaient, tout naturellement, lui donnait l'impression d'être mis à l'écart.

— Je me suis laissé dire que vous aviez beaucoup de frères et sœurs ? s'enquit Robert.

— Oui, nous formons une grande famille, mon seigneur. Venez, je vais vous présenter aux miens, proposa Jane, sachant combien ses frères et sœurs aimaient Robert Bruce. Ils seront très honorés.

Jane amena Robert à la table des Leslie et fit les présentations.

— Est-ce que vous transmettez notre culture à vos enfants ? s'enquit-il.

— Nous les initions à la musique et aux danses, répondit la toute jeune femme de Sim Leslie.

— Accepteriez-vous de danser pour nous, mesdames ? suggéra Robert.

Les femmes Leslie se regardèrent et se tournèrent vers Jock afin de quêter son approbation.

— En l'honneur de la visite du comte de Carrick, je pense qu'une danse s'impose.

Ravie que son père, d'habitude si réticent dès qu'il s'agissait de rites celtes, donne son accord aussi facilement, Jane courut chercher son voile sacré, brodé de dessins mythiques, et le fixa sur ses cheveux avec un serre-tête en forme de serpent symbolisant Sironi, divinité de la guérison par les plantes.

Quand elle regagna la grande salle, ses sœurs s'étaient parées de leurs amulettes de cuivre représentant la croix celtique, l'arbre de vie et autres symboles ancestraux.

La danse prit corps et, durant tout le temps où Jane ondula au rythme de la musique, Alan ne la quitta pas des yeux.

— Ces figures qu'elles accomplissent célèbrent chacune une force de la nature, expliqua Robert à son ami.

Les spirales représentent le vent, les cours d'eau. Comme sur les coquillages ou sur certaines fougères, elles évoquent la continuité de la vie, le chemin vers la source divine.

Dès la fin de la danse, Alan s'approcha de Jane.

— Ma chère... commença-t-il.

Se trouvant soudain bien formel, il changea de ton.

— Jane, le roi m'a envoyé l'ordre de rejoindre le front. Je pars à l'aube.

Une vague de soulagement la submergea. Ne sachant comment retarder le moment d'aller au lit, elle avait sciemment prolongé la danse, mais si Alan se levait aux aurores, il voudrait sans nul doute se coucher de bonne heure. Secrètement ravie, elle lui fit une courte révérence.

— Je vous souhaite une bonne nuit, mon seigneur.

Alan la considéra avec stupeur. Il n'en croyait pas ses oreilles !

— Mais nous dormons ensemble ! Il se peut que je reste absent pendant des mois. C'est peut-être notre dernière chance de concevoir un enfant.

Tous les espoirs de Jane s'évanouirent en fumée. Alan lui prit fermement la main et la ramena sous le dais.

— Vous dansez d'une façon exquise, la félicita aussitôt Robert. Merci de tout mon cœur pour ce charmant spectacle.

— Jane voulait te souhaiter une bonne nuit, mon ami.

— Bonsoir, Jane. Alan est le plus heureux des hommes. Je crois que je vais proposer une partie de lutte aux hommes, histoire de les entraîner un peu, ajouta-t-il en adressant un clin d'œil discret à Alan.

Bruce était un champion invaincu en la matière. Lorsqu'il s'affrontait à Alan, la partie se terminait invariablement en match nul. Robert était plus large mais Alan était avantagé par ses membres plus longs.

— J'aurais été le premier à te défier, vieux frère, mais ce soir, je compte m'adonner à un tout autre sport.

12

La main posée sur le bras d'Alan, Jane le suivit dans la chambre, gênée de sentir les écuyers derrière eux. Une fois sur le seuil, Alan la fit entrer et se tourna vers les deux hommes.

— Taffy, j'ai décidé que tu resterais à Dumfries pour prendre soin de Jane. Un soin tout particulier. Tu es le seul en qui j'ai réellement confiance. Toi, Thomas, sois prêt à l'aube.

Sur ce, il referma la porte sur un Taffy légèrement perplexe. D'un côté, il se sentait frustré de rester là et, de l'autre, honoré d'avoir pour tâche de protéger la dame de son maître.

— J'espère que tu as bien compris ce que veut dire le comte par « soin tout particulier ».

— Je veillerai sur elle comme sur ma propre femme.

— Tu ferais mieux de te méfier, sale hypocrite. Je sais que tu en pinces pour elle. Faudrait tout de même pas que tu prennes la place du seigneur à tout point de vue.

— Jamais je n'ai eu une idée pareille !

— Tu es un homme, Taffy, et la chair est faible, méfie-toi.

Jane s'approcha lentement de l'âtre. L'une des flammes était bleue. D'après les superstitions, c'était le diable qui dansait. Un grand tumulte régnait dans son esprit. Elle ne voulait pas répondre aux étreintes d'Alan comme la veille. Mais elle était consciente du pouvoir irrésistible qu'il exerçait sur elle. Elle lissa d'une main nerveuse le velours vert de la robe que les couturières avaient réalisée pour elle, en un temps record. Jamais elle n'avait rien porté d'aussi coûteux. Quand il referma la porte et qu'elle se tourna vers lui, il ne sembla même pas remarquer ce qu'elle portait et elle sentit les larmes lui monter aux yeux.

Mais que lui importait? se reprit-elle. Elle redoutait qu'il ne s'assoie comme la fois précédente devant le feu, ne l'attire sur ses genoux et ne recommence les mêmes gestes. Si seulement il pouvait monter dans sa chambre et la laisser tranquille! Peut-être qu'en disparaissant de sa vue…

— Si vous voulez bien m'excuser, mon seigneur, dit-elle en s'inclinant brièvement avant de disparaître dans la pièce contiguë.

Elle ôta le voile celte et suspendit la somptueuse robe dans la penderie. Comment avait-il pu ignorer une parure aussi belle? Elle enfila ensuite la chemise de nuit que les couturières avaient également réalisée pour elle. Au moins, elle n'était pas aussi transparente et suggestive que le bliaud de la veille.

Alan apparut sur le seuil, une coupe de vin dans chaque main. Il ne parvint pas à cacher sa déception devant la tenue de Jane. La chemise la couvrait de la tête aux pieds, sans rien révéler de son corps.

Comme il se dirigeait vers elle, elle lui tendit sa robe de chambre de velours noir et il la prit, bien qu'il n'eût aucune intention de s'en vêtir. Il la regarda ensuite se glisser sous les draps, les remonter jusqu'au cou et rester là, figée. Comme si partager son lit avec lui était un devoir qu'elle redoutait.

— Ton vin, dit-il avec humeur.

Elle s'assit et avala une gorgée en la goûtant comme il le lui avait appris la veille. Se rappellerait-elle aussi précisément les autres leçons qu'il lui avait enseignées? Au souvenir de leurs ébats de la veille, il sentit son sexe durcir. Jamais il n'aurait cru éprouver autant de plaisir à faire l'amour à cette toute jeune fille. Il se débarrassa aussitôt de ses vêtements et se glissa à ses côtés avant de finir son vin, appréciant la douce chaleur qui se répandait dans son corps. Jane l'imita et il s'en réjouit.

Elle s'étendit de nouveau et il déboutonna les minuscules boutons qui fermaient le col de la chemise. Quand il découvrit le talisman, il l'observa de plus près.

— C'est toi qui l'as peint?

— Oui, mon seigneur.

— Ces détails sont superbes. Où as-tu trouvé le modèle ?

— Au bord de l'étang, dans la forêt, en chair et en os.

— Te rends-tu compte qu'un lynx peut être très dangereux ?

Jane surprit une lueur rieuse dans les yeux verts. Elle sourit.

— Vous voulez dire qu'il pourrait me dévorer… quand il le déciderait ?

Une onde de désir aigu le parcourut quand il saisit le double sens de ces paroles.

— C'est le plus bel animal que j'aie jamais vu, ajouta-t-elle.

Elle lui semblait timide, mais peut-être le danger l'excitait-elle ? Il avait déjà expérimenté lui-même des sensations de cet ordre, des sensations étranges et infiniment agréables… Il glissa une main sous l'épaisse chemise de nuit et sentit Jane frémir quand sa main remonta entre ses cuisses. Elle était déjà toute moite… Encouragé, il se mit à la caresser avec une extrême douceur.

Jane oublia vite ses résolutions quand des ondes voluptueuses la parcoururent, de plus en plus ardentes. Haletante, elle faillit bientôt crier de plaisir et brûlait de le toucher elle aussi, mais elle n'osa en prendre l'initiative.

Un petit cri lui échappa quand il insinua un doigt en elle et elle se mit à onduler à son rythme, guidant sa main dans son ventre enflammé. Alan tremblait de la prendre violemment, tout de suite, mais il se refréna. Il ne devait pas lui apprendre l'amour en la brusquant. Retenant son souffle, il s'allongea sur elle et lui demanda de nouer ses jambes autour de ses hanches. Elle lui obéit docilement et il la pénétra doucement. Elle se cambra à sa rencontre, se grisant de son odeur, découvrant qu'elle adorait sentir le poids de son corps sur le sien.

Il entama un lent mouvement de va-et-vient et Jane fut prise de vertige sous les sensations inconnues qu'il faisait naître en elle. Elle eut l'impression qu'il la conduisait au bord d'un précipice où il allait la lâcher, mais non. Il la retint et poussa un cri rauque en laissant jaillir son plaisir en elle. Peu à peu, il s'apaisa et Jane se réjouit que ce fût terminé. Les sensations qu'elle éprouvait dans ses bras l'effrayaient.

L'esprit en déroute, elle songea que son départ tombait à point nommé et qu'il ferait mieux de ne jamais revenir. Pourtant... pourtant elle ne voulait pas qu'il lui arrive malheur. Elle aurait dû lui préparer une amulette protectrice pour son départ à la guerre mais elle n'en avait plus le temps maintenant. Cette idée éveilla un effroi qu'il dut lire dans son regard car il lui demanda :

— Je t'ai fait mal ?

— Non, mon seigneur, je n'ai pas eu mal.

Mais tu n'as pas non plus éprouvé de plaisir, se reprocha-t-il en songeant qu'il était bien égoïste. Il n'avait même pas pris la peine de lui dire qu'il reviendrait. Comment pouvait-il se comporter ainsi avec une jeune fille aussi candide ? Il s'appuya sur un coude :

— Jane, je suis désolé que nous ayons eu aussi peu de temps... Je resterai peut-être absent pendant des mois mais je rentrerai à Dumfries dès que les combats seront terminés.

Si vous ne mourez pas sur le champ de bataille, pensa-t-elle, affolée. Elle baissa les yeux pour qu'il n'y lise pas les sentiments inattendus qui l'agitaient. Il risquait de croire qu'elle ne faisait pas confiance à son habileté de guerrier. Le lynx auquel elle l'associait triomphait de tous les combats.

Quand Alan s'endormit, Jane ôta doucement le lien de cuir qu'elle portait autour du cou et l'accrocha autour de celui de son compagnon. L'esprit du lynx le protégerait.

Dès son arrivée, avant d'écouter les doléances de ses chevaliers, Alan de Warenne se rendit chez le roi pendant que Thomas dressait sa tente.

— J'aurais préféré que vous restiez en Annandale pour surveiller le Bruce mais l'indiscipline qui règne dans vos rangs menace notre campagne. Reprenez le contrôle, de Warenne, sinon des têtes tomberont! cria le roi.

— Oui, Majesté.

Quand Alan rejoignit le campement et vit la mine fermée des Gallois, il comprit qu'il n'aurait jamais dû partir. Il convoqua aussitôt ses lieutenants.

— Vous avez subi de lourdes pertes mais j'en porte toute la responsabilité. J'ai eu tort de vous laisser sous le commandement d'un autre. À présent je suis là et je compte bien reprendre les choses en main.

Il apprit alors que Fitz-Waren s'était comporté comme une brute sanguinaire, pillant et incendiant les villages écossais qu'ils traversaient, massacrant hommes et enfants, violant les femmes. Les Écossais avaient répliqué par des offensives nocturnes, mettant le feu aux tentes des archers.

Alan écouta ces récits d'horreurs avec une rage froide. Quand Fitz-Waren regagna le camp avec ses cavaliers, il interpella aussitôt Alan avec insolence.

— Alors, cousin, déjà de retour? La gloire de jouer les vainqueurs vous manquait, peut-être?

Alan ôta lentement son pourpoint, tendit son épée à Thomas et attendit que Fitz-Waren fût descendu de cheval pour lui envoyer un formidable coup de poing qui le propulsa par terre. D'abord étourdi puis furieux, Fitz-Waren se releva d'un bond. Un second coup le projeta dans la poussière. Ivre de rage, Fitz sortit un poignard et fondit sur Alan qui, lestement, lui bloqua le poignet et cassa net le bras qui tenait le couteau.

La douleur foudroya Fitz-Waren mais fouetta en même temps sa fureur. Il appela ses officiers à l'aide mais les visages plus qu'intimidants des archers gallois dissuadèrent quiconque d'intervenir. Fitz fonça alors sur Alan et un bref corps à corps s'engagea à l'issue duquel Fitz-Waren se retrouva cloué au sol, incapable de se relever.

Alan le planta là. Thomas toisa l'homme ensanglanté, fouilla entre ses chausses puis urina tranquillement sur lui afin d'achever de l'humilier publiquement.

Au début du mois de mai, les châteaux de Jedburgh et de Roxburgh passèrent aux Anglais. À l'autre bout du pays, John de Warenne et ses hommes s'emparèrent de Dumbarton, à quelques miles de Glasgow. Peu après, Édimbourg succombait et le roi Édouard s'emparait de la ville.

Alan évita de croiser son cousin Fitz-Waren et ne parla pas de leur bagarre à son oncle John, qui avait assez à faire de son côté.

Depuis Édimbourg, l'armée remonta jusqu'à Stirling, au nord du pays. Mais le château avait été déserté. Maintenant que tout espoir de garder Baliol sur le trône était perdu, ses alliés l'abandonnaient. Ce dernier abdiqua définitivement en juillet au profit du représentant d'Édouard, Anthony Bek, évêque de Durham.

Satisfait, Édouard mit Baliol hors d'état de nuire en le plaçant sous surveillance dans l'un de ses domaines, près de Londres. Plus rien n'empêchait le roi d'Angleterre de progresser avec ses troupes vers Aberdeen, Banff et Elgin. Les combats étaient terminés mais Édouard tenait à ce que les nobles écossais lui prêtent serment d'allégeance.

Quelques jours seulement après le départ d'Alan de Warenne, Jane Leslie devina qu'elle était enceinte. Dans un premier temps, elle décida d'en garder le secret.

Alan serait sûrement heureux de l'apprendre puisqu'il n'avait conclu cette union que dans ce seul but. Mais Jane était triste. Triste à l'idée de devenir la femme légitime d'un homme qui ne l'aimait pas. Triste, car la perspective d'être comtesse ne la consolait pas. Jamais plus elle ne vivrait librement. Pourtant, pas une seule fois elle n'envisagea de porter atteinte à la vie qu'elle portait en elle. Au contraire, elle se mit à aimer ce petit être qui serait son enfant et, peu à peu, la perspective d'être mère lui sourit.

Après le départ d'Alan, elle continua de soigner les animaux dont s'occupaient ses frères et d'endurer les manières cavalières de ses sœurs. Toutefois, elle n'hésitait plus à les remettre à leur place quand elles dépassaient les bornes, même si elle leur permettait toujours de lui rendre visite dans la tour de maître à leur gré et si elle leur prêtait ses robes.

Alan ayant chargé Taffy de lui donner des leçons d'équitation sur une monture digne d'une lady, elle se vit attribuer une ravissante jument qu'ils baptisèrent Blanchette, en raison de sa couleur. Jusque-là, Jane n'avait monté que des poneys et elle adora ce nouveau luxe.

Keith l'accompagnait souvent pour de longues randonnées mais il fut le premier à deviner que sa sœur portait l'enfant d'Alan et lui conseilla de modérer ses activités équestres.

— Le seigneur serait furieux si tu perdais son enfant à cause d'une négligence.

— Tu as raison, mais ne dis rien à personne, s'il te plaît. Tout le monde serait derrière moi du matin au soir à m'assommer de conseils inutiles.

— D'accord, sœurette, je me tairai mais quand ton ventre commencera à s'arrondir, il ne sera plus question de secret. Peut-être que le seigneur de Warenne rentrera bientôt. Baliol a abdiqué et les nobles d'Écosse prêtent serment d'allégeance à Édouard les uns après les autres.

— Quel soulagement de savoir que les combats sont terminés. J'ai prié chaque jour pour qu'Alan soit sain et sauf.

— Jane, la guerre n'est pas finie. Ce n'est qu'une trêve, le temps que les Écossais se regroupent. Il y a un jeune chef qui refuse de se soumettre et recrée des foyers de résistance un peu partout.

— Non ! Je ne veux pas que notre peuple devienne l'ennemi.

Keith lui tapota l'épaule en guise de réconfort. Mieux valait la ménager, étant donné sa condition.

— Ne t'inquiète pas, Jane. Alan reviendra d'ici peu et tout ira bien.

Afin de consolider la reddition de l'Écosse dans l'opinion de son peuple, le roi Édouard convoqua le parlement à Berwick le 28 août 1296 et ordonna que tous les nobles propriétaires terriens d'Écosse viennent réaffirmer leur allégeance à l'Angleterre.

Robert Bruce choisit d'attendre. Il ne signerait rien tant que des documents officiels ne stipuleraient pas que les terres d'Annandale seraient reprises à Comyn et rendues aux Bruce.

À Carlisle, la mère de Robert Bruce décida elle aussi de ne pas aller à Berwick. Son mari bien-aimé, Robert Bruce senior, était souffrant et elle décida de le ramener dans leur propriété de l'Essex, en Angleterre, avant que l'hiver ne s'installe.

Elle réunit les dames de son entourage et leur expliqua la situation.

— Que faites-vous, Jory et Alicia ? Vous rentrez en Angleterre avec nous ?

— Oh, non ! répliqua Jory sans hésiter. Tous les grands d'Écosse et d'Angleterre seront à Berwick à la fin du mois. Je ne manquerais cela pour rien au monde.

— Lady Bruce, pourrais-je aller avec Lady Marjory à Berwick ? demanda Elizabeth.

— Mais, très chère, votre père m'a chargée de veiller sur vous. Je ne puis me permettre de contrarier le comte d'Ulster.

— Oh, Lady Bruce, je vous en prie ! Les combats sont terminés et j'ai hâte de revoir mon père !

Elle n'osa ajouter que c'était surtout pour voir Robert Bruce qu'elle voulait aller à Berwick.

— Je prendrai Elizabeth sous mon aile et je défendrai sa cause auprès d'Édouard de Burgh au besoin.

— Et Alan de Warenne ? demanda Lady Bruce en levant un sourcil. N'est-il pour rien dans votre décision ?

— Dans celle d'Alicia, certainement ! répliqua Jory en se gardant de laisser percer le sarcasme dans sa voix. Comment Alan pourrait-il lui résister ?

Alice adorait être flattée mais, pour une fois, son

humeur n'en fut pas adoucie. Alan lui avait joué un vilain tour en l'abandonnant de la sorte à Carlisle pendant qu'il continuait de vivre sa vie ailleurs. Pour se venger, elle se serait volontiers montrée infidèle mais, sans doute par souci de ne pas chasser dans la propriété d'Alan, les frères Bruce l'avaient ignorée. Et maintenant ils étaient repartis dans leurs châteaux au nord de l'Écosse. Cette Écosse qu'elle haïssait autant que ses habitants !

Cela faisait des mois qu'ils étaient séparés. Elle ne se faisait aucune illusion sur sa fidélité. Alan avait un succès fou auprès des femmes. Qu'il aille voir une prostituée de temps en temps ne la dérangeait pas, mais si jamais une autre avait des vues sur lui, sa vengeance serait terrible !

Et mieux valait être morte que d'endurer la vengeance d'Alicia.

13

Au fur et à mesure que les nobles arrivaient à Berwick, la ville comme le château s'emplissaient d'une foule où les mendiants, les voleurs et les filles de joie côtoyaient les personnages les plus importants de l'Angleterre et de l'Écosse.

Édouard Plantagenêt arriva en compagnie de John de Warenne qui avait laissé ses troupes sous la responsabilité de Percy et Clifford Ulster.

Alan n'était pas encore arrivé. Il progressait lentement, car ses archers à pied devaient parcourir près de deux cents miles. En revanche, Fitz-Waren se joignit à sa cavalerie légère et arriva parmi les premiers afin de s'assurer une place dans le château de Berwick. Il espérait vivement que Jory de Warenne ne tarderait pas. Elle adorait être en première ligne dès qu'il se passait quelque chose d'important. Aussi lui avait-il gardé une chambre près de la sienne, au cas où...

Son besoin de la posséder s'était intensifié depuis

qu'il s'était battu avec son frère. Cette fois, il s'était juré de la faire sienne, qu'elle le veuille ou non. De toute façon, cette petite garce n'attendait que ça. Eh bien, elle serait servie !

Quand Jory arriva au château de Berwick, elle s'occupa en premier lieu de trouver Édouard de Burgh, comte d'Ulster. Elizabeth tremblait à l'idée d'avoir contrarié son père et Jory s'efforçait de la rassurer tant bien que mal.

Alice Bolton les suivit dans le dédale des couloirs, pressée de se débarrasser de cette gamine de quatorze ans qu'elle ne supportait pas.

— Que diable fais-tu ici ? tonna Édouard de Burgh quand Jory parut chez lui en compagnie de sa fille.

— Je l'ai amenée avec moi, mon seigneur, s'empressa de répondre Jory en s'inclinant dans une profonde révérence devant celui qui dirigeait la moitié de l'Irlande, lui offrant ainsi une vue plongeante sur son opulent décolleté.

De Burgh l'aida galamment à se relever et lui baisa la main.

— Lady Marjory, Lady Bruce est-elle là ?

— Hélas, mon seigneur, la santé de son mari décline et elle a préféré regagner l'Angleterre et son climat plus doux. Elle a insisté pour qu'Elizabeth l'accompagne mais j'ai cru préférable de la libérer de cette responsabilité. Elle a suffisamment de soucis. Je lui ai promis de prendre votre adorable fille sous mon aile.

De Burgh se souvint que Jory était veuve.

— C'est très aimable à vous, madame.

— Oh, ce fut un plaisir, mon seigneur. Elizabeth est d'une compagnie délicieuse. Si vous voulez, je la chaperonnerai durant notre séjour à Berwick. Par ailleurs, ses femmes de chambre ne la lâcheront pas d'une semelle.

— Eh bien, soit, madame. Heureusement, j'ai encore deux chambres libres.

Jory jeta un regard interrogatif à Alicia.

— Ne vous inquiétez pas pour moi, je partagerai celle d'Alan.

— Très bien, allons chercher mon heureux frère.

Au bout d'un moment, Alice Bolton dut se rendre à l'évidence : Alan de Warenne n'était pas à Berwick. Furieuse, elle avait envie de gifler Jory pour l'avoir traînée jusque-là ! Elle regretta de n'être pas rentrée à Londres avec Lady Bruce. Au moins, elle n'aurait pas eu à endurer la grossièreté de ces Écossais de malheur ! En ce moment même, l'un de ces rustres affublé d'une peau d'ours à l'odeur nauséabonde osait la regarder, mais, le pire de tout, c'était le regard sarcastique de Jory.

— Il me le paiera, murmura-t-elle entre ses dents.

— Bonjour, cousine ! lança soudain Fitz-Waren qui émergea de la foule. Je ne pensais pas vous voir ici ! ajouta-t-il, les yeux rivés au décolleté de la jeune femme.

— En ce qui me concerne, ta présence ici ne m'étonne pas, hélas ! répliqua froidement Jory.

— Bonjour, Roger ! lança Alicia avec espoir. Sauriez-vous par hasard où se cache Alan ?

— Je ne suis pas son ange gardien. Vous comptiez sur lui pour vous retenir une chambre ? Dommage... Ses hommes l'ont précédé, c'est tout ce que je sais.

Reportant son attention sur Jory, il ajouta :

— Il reste une chambre près de la mienne. Un sourire et elle est à vous. Ce n'est pas cher payé...

— Le prix est trop élevé pour moi, plaisanta Jory. Le comte d'Ulster m'a offert l'hospitalité, mais mon amie ici présente ne sait toujours pas où elle passera la nuit. Souriez à cet homme, Alicia.

Sur ce, elle les planta là.

— On ne sait jamais sur quel pied danser avec elle. Elle est charmante et, l'instant d'après, elle vous lance des réflexions cinglantes.

— Moi je sais ce qu'il lui faut : une bonne partie de jambes en l'air !

Fitz-Waren regarda Jory s'éloigner en se maudissant de désirer une femme qui le méprisait autant. Comment osait-elle le vexer de la sorte ?

Alicia éclata de rire.

— Je n'y avais pas pensé. Le veuvage doit être une épreuve assommante.

Une idée se dessina soudain dans l'esprit pervers de Fitz-Waren. La maîtresse d'Alan devait aussi être en manque... Profiter des faveurs de la maîtresse de son cousin lui offrirait un avant-goût de vengeance tout à fait plaisant.

Alicia ne se méprit guère sur le regard qu'il lui lança et les mêmes pensées lui vinrent. Le fait qu'il soit le cousin d'Alan mettrait encore plus de sel à sa revanche !

Quand Jory retourna dans les appartements du comte d'Ulster, elle le trouva en grande conversation avec Robert Bruce. La jeune Elizabeth les écoutait avec un air béat.

— Lady Marjory, connaissez-vous le Bruce ? demanda Ulster.

Si je le connais ? songea Jory, l'esprit coquin.

— Oui, mon seigneur, répondit-elle avec un sourire détaché. Robert est un ami de mon frère, un ami de longue date.

— Alan est ici ? s'enquit Bruce.

— Il n'est pas encore arrivé.

— Quand il sera là, dis-lui que je suis dans la tour est, glissa Bruce tout doucement.

— Je m'en souviendrai, répondit Jory. Si vous voulez bien nous excuser, nous devons récupérer nos bagages.

Elizabeth suivit Jory à regret.

— J'espérais que vous demanderiez à Robert Bruce de dîner avec nous, soupira la jeune fille, l'air rêveur. Les hommes sont tous à vos pieds, même mon père.

— Eh bien, j'espère que vous prenez des notes !

— Je ne fais que ça ! répliqua la jeune Elizabeth.

Il était plus de minuit lorsque Jory se glissa subrepticement dans la tour est, déguisée en page. Robert l'accueillit avec un vif amusement.

— Tu fais un charmant page ! Même un aveugle ne serait pas déçu !

— Ah ? plaisanta-t-elle. Et pourquoi ?

Il l'attira contre lui et lui caressa les seins.

— Parce qu'un homme n'a pas de formes aussi arrondies, murmura-t-il en laissant glisser sa main le long de son ventre.

Jory lui offrit ses lèvres.

— Tu m'as terriblement manqué…

— Toi aussi, mon amour, dit-il en lui ôtant sa capuche avant de plonger une main dans sa longue chevelure.

— Robert, j'ai pensé à un moyen, pour nous, de passer quelque temps ensemble. Si tu invitais Alan à visiter ton château de Lochmaben ? Je l'accompagnerais.

— Tu sous-estimes la perspicacité de ton frère.

— Non, hélas… soupira Jory.

Robert sourit.

— Tu n'auras pas à te donner tant de peine. Alan va être nommé officiellement seigneur du château de Dumfries, à seulement huit miles de Lochmaben.

Jory ouvrit de grands yeux étonnés.

— J'imagine que tu n'es pas étranger à cette décision ?

Au lieu de répondre, Robert l'attira contre lui.

— Je n'ai jamais encore déshabillé un page de ma vie, mais tout à coup, l'attrait de l'interdit me semble… plein de sel, dit-il en détachant le cordon de la cape.

— C'est toi qui m'as appris la saveur des choses interdites, le taquina-t-elle. Robert… cesse de me faire languir !

— Mon cœur, tes désirs sont des ordres.

Il la souleva dans ses bras, l'emmena sur le lit et s'allongea sur elle.

— Ce soir, c'est moi qui te ferai l'amour… tout au moins, pour commencer.

Jory prit un plaisir intense à le déshabiller avant de laisser ses lèvres descendre lentement le long de son torse, jusqu'à son ventre…

Dans la chambre de Fitz-Waren, Alice Bolton buvait sa troisième coupe de vin. Un vin rouge un peu madérisé qui lui rappelait le goût du vinaigre. Sous l'effet de l'alcool, elle oubliait toute inhibition et le cousin d'Alan en avait bien sûr profité pour prendre possession de son corps. Un sentiment de pouvoir l'avait aussitôt enivrée. Alan n'était pas le seul de Warenne qu'elle détenait sous le pouvoir sans bornes de sa séduction.

Elle découvrit très vite que Roger était loin d'être un amant aussi doué qu'Alan. Il lui demanda même des choses qu'elle trouva avilissantes. Mais ce ne fut pas dans l'acte sexuel lui-même qu'elle tira du plaisir. La satisfaction d'avoir trompé Alan avec son cousin était la source d'une jouissance extrême.

Quand Alan arriva, Alicia comprit tout de suite qu'elle était prête à lui pardonner de l'avoir délaissée mais, en revanche, jamais elle n'excuserait l'indifférence terrible qu'il lui manifesta.

Le lendemain matin, dans la grande salle de Berwick, le roi Édouard reçut tous les plus grands nobles d'Écosse et les écouta lui prêter de nouveau serment d'allégeance avant de signer les documents officiels sous l'œil vigilant de William Ormsby, un représentant de la Haute Cour de justice anglaise. Durant le mois à venir, pas moins de deux mille hommes se soumettraient ainsi, car même le clergé écossais s'était déplacé. La liste des noms était tellement importante qu'elle occupait trente-cinq rouleaux de parchemin.

Berwick était tellement empli de monde qu'Alan de Warenne dut demander à ses hommes de monter leurs tentes dans la campagne environnante.

Quand il apparut dans le grand salon, son oncle John aperçut aussitôt sa blonde chevelure, et les deux hommes échangèrent une chaude étreinte, soulagés de constater qu'ils étaient sortis sains et saufs de la guerre. Sans perdre une minute, John apprit à son neveu les dernières nouvelles.

— Alan, je crois qu'Édouard s'apprête à me nommer gouverneur de l'Écosse !

— Toutes mes félicitations. S'il y a quelqu'un qui le mérite, c'est bien toi, après toutes les victoires que tu as remportées ! Si tu pouvais me nommer comte de Dumfries, je serais comblé.

— Tu ne préfères pas suivre Édouard en France ?

— Non. J'ai signé un *handfasting* avec la fille du régisseur de Dumfries. Si, durant cette année, elle tombe enceinte de moi, je l'épouse.

— Eh bien, à mon tour de te féliciter ! Mais, dis-moi, tu n'aurais pas pu choisir une fille d'une condition plus élevée ?

— C'est l'enfant qui m'importe, John, pas la femme. Or, Jane Leslie est issue d'une famille très prolifique en la matière !

— Ah, c'est donc cela que tu voulais, un enfant...

— Il y a un monde fou ! Nous sommes cloués ici pour au moins un mois. D'ici à ce que je rentre à Dumfries, six mois se seront écoulés depuis mon départ.

John tapota le dos de son neveu en riant.

— Eh bien, tu n'auras plus qu'à redoubler d'efforts pour rattraper le temps perdu !

Sur ces entrefaites, Thomas s'approcha de son maître d'un air préoccupé.

— Il ne reste plus un seul lit de libre au château, mon seigneur.

— Tu n'as qu'à monter ma tente avec mes hommes.

— Oh, je n'ai pas encore abandonné tout espoir.

— Si nous ne voulons pas nous coucher le ventre vide, nous ferions mieux de nous dépêcher de trouver une place à table.

À peine Alan entrait-il dans la grande salle du château qu'il tomba sur Alice Bolton. Il la considéra d'abord avec une stupeur muette puis demanda :

— Qui t'a permis de venir à Berwick sans ma permission ?

— Alan, très cher... Lady Bruce est rentrée en Angleterre. Aurais-tu préféré que je la suive ?

Devant son visage défait, Alan se reprocha aussitôt sa brusquerie. Bien sûr, il s'était lassé d'elle mais elle lui avait donné deux ans de sa vie et il n'avait pas le droit de la traiter ainsi.

Fitz-Waren s'approcha de John de Warenne sans se presser.

— Tiens, tiens. Tout le monde est là, et certains ont même amené leur catin.

Alicia rougit violemment et Alan jeta sur Fitz-Waren un regard tellement furieux qu'il recula d'un pas, comme sous un choc.

Alan entraîna aussitôt Alicia à l'écart.

— Tu n'aurais jamais dû venir ici. Le parlement s'est réuni pour régler des affaires de la plus haute importance. Pourquoi n'es-tu pas restée à l'écart en attendant que je t'envoie chercher ?

— C'est Jory qui a eu cette idée ! Je n'ai pas eu le choix.

Jory fit son apparition à cet instant précis, Elizabeth de Burgh à ses côtés.

— Ne sois pas fâché, Alan. Un moment historique se déroule à Berwick. Je n'allais pas manquer ça !

Alan se mit à rire.

— Comme si tu te souciais de l'histoire ! C'est la fête qui t'a attirée ici. Nous allons célébrer nos victoires et tu pourras danser jusqu'à l'aube en te pavanant devant les plus grands nobles d'Écosse.

Alan prit soudain conscience que, lorsqu'on apprendrait que son oncle allait être nommé gouverneur de l'Écosse, sa sœur deviendrait la femme la plus convoitée de toutes.

— À propos de noblesse, Robert Bruce a demandé après toi. Il est logé dans la tour est.

Elizabeth de Burgh avait rougi à la simple mention du nom de Bruce et Alan le remarqua. Elle était à peine sortie de l'enfance que, déjà, les rêves les plus romantiques l'habitaient. Toutes les mêmes ! songea-t-il avec un certain cynisme.

Thomas s'était débrouillé pour trouver une chambre à son maître et Alan apprécia ce confort après avoir dormi tant de nuits sous la tente. Alicia semblait avoir compris qu'elle devait attendre son bon vouloir. Mais il n'était pas pressé de la voir.

Quand il vit enfin sa sœur seul à seule, il lui parla de son *handfasting*. Jory explosa de joie à cette nouvelle.

— Enfin, tu es amoureux !

— Seigneur Dieu, non ! Jane Leslie et moi nous connaissons à peine. J'ai dû rejoindre les troupes du roi deux jours après la cérémonie et six mois se seront écoulés avant que je retourne à Dumfries.

— Elle doit t'avoir attiré, en tout cas. Pourquoi aurais-tu choisi une fille de régisseur, sinon ?

— Pour qu'elle me fasse un enfant, bien sûr ! Si c'est le cas, je l'épouserai.

— Décidément, les Warenne se plaisent à bousculer les conventions.

— Que diable as-tu fait, Jory ?

— Moi ? Rien. C'est toi qui susciteras l'étonnement si tu te maries avec une femme de condition inférieure.

— J'en ai parlé à Robert Bruce et à John, ils n'ont pas eu l'air surpris. De toute façon, je me moque de l'opinion des autres. C'est ma vie.

— Et tu en as parlé à Alicia ?

— Cela n'a rien à voir avec elle. Elle est ma maîtresse, point.

Jory ferma brièvement les yeux en espérant être présente quand Alicia Bolton apprendrait la nouvelle.

À la mi-octobre, la réaffirmation de l'allégeance était enfin terminée. Édouard Plantagenêt allait enfin désigner ceux qui gouverneraient l'Écosse en son nom. Une rumeur s'éleva dans la foule quand il annonça que John de Warenne, comte de Surrey, était nommé gouverneur et William Ormsby chef de la justice.

Les murmures d'approbation s'atténuèrent lorsque le troisième nom fut prononcé. Hugh de Cressingham était nommé trésorier. On le disait corruptible et personne ne comprit ce choix. Le bruit courait qu'il s'était approprié une partie des fonds destinés à la reconstruction de Berwick.

Le soir, on se succéda dans les appartements de John de Warenne pour lui présenter les vœux. Fitz-Waren fut félicité et se réjouit à l'idée de toutes les richesses que lui rapporterait la nouvelle position de son père. Avec un peu de savoir-faire, il pourrait même amasser une énorme fortune. Devenir puissant. Il se gratta le front en réfléchissant au poste qu'il allait demander à son tout-puissant géniteur.

Pendant ce temps, Alan de Warenne levait son verre pour saluer la promotion de son oncle et le bonheur de Robert Bruce qui retrouvait l'Annandale.

— La nomination de Cressingham est une grave erreur, lui confia Bruce à mi-voix.

— Tout à fait d'accord, opina Alan. Il risque de s'en mordre les doigts. Édouard aurait au moins pu laisser un poste de vice-roi à un noble écossais.

— Oui. Cette façon d'étendre son pouvoir ne fera que générer des rébellions d'ici peu. Enfin, je dois reconnaître qu'en ce qui me concerne, je suis satisfait.

— Bon, ne soyons pas défaitistes. Nous passerons au moins l'hiver en paix, dans nos châteaux.

— Je te trouve bien optimiste !

— Mais non. Édouard a offert la liberté à de nombreux prisonniers capturés à Dunbar s'ils prenaient les armes avec lui pour aller envahir la France. Beaucoup de nobles quitteront donc l'Écosse.

— Tant qu'il gardera mon ennemi Comyn sous les verrous, je serai heureux.

Quand les deux amis se séparèrent pour regagner leur chambre, John de Warenne rejoignit son neveu pour lui signifier son plaisir de le savoir à Dumfries.

— Une dernière précision, Alan, ajouta-t-il. Je tiens à ce que tu gardes un œil sur les faits et gestes de ton ami Bruce.

14

Comme Alan approchait de Dumfries, il constata non sans plaisir que la région était encore plus belle en automne qu'au printemps. Il avait laissé à ses chevaliers et à ses archers irlandais le choix de le suivre. Certains avaient décidé de partir guerroyer en France aux côtés d'Édouard, d'autres étaient rentrés chez eux, en Irlande, mais l'immense majorité l'avait suivi à Dumfries.

Heureusement, le château de Dumfries était vaste et son régisseur efficace. Quand il pensa à la fille de ce dernier, il toucha machinalement le talisman qu'elle lui avait donné. En partant de Dumfries, il avait chevauché une heure entière avant de s'apercevoir qu'elle lui avait glissé le pendentif autour du cou, sans doute pendant qu'il dormait.

Son premier mouvement avait été de l'enlever. Il n'était pas superstitieux et attribuait ces croyances aux masses ignorantes. Finalement, il l'avait gardé. Non parce qu'il lui attribuait le moindre pouvoir protecteur mais parce que le lynx peint par la jeune fille avait fini par enflammer son imagination.

Il grimaça en songeant qu'il ferait bien de cesser de penser à elle comme à une *jeune fille*. Elle était Jane, la femme qui lui donnerait bientôt un enfant, qu'il épouserait et qui deviendrait par là même comtesse de Surrey. Certes, il ne la voyait pas comtesse. Elle avait toujours mené une vie libre et sauvage. Elle n'avait rien de commun avec les femmes de son rang.

De Warenne n'était pas homme à se remettre en question pour un oui pour un non. Il ne regrettait pas ce *handfasting*, pourtant… il se demandait parfois si c'était une décision bien raisonnable.

Le cri d'une femme l'arracha à sa rêverie. Il fit faire demi-tour à son destrier et longea au galop les rangs de chevaliers qui le suivaient. Robert Bruce en faisait autant de l'autre côté. Il avait lui aussi reconnu la voix de Jory.

— Ma jument s'est mise à boiter… elle a dû se blesser sur une pierre.

Alan sauta à terre et fit descendre sa sœur de son cheval en la soulevant dans ses bras. Il examina les sabots de l'animal sans remarquer la moindre trace de caillou.

— Je ne vois rien. Elle tiendra bien jusqu'à Dumfries, nous ne sommes plus qu'à deux miles.

— Oh, non ! Je ne prendrai pas le risque de blesser ma Sheba.

— Marjory, pour l'amour de Dieu, ne nous retardez

pas maintenant que nous touchons presque au but ! s'insurgea Alicia.

— Lady Marjory n'a qu'à partager ma monture pour finir le chemin, proposa poliment le Bruce.

Alan foudroya son ami du regard et jucha lui-même sa sœur sur son destrier pendant que Thomas prenait les rênes de Sheba.

— On est toujours retardé quand on est assez fou pour voyager avec des femmes, continua Robert Bruce, d'humeur espiègle.

— Avec certaines d'entre elles, il faut une patience d'ange, répliqua Alan.

— Et certains hommes sont tellement présomptueux qu'ils mériteraient une bonne leçon ! murmura Jory.

— Elle doit faire allusion à toi, dit Robert. Les Anglais sont connus pour leur suffisance.

— Les Écossais ne sont pas mal non plus… On se demande bien sur quoi ils pourraient fonder leur suffisance…

Alan éclata de rire devant la vivacité des reparties de sa sœur. Il jeta un bref coup d'œil à Alice Bolton. Au début, elle était aussi drôle que belle. Toutefois, peu à peu, elle avait perdu tout sens de l'humour. Il n'éprouverait aucun regret à se séparer d'elle et il espérait qu'elle ne tarderait pas à se lasser elle-même de leur arrangement. Il n'avait aucune envie de lui faire du mal.

Comme Dumfries était en vue, Alan regagna la tête du convoi et lança ses ordres concernant leur arrivée. Il conseilla notamment à ses hommes de se laver comme lui dans le Nith, avant d'arriver.

— Moi aussi ? plaisanta Jory.

— Bien sûr que non, quoique… tu aurais besoin d'un bon bain, c'est sûr !

Robert Bruce leur signifia qu'il continuait jusqu'à Lochmaben et qu'il reviendrait les voir deux jours plus tard.

— Amène tes frères, lui proposa Alan. Mon château est le tien.

— Il le sera un jour pour de bon, mon ami ! riposta Bruce en riant.

Alan n'était pas dupe. Bruce était sérieux, il le savait.

Occupée à calmer les rapaces inexplicablement nerveux depuis le matin, Jane Leslie se trouvait dans la fauconnerie, au-dessus des écuries, quand elle entendit le bruit d'une chevauchée dans la cour. Alan était de retour ! Voilà pourquoi les oiseaux étaient excités.

Ses jambes se dérobèrent sous l'effet de l'émotion et Jane posa ses mains sur son ventre. Parfois, elle se demandait où elle avait trouvé l'audace de faire l'amour avec lui.

Il était parti depuis six mois... Où trouverait-elle le courage de l'affronter à nouveau ? N'aurait-elle pas l'impression de se trouver face à un étranger ? Pourtant, quelque chose lui donnait envie de courir vers lui pour lui annoncer qu'elle portait son enfant. Sa timidité la retint, d'autant plus que ses hommes d'armes l'entouraient.

Tout à coup, son bébé bougea dans son ventre. Avec une telle vigueur qu'elle dut s'asseoir, le temps qu'il se calme. Quand elle redescendit dans l'écurie, son frère Keith parlait avec la femme la plus belle qu'elle eût jamais vue. Ses immenses cheveux blonds évoquaient un clair de lune et elle était magnifiquement vêtue d'une sous-tunique et d'un bliaud couleur ambre, brodé de fils d'or et ceinturé d'une chaîne incrustée de pierres.

Keith aperçut Jane le premier.

— Ma sœur va vous aider. Elle est guérisseuse.

Jane découvrit alors que la dame avait des yeux aussi verts que ceux d'Alan, et de la même nuance...

— Ma jument s'est mise à boiter à environ deux miles d'ici, lui expliqua l'inconnue. J'ai cru qu'elle s'était enfoncé un caillou dans le pied mais apparemment, ce n'est pas cela.

Jane s'approcha de l'animal et laissa courir sa main le long du jarret. La petite jument noire hennit, comme pour la remercier.

— Vous plaisez à Sheba, déclara Jory.

— Tous les animaux se plaisent avec ma sœur. Elle a un don. Elle communique avec eux.

Jane sentit le regard intrigué de la femme qui l'observait, s'attardait sur son ventre rond. Elle leva les yeux et elles se sourirent. Jane s'accroupit alors pour masser la jambe de la jument, raffermissant graduellement la pression de ses doigts.

Quand elle eut fini, Keith fit marcher Sheba dans l'écurie et Jory s'aperçut qu'elle ne boitait plus.

— Vous l'avez guérie ! s'écria-t-elle, stupéfaite.

— Non. Je l'ai seulement soulagée. Elle a trop longtemps voyagé... Elle a besoin de repos, c'est tout.

Jory lui prit les mains et les serra dans les siennes.

— Merci de tout mon cœur !

— Je vais l'installer dans un box où elle sera tranquille.

— Merci infiniment à tous les deux. Je reviendrai tout à l'heure pour voir comment elle va.

Jane contempla la silhouette gracieuse qui s'éloignait. Elle lui semblait presque féerique.

— C'est la sœur du seigneur, devina-t-elle. Tu as remarqué ses yeux verts ?

Keith acquiesça.

— J'ai aussi ressenti son aura. Une grande vitalité émane d'elle. Père a besoin de moi pour loger tous ces chevaux.

Il se dirigea vers la porte et s'immobilisa avant de sortir.

— Tu l'as revu, Jane ?

Jane secoua la tête et le suivit lentement. Une fois dans la cour, ses yeux virent sur-le-champ la haute silhouette d'Alan de Warenne au milieu de la centaine d'hommes en mouvement autour de lui. Il montait un noir destrier et criait des ordres avec une autorité impressionnante.

Prise de panique, Jane songea que l'homme dont elle portait l'enfant était terriblement imposant et qu'elle le connaissait à peine. Machinalement, elle toucha ses cheveux emmêlés puis regarda la robe de grosse toile dépourvue de tout attrait qu'elle portait pour soigner les faucons. Pour tout arranger, elle se rappela qu'elle avait donné les tentures de son lit à laver le matin même. Elle décida de contourner le château pour aller les récupérer discrètement.

Un Écossais aux cheveux noirs s'inclina cérémonieusement devant Jory et Alicia quand elles franchirent la porte du château.

— Mesdames, j'ai l'immense plaisir de vous accueillir à Dumfries et d'être chargé de veiller à votre installation.

— Vous êtes beaucoup trop jeune pour être Jock Leslie, répondit Jory en lui tendant une main qu'il ne baisa pas mais serra dans les siennes.

— Je suis son fils Andrew, régisseur en second.

— Ah ? Mon frère m'a dit le plus grand bien des Leslie.

— Et qui est votre frère ? s'enquit Andrew en rougissant de plaisir.

— Alan de Warenne, devança Alicia. Le maître de ce château. Nous voulons les meilleures chambres.

Jory se mordit les lèvres. Alicia ne se rendait pas compte qu'elle s'adressait au frère de celle qu'Alan avait choisie pour compagne pendant un an… D'ailleurs, elle ignorait qu'Alan s'était engagé auprès d'une autre. Quel choc pour elle quand elle l'apprendrait ! songea Jory avec allégresse.

— Si vous pouviez me trouver une chambre un tant soit peu tranquille. Je tiens beaucoup à mon intimité, suggéra-t-elle en pensant à Bruce, lorsqu'il viendrait la retrouver.

— Moi, je veux une chambre communiquant avec celle du seigneur, lança Alice sur un ton qui ne laissait aucun doute sur le genre de relations qu'ils entretenaient.

Jory remarqua qu'Andrew s'assombrissait. Visiblement, la nouvelle le choquait. Elle comprit qu'elle devait sans tarder prendre ses distances par rapport à Alice Bolton.

— J'ai remarqué que Dumfries était doté de très

belles tours. Pourrais-je être logée dans l'une d'entre elles, Andrew ?

Au moins, elle l'avait détourné de ses pensées l'espace d'un instant. Il l'escorta jusqu'à la tour des dames, mais il voulut aussitôt retourner auprès d'Alicia pour l'installer elle aussi. Les inquiétudes de Jory la reprirent.

Alan de Warenne s'étira en songeant qu'il avait décidément beaucoup de chance d'avoir un régisseur tel que Leslie à Dumfries. En moins de trois heures, les bagages furent déchargés, les vivres remisés, les armes et armures suspendues, les chevaux au pré et chacun de ses hommes avait un lit décent.

Il manquait seulement quelques cuisiniers supplémentaires à Jock pour faire face à cet afflux d'hôtes. Alan lui proposa de recruter parmi les Irlandais de ses troupes. L'oisiveté leur pesait et ils avaient de solides appétits.

— Il y a aussi l'eau chaude, mon seigneur. Nous n'en aurons pas assez pour tous vos hommes, mais pour vous, il n'y aura aucun problème.

— Ne vous inquiétez pas pour ça, Jock. Je me suis lavé dans le Nith avant d'arriver. De toute façon, ma sœur a sans doute déjà utilisé toute l'eau chaude de Dumfries jusqu'à la dernière goutte !

Quand Alan revint au château, Alicia l'attendait avec une liste interminable de récriminations.

— Ce sombre crétin n'a pas été fichu de me donner la chambre que je voulais. Ensuite, ton imbécile d'écuyer a fait porter mes bagages au diable alors que je voulais la chambre contiguë à la tienne ! Tous mes ordres ont été ignorés !

— Alors cesse d'en donner, rétorqua sèchement Alan.

— Oh ! Cela t'amuse ?

Tranquillement, Alan la prit par la taille et l'ôta de son chemin.

— Alicia, prends la chambre qui t'a été attribuée pour cette nuit, d'accord ?

— Il faut que tu expliques aux domestiques de ce château qui je suis !

— Ne t'arrive-t-il jamais d'être un tant soit peu discrète ?

Alicia en resta sans voix. Alan ne se rendait-il pas compte qu'il était le neveu de John de Warenne ? Son oncle était le gouverneur de toute l'Écosse.

Alan héla Taffy qui passait à ce moment-là.

— Excuse-moi, Alicia, j'ai des choses plus importantes à faire dans l'immédiat.

Sur ce, il rejoignit son écuyer et les deux hommes s'éloignèrent.

— Ah, les femmes ! s'exclama Alan en soupirant. Quels problèmes t'a créés ta protégée pendant mon absence ?

— Aucun, mon seigneur. Lady Jane n'est vraiment pas compliquée. Elle est la jeune femme la moins exigeante que j'aie jamais servie. Je lui ai trouvé une bonne petite jument et elle en est ravie. Vous verrez, vous serez étonné de voir comment elle s'y prend avec les animaux. Moi-même, je...

— Pas exigeante, dis-tu ? Voilà qui n'est pas banal. En tout cas, les vacances sont finies, mon vieux. Jory et Alicia sont là !

— Oui, mon seigneur, je cours chercher leurs bagages.

— Tu es fort comme un bœuf mais il ne faut pas laisser tous ces muscles se ramollir.

— C'est bon de vous savoir de retour, mon seigneur. Même Thomas m'a manqué.

— Dieu du ciel ! Ne lui dis rien surtout ! Il est déjà assez pédant !

— J'ai défait vos bagages et vous ai préparé des vêtements propres, mon seigneur.

— Merci. Je me suis lavé dans le Nith avec les hommes. À tout à l'heure.

Alan monta dans la tour de maître. Tout en se déshabillant, il se réjouit d'être de retour à Dumfries et d'avoir choisi l'Écosse plutôt que la France.

La responsabilité de maintenir la paix entre les Anglais et les Écossais reposait en partie sur ses épaules.

Il enfila un bliaud sombre, des chausses et des bottes de cuir souple. Après avoir noué ses cheveux sur la nuque, il se para d'une grosse chaîne en or massif, d'une bague sertie d'une émeraude et de sa dague préférée. Se rendant compte soudain qu'il mourait de faim, il prit une pomme dans le panier de fruits et descendit l'escalier qui menait aux appartements de Jane. La première chambre était vide. Il passa sous l'arche et la trouva dans la seconde.

Perchée sur un tabouret, elle accrochait les rideaux de lit au baldaquin. Elle lui tournait le dos et il éprouva un vif plaisir à la surprendre ainsi. Il avança vers elle à pas de loup. Comme elle se haussait sur la pointe des pieds pour fixer l'étoffe, il s'écria :

— Me voilà !

Elle sursauta si violemment qu'elle perdit l'équilibre et tomba dans ses bras. Le cœur battant avec frénésie, elle se retrouva sous l'emprise des yeux verts pétillants de gaieté.

— Seigneur Tout-Puissant ! s'exclama-t-il en jetant sa pomme. Tu... tu es enceinte !

— Oui, mon seigneur... répondit timidement Jane en retenant son souffle, incertaine de sa réaction.

— Mais c'est merveilleux ! Tu es formidable, Jane ! s'écria-t-il en riant de bonheur.

Soulagée, Jane rit elle aussi mais il reprit son sérieux tout d'un coup.

— Tu as perdu la tête ? Que faisais-tu perchée sur ce tabouret, au risque de tomber et de mettre en péril la vie du bébé ? Il est hors de question que tu te livres à de telles acrobaties dans l'état où tu es ! Il y a des domestiques pour ce genre de tâches. D'ailleurs, tu ne dois plus travailler du tout jusqu'à la naissance du petit.

À peine de retour, voilà qu'il recommençait à régenter sa vie !

— Nous ne sommes pas mariés, répliqua-t-elle. Seulement liés pour un an et un jour. Vous n'avez aucune autorité sur moi.

Il la considéra avec effarement.

— J'ai tout pouvoir sur toi, au contraire. Dois-je le prouver en t'ordonnant de rester au lit jusqu'à ce que mon enfant soit né ?

Jane sentit aussitôt le danger qu'il y avait à le défier.

— Ne m'en veuillez pas, mon seigneur. Je vais très bien et le bébé aussi. Il ne naîtra pas avant trois mois.

La colère d'Alan mourut aussi vite qu'elle était apparue. Avec beaucoup de douceur, il la fit asseoir dans un fauteuil et mit un tabouret capitonné devant elle.

— Pose tes pieds là-dessus. Le bébé ne me semble pas bien gros. Tu devrais manger davantage.

Soudain, une pensée terrible lui vint.

— Nom d'un chien ! Taffy est totalement irresponsable ! Comment a-t-il pu te laisser monter à cheval ? s'écria-t-il en se mettant à arpenter la chambre comme un forcené. Plus de promenades à cheval. Je te procurerai une chaise à porteurs. Tu dois observer une prudence de tous les instants. Rien de fâcheux ne doit arriver à l'enfant.

— Seigneur de Warenne, je vous assure que le bébé se porte à merveille.

Alan s'immobilisa brusquement et la regarda.

— Tu dois me prendre pour un fou.

— Non, seulement pour un père très attentionné.

Il se remit à rire.

— Je vais être père ! Mon Dieu, si je ne partage pas mon bonheur tout de suite, je risque d'exploser ! Il faut que j'annonce la nouvelle à tout le monde !

Jane essaya de se lever mais il l'en empêcha.

— Ne bouge pas, je te fais porter un plateau. Il n'est pas question que tu continues à monter et descendre ces escaliers.

Après cette longue séparation de six mois, Jane s'était demandé comment Alan réagirait en la retrouvant enceinte. Regretterait-il le *handfasting* ? Serait-il heureux au contraire ? La prendrait-il tendrement dans ses bras ? En tout cas, elle n'avait pas prévu une telle anxiété devant un état parfaitement naturel et elle se sentait frustrée. Qu'en était-il de sa liberté qu'elle aimait tant ? Voilà qu'il voulait qu'elle mange deux fois plus, qu'elle cesse de monter sa jument et qu'elle garde la chambre !

Elle se consola peu à peu en songeant qu'il changerait d'attitude, une fois revenu de sa surprise. Et puis, n'était-il pas d'humeur joueuse, ne l'avait-il pas prise dans ses bras, juste avant de voir son ventre rond ?

Éprouvait-elle du soulagement ou de la déception devant ces réactions déroutantes ? Trop de questions l'agitaient. Elle décida de descendre aux écuries pour voir comment se portait la jument.

Elle murmura le nom de Sheba tout en laissant courir ses doigts le long du boulet, au-dessus du fanon. Concentrée sur sa tâche, elle ne vit pas approcher Jory.

— Je ne me suis pas présentée, tout à l'heure. Je ne vous ai même pas demandé votre nom alors que vous avez été si douce avec ma jument. Je suis Marjory de Warenne.

Jane se releva et serra la main que la jeune femme lui tendait.

— Je m'appelle Jane Leslie.

— Jane Leslie ?

Pour une fois, Jory resta sans voix tandis que ses yeux verts détaillaient la silhouette arrondie avec étonnement.

— Jane, je suis vraiment heureuse de faire votre connaissance. Mon frère sait-il qu'il va être père ?

— Oui, et cette perspective le réjouit, mais il a décidé de prendre ma vie en main, dans les moindres détails. L'enfant est tout ce qui compte pour lui. Moi, je ne suis qu'une... qu'une poulinière !

— Oh, non ! Je suis sûre que vous vous trompez. Vous êtes très belle, Jane. Il faut qu'il ouvre les yeux, le bougre, qu'il voie combien vous êtes désirable ! Mais... ce n'est pas à vous de vous occuper de ma jument. Vous êtes la comtesse de Dumfries !

— Non, voyons ! Je ne suis pas de sang noble. Et puis je ne suis pas mariée à votre frère. Nous n'avons signé qu'un *handfasting*, ce n'est pas la même chose.

Jane lui expliqua en quoi consistait cet usage écossais puis choisit d'être franche avec Jory.

— Je ne voulais pas me marier, vous savez. Je préfère m'occuper des animaux, les soigner. Le Seigneur m'a accordé ce don et j'entendais m'y consacrer totalement. Votre Sheba est un peu fragile des jambes mais, avec quelques exercices appropriés, tout rentrera dans l'ordre.

À nouveau, Jory resta coite.

— Vous êtes vraiment gentille, Jane. Voulez-vous être mon amie ?

Jane acquiesça spontanément.

— J'en serais vraiment heureuse.

Un sourire s'épanouit sur le visage de Jory et ses yeux pétillèrent de gaieté.

— Parfait. Jane, je vais faire de vous Lady Jane !

15

Accompagnée d'Elizabeth de Burgh et d'Alicia, Jory préféra s'installer dans la salle à manger plutôt que sous le dais. Alicia ne s'y opposa pas. Étant donné l'indifférence qu'Alan affichait à son égard, elle le dédaignait en retour. Selon elle, c'était le seul moyen de le faire revenir.

Quand il arriva, escorté par une douzaine de chevaliers et d'écuyers, il prit sa place en continuant de rire et de plaisanter avec ses hommes sans remarquer que les femmes étaient attablées ailleurs.

Après avoir avalé un copieux plat de poisson, ils enchaînèrent par du mouton rôti et Alan apprécia une fois de plus la compétence de son régisseur : cuisiner ainsi pour quatre cents hommes affamés tenait de la prouesse. Non seulement il se sentait bien à Dumfries, mais son *handfasting* s'était révélé fructueux.

Un sentiment de bien-être l'habitait et il semblait communicatif. Il allait avoir un héritier qui naîtrait ici même ! Avec un profond soupir de satisfaction, Alan se mit debout et leva les mains pour réclamer le silence.

Se doutant de ce que son frère s'apprêtait à annoncer, Jory se demanda pourquoi Jane n'était pas près de lui.

De son côté, Alicia retint son souffle. Alan de Warenne était l'homme le plus beau, le plus irrésistible qu'elle eût jamais rencontré, et maintenant que son oncle était gouverneur d'Écosse, il faisait aussi un parti des plus intéressant. Elle décida aussitôt de cesser de le traiter avec dédain.

— Longue vie à Dumfries et à ses habitants ! dit-il en levant sa coupe, aussitôt imité par des centaines d'hommes. Messieurs, je vais être père !

Une ovation inouïe accueillit la nouvelle : applaudissements, sifflets, coups de dague sur les tables, vaisselle entrechoquée.

Jory observait attentivement sa voisine. Elle se pencha vers elle.

— Alice, vous allez vous casser les dents si vous mordez si fort votre coupe.

Alicia la reposa si violemment que le vin éclaboussa la nappe.

— Où est cette garce, que je réduise tous ses espoirs à néant !

Alan quitta le dais et rejoignit la famille Leslie. Les hommes portèrent un nouveau toast et Jock Leslie en proposa un autre encore en l'honneur d'Alan.

— Qui sont ces gens ? glapit Alicia en détaillant les femmes.

— Jock Leslie est le régisseur de Dumfries. La mère du bébé est sa fille, Jane, expliqua Jory.

— Quoi ? C'est donc avec une vulgaire domestique qu'Alan a couché ?

— Pas exactement. Alan et Jane sont liés par un *handfasting*.

— Un *handfasting* ? Qu'est-ce que c'est que ça ?

— Un usage écossais des plus honorable. Un homme et une femme choisissent de vivre maritalement pendant un an et un jour. S'ils se plaisent ensemble, ils se marient ensuite. Dans le cas contraire, ils se séparent et font leur vie ailleurs.

— Honorable, hein ? Une coutume inventée par les hommes pour profiter des femmes. Comme si le comte de Warenne allait épouser une moins que rien !

— Mais, Alice, vous espériez pourtant qu'Alan vous épouserait, glissa perfidement Jory.

— Sale petite peste ! Vous trouvez ça drôle ? Vous étiez au courant, n'est-ce pas, et vous vous êtes bien gardée de me prévenir. Laquelle est-ce ?

— Oh, Jane n'est pas là. On lui a monté un plateau. Elle occupe la tour de maître avec Alan.

Aux tables voisines, les chevaliers écoutaient avec un vif intérêt les réactions d'Alicia. Dès qu'elle s'en rendit compte, elle se tut et n'ouvrit plus la bouche de la soirée.

Tous les hommes de l'assistance voulaient boire avec Alan pour le féliciter. Quand, sous l'effet du vin, l'agitation monta, les femmes se retirèrent. Tandis que Jory et Elizabeth allaient se coucher, Alicia revint sur ses pas et se faufila tant bien que mal dans la foule en liesse pour rejoindre Alan.

Se référant au proverbe selon lequel on attrape plus de mouches avec du miel qu'avec du vinaigre, elle avait décidé de jouer la douceur et l'amabilité. De toute façon, elle était prête à tout.

Alan tressaillit imperceptiblement à son approche mais elle lui offrit son sourire le plus enjôleur.

— Félicitations, Alan, je suis très heureuse pour toi.

Il plissa les yeux en l'observant.

— *Heureuse*, vraiment ?

— Je sais que tu voulais un enfant depuis longtemps, lui susurra-t-elle en posant une main sur son bras. Si tu es heureux, je le suis aussi.

— Merci de ta compréhension. Je craignais que tu ne sois...

— Jalouse ? le coupa-t-elle avec un petit rire. Mais ta relation avec la mère de l'enfant n'a rien à voir avec moi... avec nous.

— C'est vrai.

Alicia brûlait de s'emparer de la dague qu'il portait à la ceinture et de la lui enfoncer dans le cœur. Au lieu de cela, son visage se fendit d'un sourire onctueux et elle promena des doigts caressants sur le bras musclé.

— Je suis ici pour toi, Alan. Voyons, pour qui d'autre me serais-je aventurée dans ces contrées barbares ?

Sur ce, elle prit le chemin de l'escalier et se retourna, s'assurant d'un regard ensorceleur qu'il avait bien compris l'invitation.

Pendant ce temps, dans la tour de maître, Jane renonçait à finir le copieux dîner que Taffy lui avait apporté. Elle était incapable de manger autant, d'autant plus que la nervosité lui nouait la gorge. Quand on frappa à sa porte, son cœur fit un bond.

Mais ce n'était que Jory.

— Oh, entrez.

— Jane, puisque nous sommes amies, appelez-moi Jory.

— Vous avez les mêmes yeux verts qu'Alan.

— Des yeux de chat. Les vôtres sont bien plus beaux : des yeux de biche.

Jane avait si peu l'habitude de recevoir des compliments qu'elle rougit sans savoir quoi répondre.

— Alan a annoncé la bonne nouvelle, ce soir. Pourquoi diable n'étiez-vous pas à ses côtés ?

— Oh, qu'aurais-je fait au milieu de tous ces chevaliers ? De toute façon, je ne crois pas qu'il désirait ma présence.

— Quelle idée ! Il vous aurait exhibée comme un trophée, vous savez comment sont les hommes... Non, vous ne savez pas, ajouta Jory après avoir scruté la jeune femme de plus près. J'ai beaucoup de choses à vous apprendre, Jane, ce sera un vrai plaisir !

— Alan estime que je ne dois plus me fatiguer et que le bébé n'est pas assez gros. Il m'a fait monter ce plateau mais je suis incapable de manger tout ça !

— Seigneur, heureusement ! Vous seriez grasse comme une oie ! Ne tenez pas compte de ce qu'il dit. Que connaît-il de la grossesse et des bébés, après tout ?

— Mais je lui dois obéissance...

Jory éclata de rire.

— Jane, pourquoi diable vous croyez-vous obligée de lui obéir ?

— Il est le maître ici... il a tous les pouvoirs.

— D'accord, mais la lady, c'est vous ! Son pouvoir est le vôtre. Vous devez le mener par le bout du nez. Les hommes n'admirent pas les femmes soumises. Pas les hommes dignes de ce nom, en tout cas. Ils préfèrent celles qui ont de la volonté, qui savent ce qu'elles veulent.

— Je ne me sens aucun pouvoir, Jory.

— Parce que vous n'en avez pas l'habitude. Écoutez, vous êtes capable de dresser un étalon, de le faire manger dans votre main, non ?

— Très facilement, oui.

— Eh bien, pensez qu'Alan est un étalon.

Ce fut au tour de Jane d'éclater de rire.

— Vu de cette façon, cela me paraît plus facile, en effet.

— Et bien plus amusant. Imaginez qu'il s'agit d'un jeu.

— Mais je ne sais pas jouer.

— Je vous apprendrai ! Les hommes adorent jouer, à tout point de vue, mais ils détestent perdre. C'est le risque qui les attire.

Jane s'aperçut que la plupart d'entre eux devaient trouver Jory plus qu'attirante.

— Vous avez de si jolis vêtements.

— Pas vous ?

— Venez, je vais vous montrer, répondit Jane en lui prenant la main.

Elle l'emmena jusqu'à l'armoire et l'ouvrit.

— Voilà les robes que je portais avant qu'Alan ordonne aux couturières de me faire celles-ci.

Jory regarda celle que Jane avait sur elle. Le tissu était joli mais la couleur et le style laissaient à désirer.

— C'est moi qui dessine mes propres vêtements, choisis les tons. Vous devriez en faire autant.

— J'en serais incapable.

Jory posa un doigt sur les lèvres de Jane.

— Répétez après moi. *Tout est possible !*

Jane obéit docilement, d'une toute petite voix.

— Plus fort ! Il faut croire à ce que vous dites.

— *Tout est possible !*

— Formidable ! Bien, quelles couleurs aimez-vous ?

— Celle que vous portez.

— Le mauve ? Oui, cela irait parfaitement avec vos cheveux d'or rouge. Mais vous pourriez porter des tons qui ne m'iraient pas du tout, comme le jaune. Vous seriez superbe en jaune ! Moi, je dois m'en tenir aux nuances pastel mais, sur vous, les tons chatoyants des pierres précieuses seraient du plus heureux effet, les rubis, les verts émeraude, les bleus saphir !

— Oh, non, je ne...

Jory la mit en garde du regard et Jane corrigea elle-même.

— *Tout est possible !* dit-elle avec un sourire qui révéla ses fossettes. Oh, si seulement mes cheveux étaient aussi beaux que les vôtres.

— Ils le sont peut-être, mais comment le savoir quand vous les plaquez ainsi en deux bandeaux bien serrés ? Vous devriez les lâcher, les laisser bouger, respirer. Sont-ils aussi longs que les miens ?

— Plus longs je crois, mais je... *tout est possible !* Jory, c'est facile à dire, mais à faire ?

— Aussi simple à faire qu'à dire. Nous allons commencer tout de suite, vous verrez. Quand Jane ouvrira les yeux, demain matin, elle sera Lady Jane !

— Quelle heure est-il, Jory ?

Celle-ci se souvint alors d'un détail qui avait son importance.

— Jane, quand Alan viendra se coucher, ce soir, il risque d'être un peu ivre, et quand je dis un peu... Vous savez comment sont les hommes quand ils ont trop bu ? Non, c'est vrai, vous ne savez pas. Eh bien, ils sont très amoureux mais totalement impuissants !

Devant la mine perplexe de Jane, elle précisa :

— Ils s'écroulent comme des masses et ronflent glorieusement !

Alan mit un point d'honneur à rester plus vaillant que ses hommes. Bien entendu, les Anglais voulurent surpasser les Écossais, leur montrer qu'ils tenaient mieux l'alcool, une gageure impossible. Il était plus de minuit quand Alan prit le chemin de la tour de maître. Dans l'escalier, il s'arrêta soudain, se souvenant qu'il risquait de déranger Jane et que le repos d'une future mère était sacré. Quel rustre il faisait !

Il fit aussitôt demi-tour, tanguant légèrement sur ses jambes, et tâcha de se rappeler où se trouvait la chambre d'Alicia.

— Dans la tour ouest, bien sûr, marmonna-t-il. Comment ai-je pu l'oublier, alors qu'elle s'est tellement lamentée !

Alicia avait presque perdu tout espoir quand il frappa chez elle.

— Alan… murmura-t-elle avec une satisfaction intense.

— Alicia.

— Entre, chéri. Tu m'as tellement manqué.

Comme il ne bougeait pas d'un pouce, elle l'attira dans la chambre et ferma la porte. Il dut s'appuyer contre le battant pour garder son équilibre quand elle se blottit dans ses bras. Il fit glisser sa robe sur ses épaules et posa les lèvres sur sa gorge tandis que le désir montait en lui. Pendant ce temps, Alicia défit la ceinture qui tenait la dague, lui prit la main et l'entraîna jusqu'à un fauteuil où il s'écroula.

— Laisse-moi enlever tes bottes.

— Tu es très bonne, A… Alicia.

— Meilleure que la petite mère ? rétorqua-t-elle d'un ton aigre.

— Nous ne parlerons pas de Jane, repartit-il froidement.

Alicia eut envie de lui arracher les yeux. Elle s'écarta et se tourna vers le feu en s'efforçant de contrôler sa rage et de retenir les paroles fielleuses qui lui brûlaient les lèvres. Quand elle se sentit un peu calmée, elle ôta sa robe, la laissant couler à ses pieds, sachant qu'à la lumière des flammes sa peau semblait dorée. Elle se laissait admirer quand un bruit, derrière elle, la fit se retourner.

Avec horreur, elle s'aperçut qu'Alan dormait profondément, la tête rejetée en arrière, et que de puissants ronflements résonnaient dans la chambre.

Bien qu'Alan fût parti bien avant l'aube, au petit matin, toute la domesticité du château savait que le comte de Warenne avait passé la nuit chez sa maîtresse. Dans la salle à manger où elles prenaient leur petit déjeuner, Alicia se chargea elle-même de dire à Jory où avait dormi son frère.

— Vous m'étonnez, Alicia. Vous lui avez ouvert votre porte, après tout ce qu'il avait bu ?

— Il a beaucoup insisté. Il faut dire qu'il était très amoureux.

— Oh, j'imagine, rétorqua Jory en gardant pour elle ses sarcasmes.

Elle planta la perfide Alicia et s'empressa d'aller prévenir Jane avant que de « bonnes âmes » ne s'en chargent. Elle fit auparavant un détour par sa chambre où elle sélectionna quelques robes.

Jory arriva chez Jane en même temps que Taffy qui apportait à sa maîtresse le plateau du petit déjeuner. La jeune femme poussa un soupir exagéré.

— Je vois que je suis détrônée dans ton cœur, Taffy.

— Oui, répondit Taffy en rougissant violemment. Je veux dire, non !

— Tu es pardonné. Elle m'a conquise aussi.

Jory frappa avant d'entrer.

— Bonjour, Lady Jane. Je vous apporte quelques robes en attendant celles que nous ferons confectionner au plus vite.

Le souffle coupé, Jane contempla les somptueuses tenues. Une sous-tunique bleu lavande recouverte d'un bliaud magenta ; une robe couleur pêche, une autre turquoise.

— Je ne peux mettre vos vêtements.

— Bien sûr que si ! Je vais les suspendre dans votre garde-robe, décréta Jory en disparaissant sous l'arche.

Sur ce, les sœurs de Jane firent irruption dans la chambre sans frapper. Mary s'appropria aussitôt des mets sur le plateau du petit déjeuner pendant que Kate demandait avec hypocrisie :

— Comment se sont passées les retrouvailles ? Tu n'as pas dormi de la nuit, j'imagine… ?

— Il n'a pas passé la nuit avec moi, dit Jane d'une toute petite voix.

— Parce qu'il a dormi dans le lit de sa *maîtresse* ! jeta Kate.

Jory émergea du passage à ce moment-là. Des flammes de colère dansaient dans ses yeux verts.

— Madame ! s'exclama Kate en se prosternant dans une révérence.

Manquant de s'étouffer avec la bouchée qu'elle venait d'engouffrer, Mary imita sa sœur en toute hâte :

— Bonjour, madame.

— Jory, je vous présente mes sœurs, Kate et Mary.

— Bonjour, lança froidement Jory. Pourquoi vous mettez-vous à genoux devant moi ?

Mary regarda Kate.

— Par respect, madame.

— Et pourquoi me respectez-vous ?

Les deux sœurs échangèrent un nouveau regard.

— Parce que vous êtes la sœur du comte de Warenne, notre seigneur.

— Alors laissez-moi vous expliquer une chose. Jane est la dame du comte de Warenne, la future comtesse de Surrey. Vous devriez être à genoux devant elle. Avez-vous la moindre idée de l'influence qu'elle aura sur vous et votre famille ? Pensez à l'avenir de vos enfants. Jane aura le pouvoir d'octroyer à vos fils un emploi à la cour, de trouver un bon parti pour vos filles. Vous feriez bien de lui montrer un peu de respect. Kate, vous commencerez par frapper et attendre que l'on vous ait dit d'entrer avant de pénétrer dans sa chambre. Mary, vous irez prendre votre petit déjeuner aux cuisines, ou dans la salle à manger. Mais vous n'avez pas à toucher à la nourriture destinée à Jane. Merci, ce sera tout. Oh, j'oubliais ! Mon frère n'a pas passé la nuit dans cette chambre parce que Jane lui en a refusé l'accès. Il était ivre mort, aussi a-t-il dû dormir ailleurs, il n'avait pas le choix.

Kate et Jane se retirèrent aussitôt.

— Oh, Jory ! Il a une maîtresse au château ?

— Jane, tous les hommes ont des maîtresses... mais Alicia n'est rien qu'une habitude pour lui, une vieille habitude.

— Alicia...

— Ce n'est même pas son vrai nom... Elle ne compte pas pour lui, croyez-moi. C'est vous qu'Alan a choisie pour être la mère de son enfant, pas cette garce d'Alice Bolton.

Jane se laissa tomber dans un fauteuil. Alan ne lui avait proposé ce *handfasting* que pour avoir un héritier. Il avait été clair dès le départ et il n'avait jamais été question d'amour, ni même d'affection. Le sujet de la confiance et de la fidélité n'avait pas été effleuré.

— Cela me rend triste, avoua Jane. Cette partie de sa vie m'est étrangère et je n'y ai aucune place.

Elle semblait si malheureuse que Marjory s'émut :

— Il ne vous est pas indifférent, n'est-ce pas ?

— Non, c'est vrai, admit Jane en fermant les yeux.

— Oh, ma pauvre chérie. Ne le laissez jamais deviner ce secret. Il faut qu'il vous croie indifférente. Les hommes ne supportent pas qu'une femme ne fonde pas d'amour pour eux. Vous verrez, il mangera bientôt dans votre main !

16

Dans le petit paddock situé derrière les écuries, Jane entraînait Sheba à sauter de petits obstacles.

— Cet exercice remusclera ses jambes en douceur, expliqua-t-elle à Jory. Je ne devrais pas porter votre si jolie robe quand je m'occupe d'elle. Je risque de l'abîmer.

— Quelle importance ? J'en ferai faire une autre ! Une femme doit paraître à son avantage quelles que soient les circonstances.

Pour la première fois de sa vie, Jane se sentait belle. Elle avait brossé ses longs cheveux roux et bouclés qu'un ruban couleur pêche assorti à la robe retenait sur sa nuque.

— Il vous faut une servante uniquement affectée aux soins de vos vêtements. D'ailleurs, il m'en faudrait une aussi, pour une fois que je me pose quelque part un peu plus de cinq minutes !

Une haute silhouette émergea soudain des écuries.

— Que diable es-tu en train de faire ? demanda Alan

en s'arrêtant devant Jane qu'il surplombait de toute sa taille, l'air menaçant.

— B... bonjour, mon seigneur. Je fais faire à la jument de Jory quelques exercices destinés à remuscler ses jambes.

Il la considéra avec effarement.

— Aurais-tu perdu l'esprit? Tu portes un enfant! Il est hors de question que tu fasses travailler des chevaux dans ton état.

La première impulsion de Jory fut de voler au secours de Jane mais elle retint sa langue.

— Je ne suis pas en danger, mon seigneur.

— Je parle de mon enfant.

Ces paroles la blessèrent.

— Il n'est pas en danger non plus. Je m'occupe des animaux depuis toujours.

— Eh bien, c'est terminé!

Jane jeta un bref regard à Jory, leva la tête et déclara:

— Il n'en est pas question!

Jory déglutit avec peine.

Sans un mot, Alan souleva Jane dans ses bras puissants comme si elle n'avait pas pesé plus lourd d'une brassée de plumes puis il se tourna vers sa sœur.

— Elle est déjà assez rebelle pour que tu viennes en plus l'encourager!

Sur ce, il emmena Jane dans la tour de maître.

Il marchait à grandes enjambées, d'un pas décidé. Mais tant qu'il la tenait ainsi, Jane avait le sentiment qu'elle ne risquait rien. Un émoi très troublant l'envahit. Pourtant, elle le provoqua:

— Pourquoi êtes-vous furieux? Je suis plus en danger ici qu'en train d'entraîner la jument de Jory.

— En danger? Tu ne crois tout de même pas que je ferais du mal à mon enfant?

Une pensée lui vint soudain:

— Tu es en colère à cause de ce que l'on raconte au château?

— Seigneur de Warenne, je ne suis pas en colère... je n'éprouve rien pour vous.

Légèrement perplexe, il la regarda, s'attardant à

contempler le petit ventre rond qu'il devinait sous la soie couleur pêche.

— Tu n'as pas eu vent des commérages ?

— Oh, si, mon seigneur. Mais vos relations avec votre maîtresse ne m'intéressent pas, rétorqua-t-elle avec un petit rire narquois qui l'exaspéra.

Ses yeux s'étrécirent dangereusement.

— L'une des choses que j'exige de ma femme, c'est l'obéissance !

— Nous ne sommes pas encore mariés, mon seigneur.

Alan serra les dents. Comme toutes les femmes, elle voulait avoir le dernier mot. Eh bien, il ne lui accorderait pas ce plaisir.

— Et nous ne sommes pas près de l'être ! lança-t-il.

Sur ce, il la posa sur le tapis de la chambre et sortit en claquant la porte.

Un instant plus tard, Jory rejoignit Jane.

— Vous avez été parfaite, Jane !

— Je me sens tellement misérable, Jory. Il était glacial.

— En apparence. En réalité, il brûlait de rage.

— Il a dit qu'il ne m'épouserait jamais.

— Pensez-vous ! S'il y a une chose qui compte pour lui, c'est de légaliser votre union maintenant qu'il va être père. Bien sûr, vous devez feindre de refuser.

— Pourquoi ? demanda Jane en refoulant une larme.

— Les hommes convoitent toujours ce qu'ils ne peuvent obtenir. Voulez-vous qu'Alan vous épouse à cause de l'enfant ou bien pour vous-même ?

— Jory, vous connaissez la réponse.

— Alors, vous devez le défier. Si vous lui dites non, il n'aura de cesse de vous conquérir.

— Vous croyez que je devrais emballer mes affaires et rentrer chez moi ?

— Non, gardez cette carte en dernière extrémité. À propos de jeux, je vais vous apprendre à jouer aux dés et aux échecs. Vous devez devenir une experte en la matière de façon à le laisser gagner quand *vous* le déciderez.

Les fossettes de Jane se creusèrent dans ses joues.

— Cela n'a aucun sens.

— Bien sûr que si. À certains moments, il devra perdre impérativement. Tout est question de stratégie. Je vais aussi vous apprendre la musique, continua Jory en décrochant le luth du mur. Il faut que vous sachiez distraire un homme pendant les longues soirées d'hiver.

— Oh, merci, Jory ! Je vous suis tellement reconnaissante !

Après avoir quitté Jane, Alan partit faire le point de ce qui manquait à Dumfries. Il dénombra les moutons, en comptant ceux que Ben et Sim avaient emmenés sur les hauts pâturages, inventoria les provisions avec David Leslie, chargea Keith de vérifier les sabots des chevaux et d'emmener ceux qui avaient besoin d'un nouveau ferrage chez le maréchal.

Thomas s'activait déjà à la forge pour nettoyer et réparer les armes de son maître avant de s'attaquer à celles des autres. Alan transforma un petit bâtiment en abattoir et chargea les Irlandais de cette responsabilité. Il fallait récupérer le cuir de chaque animal, pour en faire des bottes, des harnais et un tas d'autres choses.

Alan se baigna et se changea sans cesser de penser à Jane. Sa colère s'était dissipée et il se reprochait maintenant d'avoir maltraité celle qui avait comblé son désir le plus cher. Il décida qu'elle dînerait à ses côtés, ce soir, afin de faire taire les rumeurs. Aussi emprunta-t-il l'escalier intérieur qui reliait leurs chambres afin d'aller la chercher.

— Tu vas bien ?

— Oui, mon seigneur.

— J'ai entendu dire que les femmes enceintes souffraient de nausées.

Jane se félicita qu'il ne l'ait pas vue durant les deux premiers mois. Il l'aurait obligée à garder le lit.

— Pas moi, répondit-elle en souriant.

— Dans ce cas, tu dîneras avec moi dans la grande salle.

La lueur d'appréhension qui apparut fugitivement dans son regard n'échappa pas à Alan.

— Jane, le château est plein d'hommes, tu dois t'y habituer.

— Votre sœur me dit la même chose.

— Je reproche parfois à Jory son impulsivité mais elle est un excellent modèle pour toi. Elle a reçu une très bonne éducation et elle est d'un naturel très doux.

Jane baissa les yeux pour cacher son amusement. S'il apprenait un quart des conseils qu'elle lui avait donnés, il chasserait sa sœur de Dumfries à la minute même !

La jeune femme prit place à la gauche d'Alan qui coupa lui-même la viande et sélectionna les meilleurs morceaux à son intention. Au début, Jane ne sentit flattée puis elle se souvint qu'il agissait ainsi uniquement dans l'intérêt de son bébé. Toutefois, elle sourit et mangea ce qu'il lui donnait, songeant qu'après tout, elle aussi voulait tout ce qu'il y avait de mieux pour son bébé.

Alan s'efforçait de trouver des sujets de conversation mais elle se rendit compte très vite que le bébé occupait toujours le centre de leurs propos. C'était leur seul point commun.

Ce soir, en mettant Jane à la place d'honneur, sous le dais avec lui, Alan lui manifestait publiquement tout le respect qu'il lui devait. Dès lors, chaque homme au château en ferait autant. Afin de sauver les apparences, il se retira avec Jane tout de suite après le dîner, au lieu de s'attarder dans le grand hall.

Sentant son cœur s'emballer quand il referma la porte derrière eux, Jane tâcha de se rappeler les conseils de Jory.

— Aimeriez-vous jouer à quelque chose, mon seigneur ?

— Aux échecs ? suggéra-t-il aussitôt.

— Oh, je ne suis pas encore assez forte mais nous pourrions essayer une partie de dés ? Vous m'aiderez un peu.

Jory lui avait dit que les hommes aimaient bien se sentir utiles. Il lui donna quelques conseils puis, tout en lui montrant ses maladresses, il n'eut aucun mal à remporter la première manche. Toujours selon les recommandations de Jory, Jane fit tomber une pièce sur le tapis. Se baissant aussitôt pour la ramasser, elle offrit à Alan une vue plongeante dans son décolleté qu'il ne manqua pas d'admirer. Il se souvint alors qu'il n'avait jamais vu les seins de Jane nus. Ils lui semblaient plus épanouis. Plus attirants. Comme il tendait la main pour les effleurer, Jane se déplaça habilement pour remuer les pièces sur la table.

— C'est très aimable à vous de m'avoir laissée gagner, mon seigneur, murmura-t-elle en posant une main sur son bras. Mais vous ne devriez pas me rendre les choses aussi faciles. Soyez plus dur cette fois.

À ces mots, il sentit une partie de son anatomie se bander considérablement. Il soupira, mal à l'aise. Avait-elle la moindre idée des connotations sexuelles de ses paroles ?

En vérité, Jane en était parfaitement consciente, bien qu'elle ignorât leur effet immédiat et radical. Ils entamèrent la deuxième manche qu'il remporta sans difficulté en regagnant peu à peu le contrôle de son corps. Il ne voulait pas mettre la vie de son enfant en danger en cédant à ses désirs. Il apaiserait ses appétits ailleurs.

Comme Jane remuait de nouveau les pions, le bébé se mit à bouger avec énergie et elle sursauta.

— Que se passe-t-il ? s'inquiéta-t-il aussitôt. Tu souffres ?

— Non… non, ne vous alarmez pas. Le bébé a remué et cela m'a surprise.

— C'est normal ?

— Tout à fait normal. Ma grand-mère m'a expliqué que, plus il bougeait, mieux il se portait.

Alan écarta la table de jeu qui les séparait et lui tendit la main.

— Viens.

Comme elle le regardait avec surprise, il ajouta, en écartant les jambes pour qu'elle s'installe contre lui :

— Viens là.

Il posa deux mains possessives sur son ventre et attendit. Jane retenait son souffle. Le bébé ne bougeait plus. Au bout de quelques minutes, toutefois, il recommença et Alan le sentit. Un sourire de bonheur illumina son visage.

— Il m'a donné un coup de pied ! dit-il d'une voix émue. Tu crois que c'est un garçon ou une fille ?

— Je ne sais pas, mon seigneur. Il y a plusieurs théories à ce sujet, mais aucune n'est vraiment fiable.

— Par exemple ?

— Eh bien, certaines femmes affirment que si la mère est continuellement malade et que le bébé remue beaucoup, c'est un garçon. S'il est calme et que la mère se sent bien, c'est une fille.

— Celles qui répandent des idées pareilles ont une dent contre les hommes !

— Il y a aussi le test du pendule.

— Superstitions ridicules.

— Avez-vous toujours le lynx que je vous ai donné ?

Il opina et le lui montra sous sa tunique.

— Il vous a protégé.

Il s'apprêtait à la contredire quand elle posa ses doigts sur ses lèvres.

— Chut… le lynx représente quelque chose de très particulier pour moi.

Gardant son opinion pour lui, il ôta le pendentif et le passa autour du cou de Jane.

— Maintenant, c'est toi qu'il va protéger.

Quand il vit le lynx se loger au creux des seins de la jeune femme, son désir s'enflamma de nouveau et il se leva avec précipitation.

— Merci pour cette agréable soirée. Tu as besoin de repos. Bonne nuit, Jane.

— Bonne nuit, mon seigneur.

Longtemps après qu'il fut monté dans sa chambre, Jane sentait toujours la sensation de sa main sur son ventre. Elle regarda son talisman.

— Merci, murmura-t-elle au lynx peint par ses soins.

Imaginant que la pierre était chargée de la chaleur d'Alan, elle la fit courir sur sa joue en pensant qu'elle infusait en elle un peu de lui. Puis, avec un soupir de regret, elle alla chercher la robe de chambre de velours noir dans la garde-robe et s'en revêtit. À défaut de dormir avec lui, elle dormirait dans ses vêtements.

Cette nuit-là, Jane rêva qu'elle courait dans la forêt, le lynx bondissant à ses côtés, jusqu'au bord de l'étang où ils plongeaient d'un même élan. Ils nageaient côte à côte, réunis par un mystérieux pouvoir. Puis le lynx se transformait en homme, la prenait dans ses bras et sortait de l'eau avec elle. L'homme était Alan de Warenne. Il l'embrassait avec ardeur et lui faisait fougueusement l'amour.

À l'étage supérieur, Alan ne dormait pas. Il pensait à son enfant, essayait de se le représenter. Que ce soit un garçon ou une fille lui importait peu. Il tenait surtout à ce qu'il soit en bonne santé. Le sentir bouger sous ses doigts l'avait profondément ému. Il regrettait maintenant de ne pas avoir déshabillé Jane pour sentir la peau nue de son ventre sous sa main. Il regrettait aussi de ne pas être resté dormir auprès d'elle.

Soudain, il rejeta les couvertures et se leva, prêt à descendre la rejoindre. Mais il se ravisa et se recoucha avec humeur, se trouvant égoïste de songer à la déranger dans son sommeil. Que diable lui arrivait-il ? Il ne se reconnaissait plus. La meilleure chose qu'il puisse faire pour l'enfant était d'épouser la mère. Il décida de prendre les dispositions légales dès le lendemain et, une fois ces résolutions arrêtées, il s'endormit enfin.

Au matin, Jane descendit prendre son petit déjeuner dans la grande salle à l'instigation de Jory.

— Je ne peux m'installer sous le dais sans que le seigneur de Warenne m'y invite.

— Vous avez tort. Votre place est ici, affirma Jory en entraînant Jane à la table du maître.

— Asseyez-vous près de moi, implora la jeune femme.

À cet instant, elle vit Alan entrer dans la salle aux côtés de son père. Une femme lui saisit le bras au passage.

— Oh, non ! murmura Jane. C'est Alicia auprès d'Alan, n'est-ce pas ?

— Pfff, elle ne se lève jamais aussi tôt, d'habitude !

— J'ignorais qu'elle était si grande, si mince et si belle...

— Elle n'est pas mince, elle est squelettique et sans poitrine digne de ce nom. Et elle n'est pas belle.

— Elle est blonde, constata Jane, s'imaginant avec désespoir qu'Alan les préférait aux rousses flamboyantes.

— Ce n'est pas sa couleur naturelle. En réalité, elle a des cheveux châtains ternes et tristes.

— Mais elle est très jolie, s'obstina Jane.

Alice Bolton regarda Alan monter sous le dais et s'incliner vers Jane Leslie pour lui baiser la main.

Les yeux plissés, elle observa attentivement sa rivale. Petite, rousse, elle n'avait rien d'une femme désirable selon elle. Toutefois, elle était terriblement jeune. Quand ses yeux se posèrent sur son ventre, Alicia frissonna de dégoût. Elle n'était pas encore très grosse mais son corps n'allait pas tarder à se déformer irrémédiablement. Après tout, mieux vaut que ce soit elle que moi! se dit-elle avec malice. Néanmoins, elle ne laisserait pas cette fille devenir une menace pour elle. En restant aux aguets, elle trouverait bien un moyen de se débarrasser d'elle tôt ou tard. Elle n'en était pas à sa première expérience en la matière. Avec cette vulgaire servante, la tâche ne serait pas bien difficile.

— J'espère que tu as passé une bonne nuit, Jane.

— Oui, merci, répondit-elle en se sentant rougir au souvenir des rêves qui avaient peuplé son sommeil.

Hélas, maintenant qu'elle avait vu Alicia, elle doutait que ses prédictions oniriques se réalisent.

Alan posa une assiette pleine devant elle.

— Mange. L'enfant doit être vigoureux.

Quand il me regarde, il ne pense qu'à l'enfant... se dit-elle tristement.

— J'ai parlé du mariage à ton père. Nous envisageons d'organiser une grande chasse de deux jours, pour que nous ne manquions de rien lors de la cérémonie. Ensuite, nous régulariserons la situation.

Le cœur de Jane bondit.

— Oui, mon seigneur.

Un coup de pied de Jory sous la table la rappela à l'ordre.

— Non, mon seigneur, se reprit-elle en repoussant son assiette et en croisant les bras.

Alan lui sourit poliment ;

— Que se passe-t-il, Jane ?

— Il faut que je vous parle en privé, seigneur de Warenne.

— Appelle-moi Alan, s'il te plaît, dit-il sans se départir de son sourire.

— Oui, mon seigneur, murmura-t-elle.

— Jane, as-tu un problème ?

— Non, mon seigneur, je n'ai pas de problème, susurra-t-elle.

Un petit sourire joua sur ses lèvres et elle ajouta :

— En revanche, vous pourriez en avoir un.

17

— Pardon ? demanda Alan avec une douceur plus redoutable que toutes les menaces.

Jane se tenait debout devant lui, dans sa chambre, mais elle aurait préféré être à des lieues de là.

— Je ne vous épouserai pas...

Un silence terrible s'appesantit jusqu'à ce qu'elle ajoute dans un murmure :

— ... tout de suite.

Il se mit soudain à marcher autour d'elle en l'examinant sous tous les angles.

— C'est bien mon enfant que tu portes ?

— Oui, mon seigneur.

— N'avions-nous pas conclu que, si tu étais enceinte de moi, je t'épouserais ?

— Oui, mon seigneur.

— Je suis sûr que tu seras une excellente mère.

— Merci, mon seigneur.

— Et une épouse acceptable.

Le mot « acceptable » la blessa.

— Ai-je oublié quelque chose ?

— Oui, mon seigneur... Un *handfasting* est prévu pour un an et un jour. Un mariage peut se conclure avant que le délai soit écoulé, à condition que les deux partenaires soient d'accord.

— Craindrais-tu, par hasard, que je ne fasse pas un mari acceptable ?

— Oh, non, mon seigneur. Loin de moi cette idée.

— Alors, Dieu du ciel, où est le problème ?

Jane avala avec peine. Alan n'était pas un homme patient.

— *Acceptable*, comme vous dites, vous suffit peut-être à vous mais pas à moi.

Il s'attendait si peu à une telle réaction qu'il en resta sans voix, les yeux écarquillés, comme devant une apparition surnaturelle. Enfin, pour une fois il la regardait *elle*, et pas l'enfant qu'elle portait.

— Je suis de noble naissance, riche, propriétaire de nombreuses terres et héritier du titre de comte. Je t'offre de devenir ma femme, ce qui signifie que tu deviendras comtesse, et cela ne te suffit pas ? dit-il, outré. Qu'attends-tu exactement d'un mari ?

Jane releva fièrement la tête et plongea ses yeux dans les siens.

— Je veux qu'il soit tendre, aimant, respectueux. Je veux qu'il ait envie de partager sa vie avec moi.

Alan de Warenne la considéra de nouveau avec stupéfaction. Elle était plus fière que bien des dames de sang noble et elle savait exactement ce qu'elle voulait.

— Je ne peux vous épouser tout de suite, ajouta-t-elle en baissant les yeux. J'ai besoin d'un peu de temps, mon seigneur.

— Si ce n'est que cela, prends tout le temps que tu voudras, répondit-il en levant un sourcil moqueur avant de regagner la grande salle.

Quelques disputes avaient éclaté entre ses chevaliers et les Écossais de Dumfries, durant sa longue absence. Alan avait convoqué les uns et les autres pour entendre leurs griefs mais il avait la tête ailleurs. Jane l'avait déconcerté. La plupart des femmes auraient été comblées par sa proposition, elles l'auraient acceptée sans hésiter, mais Jane n'était pas comme les autres. Pour elle, la richesse et les titres ne signifiaient rien. Elle n'accordait aucune importance au fait que ce mariage l'élèverait du rang de servante à celui de comtesse. Sans doute cette perspective l'intimidait-elle et voulait-elle prendre le temps de s'y habituer...

Mais il ne fut pas longtemps dupe de cette version. Jane n'était pas intimidée le moins du monde ! Elle avait déclaré avec beaucoup d'aplomb qu'elle ne se contenterait pas d'un mari « acceptable ». Au fond, il savait très bien ce qu'elle voulait : un vrai mari, prêt à s'engager avec elle pour la vie. Jane voulait être aimée.

Alan écouta d'abord les plaignants. Il s'agissait essentiellement d'accusations mineures. Par exemple, les Écossais reprochaient aux chevaliers d'Alan d'avoir effrayé leurs troupeaux en chevauchant à travers champs, d'avoir considéré les palefreniers comme leurs esclaves, ce genre de choses. Six d'entre eux reprochaient toutefois à certains Anglais d'avoir dormi avec leurs femmes. Quand Alan demanda si elles avaient été violées ou consentantes, les Écossais perdirent leur hargne, estimant que la question n'était pas là.

— Satanées bonnes femmes ! maugréa Alan dans sa barbe avant de se lever pour clore la séance. Merci d'avoir parlé franchement. Soyez assurés que j'ai pris note de vos griefs. Je vais remettre de l'ordre dans mes rangs sans tarder. Je vous suggère d'en faire autant dans vos foyers. Bonne journée !

Peu après, Alan recevait les chevaliers incriminés.

— Certaines plaintes que l'on vient de m'adresser me semblent aussi insignifiantes qu'indignes de vous. À l'avenir, vous voudrez bien éviter de disperser les troupeaux quand vous sortez à cheval.

— Mais il y a des moutons partout, mon seigneur, remarqua Montgomery.

— Et il y en aura davantage quand le reste du troupeau redescendra des Uplands. Vous devez comprendre que, dans ces contrées, l'élevage est la richesse principale. Vous serez heureux d'avoir du mouton dans vos assiettes, cet hiver, non ? Alors respectez-les. D'autre part, je vous rappelle que vous devez vous-même vous occuper de vos chevaux. Si l'un d'entre vous oubliait de nouveau cette règle, il ne compterait plus parmi mes chevaliers.

Il s'interrompit un instant, pour donner plus de poids aux propos qui suivirent.

— Reste la question qui a irrité le plus les Écossais de Dumfries. Certains d'entre vous auraient séduit leurs femmes... Je ne demande pas aux coupables de lever la main, ajouta-t-il avec un petit sourire. Je sais que vous vous croyez irrésistibles et qu'elles vous ont sans doute sauté au cou, mais que diable : limitez-vous aux célibataires et aux veuves ! Et apprenez la discrétion.

Alan prit ensuite ses dispositions pour organiser une chasse de deux jours, bien que le mariage soit retardé. C'était la période idéale pour les cerfs et les ours, et cela fournirait à ses hommes un divertissement appréciable, un moyen de se défouler.

Dès que Marjory entendit parler de cette chasse, elle voulut y participer mais Alan s'y opposa.

— Jory, je préférerais que tu apprennes à Jane comment l'on devient une lady. Je voudrais qu'elle acquière la confiance qui lui manque. La perspective de devenir comtesse semble la dépasser.

— Je ferai tout mon possible, cher frère, et... je suis flattée que tu me prennes pour modèle !

— Seigneur ! Je n'irai pas jusque-là, répliqua-t-il.

Jane essayait ses nouvelles robes. Des étoffes aux couleurs vives et variées étaient empilées sur les fauteuils et le divan. Quand Marjory arriva, Jane venait de passer un bliaud émeraude sur une sous-tunique vert pâle.

— Quel dommage ! disait-elle. Cette tunique sera trop petite d'ici à quelques semaines.

— Pourquoi ne pas prévoir un double boutonnage ? suggéra Jory à la couturière. Cela donnera plus d'aisance le moment venu. Jane, les boutons sont une prodigieuse invention. Ils permettent de jouer sur les formes avec une grande souplesse.

— Oui, mais ils sont très chers, remarqua la femme, les lèvres serrées.

— C'est justement pour cela que nous en voulons! décréta Jory. Lady Jane mérite ce qu'il y a de mieux. Le seigneur de Warenne y tient. Terminez cela pour demain et retirez-vous.

— Jory, vous ne manquez pas d'aplomb! remarqua Jane dès qu'elles se retrouvèrent seules.

— Elle vous aurait fagotée comme un sac, si vous l'aviez écoutée. Vous devez apprendre à vous faire servir, Jane. Mon frère veut que je vous enseigne l'art de devenir une lady. Première leçon : il est normal que tout le monde soit aux petits soins pour vous. À commencer par Alan.

— Il est furieux après moi.

— Parfait! La provocation n'est pas seulement un plaisir, elle doit être un devoir.

— Jory, comme vous y allez!

— Je sais. Que diriez-vous d'une chasse aux faucons, quand ils seront partis de leur côté, demain?

— J'adorerais cela mais n'est-ce pas un sport d'hommes?

— Plus maintenant. En Angleterre, c'est la grande mode, à tel point que les hommes trouvent que c'est devenu un passe-temps frivole et efféminé.

— Votre frère m'a interdit de monter à cheval.

— Oh, et vous tremblez à l'idée de lui désobéir?

— Jory, il est tellement intimidant.

— Jamais il ne vous maltraitera.

— Physiquement, peut-être pas. Mais ma fierté en prend un coup.

— Je vois ce que vous voulez dire. Mais quand vous avez refusé de l'épouser, c'est la sienne qui en a pris un coup!

Animée d'une jalousie fielleuse, Alicia avait engagé Kate Leslie à son service. Si elle n'avait jamais gardé longtemps ses femmes de chambre, tant elle les traitait mal, elle prenait bien garde de ne pas froisser la sœur de Jane qu'elle avait choisie avec une arrière-pensée. Alan refusait systématiquement d'évoquer Jane avec elle. Aussi se réjouissait-elle que Kate fût une mine de renseignements.

— Vos robes sont magnifiques, Lady Alicia, minaudait Kate. Ma sœur Jane est en train de se constituer une garde-robe.

— Vraiment ? Quelle dépense inutile pour le comte, son ventre s'arrondit de jour en jour.

— S'il a conclu ce *handfasting*, c'est uniquement pour avoir un bébé, jeta Kate avec aigreur, incapable de déguiser sa propre jalousie.

— Est-ce que tu sais si un mariage se prépare ?

— Pas que je sache, mais monsieur le comte lui avait promis de l'épouser si elle tombait enceinte.

C'était donc là tout le pouvoir qu'elle avait sur lui ! Il suffisait donc d'éliminer l'enfant.

Le lendemain, à l'aube, Jane regarda les chasseurs se mettre en route, par la fenêtre de la tour. Elle se demandait si elle avait eu raison de refuser d'épouser Alan. Depuis, il se montrait poli mais distant à son endroit. Et il n'était pas venu dans sa chambre, la veille au soir. Sa compagnie, ses attentions lui manquaient.

Après le petit déjeuner, la couturière lui monta toutes ses nouvelles robes. Jane attendit d'être seule pour les essayer tranquillement. Le plaisir de porter de beaux vêtements, de sentir le contact d'étoffes douces et chaudes était nouveau pour elle. Nouveau et infiniment agréable. Le contraste saisissant de la soie blanche avec ses longs cheveux de feu l'enchanta. Elle se faisait l'impression d'être une déesse.

Absorbée par ses nouvelles robes, Jane ne s'était pas rendu compte que Robert Bruce était arrivé à Dumfries. Décidant de rendre à Marjory les robes qu'elle lui avait prêtées, et impatiente de lui montrer combien la soie blanche lui seyait, elle prit la direction des appartements de son amie.

Quand elle arriva dans sa chambre, Jory n'y était pas.

Se souvenant de leur projet de chasse au faucon, elle pensa que la jeune femme était partie préparer les oiseaux et commença à ranger les tenues dans la garde-robe. Soudain, une voix masculine lui parvint et elle reconnut aussitôt celle de Bruce. Un rire féminin et provocateur s'éleva aussi, celui de Jory.

— Je vais te faire l'amour jusqu'au retour d'Alan, déclarait Bruce d'une voix vibrant de passion.

Jane en resta bouche bée. N'osant bouger de peur de faire du bruit et de signaler sa présence, elle s'aperçut que l'autre porte du réduit était ouverte et que le miroir placé contre le battant lui renvoyait l'image du couple, dans la chambre contiguë. Elle ferma les yeux en espérant pouvoir s'éclipser très vite.

— Où est passé ton sens de l'humour ? Tu profites de moi en l'absence de mon frère, maintenant ? le taquina Jory.

— Je n'ai aucun sens de l'humour, ce qui décuple l'acuité de mes autres sens, rétorqua Robert.

Ils cessèrent de parler mais Jane perçut des bruissements de tissu. Elle ouvrit les yeux et découvrit qu'ils étaient nus. À la fois consternée et fascinée, elle ne put se détourner quand Robert la souleva dans ses bras et la laissa glisser contre lui, lentement. Brusquement, ils furent pris de frénésie.

Ce que Bruce lui faisait semblait la rendre folle. Jory gémissait, haletait, le mordait, le griffait. Puis elle s'allongea sur le sol et il la couvrit de son corps, la pénétrant avec ardeur.

Il ne fut pas long à succomber au plaisir, mais ne s'arrêta pas là pour autant. Éperdu de désir pour la beauté délicate allongée sous lui, il se mit à genoux, enfouit sa tête brune entre ses cuisses et l'embrassa avec application. Jane n'en croyait pas ses yeux.

Marjory ondulait et criait de plaisir sans la moindre retenue. Les mains dans les boucles noires du Bruce pour mieux le guider, elle se cambrait, s'arc-boutait sous l'effet de sensations qui la transportaient.

Seigneur ! songea Jane. Ne s'arrêteraient-ils donc jamais ? Enfin, Jory émit un cri rauque, et s'accrocha à lui, tendue de tout son corps sous l'effet de l'extase qui la laissa comme morte. Ils restèrent alors accrochés l'un à l'autre, retrouvant leur souffle peu à peu, et se contemplant avec amour.

Quand Robert se leva, Jane soupira de soulagement mais, au lieu de se rhabiller, il souleva Jory dans ses bras et l'emporta sur le lit. Ils se murmurèrent des mots d'amour et Jane comprit qu'ils étaient amants depuis quelque temps déjà. Ils refirent l'amour avec une telle tendresse que la jeune fille trouva sa présence sacrilège.

Confuse et troublée, elle tremblait, toujours accroupie dans la garde-robe. Marjory s'enveloppa ensuite dans le drap pendant que son amant enfilait enfin ses vêtements.

— Je reste là, cette nuit, dit-il en l'embrassant avant de sortir.

Prise d'une crampe, Jane voulut se frotter le dos mais son coude heurta bruyamment la paroi. Aussitôt, Jory ouvrit la porte en grand.

— Dieu du ciel ! Que faites-vous là ?

— Je ne vous espionnais pas, Jory ! Je rapportais vos robes et les suspendais à leur place quand j'ai reconnu la voix du Bruce... Ne sachant que faire, je me suis cachée.

Jane sortit du réduit, pâle et défaite.

— Oh, Jane... je vous ai choquée, n'est-ce pas ?

Tout en essayant de se remémorer tout ce qu'elle et Bruce avaient fait, Marjory emmena la jeune femme bouleversée vers le lit où elle s'assit. Elle était trop innocente pour que le spectacle qu'elle avait surpris ne l'eût profondément choquée.

— Je suis désolée, Jane... Sachez toutefois que nous n'avons rien fait d'étrange ou d'exceptionnel. Tous les amants font la même chose.

— Oh, Jory... si seulement je pouvais connaître cela avec Alan... !

Marjory sentit son cœur fondre et se laissa tomber sur un tabouret.

— Jane, nous sommes amoureux fous l'un de l'autre.

— Oui, répondit rêveusement Jane.

— Une passion comme la nôtre est fort rare. Je n'ai

jamais rien vécu de tel quand j'étais mariée. Pourtant, j'aimais mon mari.

— Je veux qu'Alan m'aime, avoua Jane.

— Il n'a jamais été vraiment amoureux. Il me l'a dit.

— Mais il a été marié.

— Le mariage ne garantit pas l'amour. J'ajouterais presque, au contraire. La plupart des époux se supportent à peine. Quand ils ne se détestent pas.

Jane songea à ses sœurs et à leurs couples. Elle comprit que Jory avait raison.

— Je ne le montre pas mais, au fond de moi, je me sens aussi passionnée que vous, Jory, dit Jane en caressant tendrement son ventre.

— Écoutez, rien n'est perdu. Alan aime déjà son enfant et se montre plus que protecteur à son égard.

— Une fois que le bébé sera né, il ne me regardera plus.

Jory comprit qu'elle devait redoubler d'efforts pour aider Jane à devenir si désirable qu'Alan ne lui résisterait pas.

— Vous devez apprendre à attirer son attention. À la capter. Laissez-le deviner cette passion qui couve en vous et refusez d'être ignorée. Considerez vous comme la châtelaine de Dumfries et prenez en main la bonne marche du château. Alan doit s'apercevoir que vous avez des qualités.

Jane sourit.

— Je vais prendre le château d'assaut.

— Pourquoi pas? Le terme n'est pas si mal choisi. Pensez que vous vous jetez dans une campagne militaire. Vous ne voulez pas seulement capturer le château, vous voulez capturer son seigneur. Ne laissez rien au hasard, exigez de tous une capitulation inconditionnelle. Les Bruce vont nous êtres utiles. Robert a amené ses frères. Vous ferez vos premières armes sur eux. Robert sera ravi d'entrer dans le jeu et de rendre Alan jaloux. De plus, cela détournera son attention de nous deux. Nos rapports doivent rester secrets, Jane. Vous êtes la seule à savoir.

— Je ne vous trahirai pas, vous avez ma parole.

— Laissez-moi m'habiller. Je vous retrouve en bas.

Si vous voulez un conseil, gardez cette ravissante tenue de soie blanche pour le retour d'Alan, demain.

— Père !

Jock, qui se dirigeait vers les cuisines, se tourna vers Jane vêtue de satin turquoise.

— Tu es magnifique, ma fille.

— Père, j'ai besoin de votre aide. Je veux devenir la châtelaine de Dumfries et j'ai beaucoup à apprendre. Comment devrais-je m'adresser à vous, par exemple ?

— Tu dois m'appeler « régisseur ». Je t'appellerai Lady Jane.

— Très bien. Les Bruce sont nos hôtes. Qu'avez-vous prévu pour le dîner, « régisseur » ?

Les yeux pétillant de gaieté, Jock énuméra à sa fille la liste des plats. Elle fit une ou deux suggestions, pour la forme, et Jock s'inclina devant elle.

— Voilà d'excellentes idées dont je prends note, Lady Jane, dit-il en s'inclinant respectueusement avant de continuer vers les cuisines.

— Régisseur ! l'interrompit-elle de nouveau. Pourquoi n'ai-je pas été informée de l'arrivée des Bruce au château ?

— Un oubli de ma part, Lady Jane.

— Eh bien, veillez à ce que cela ne se reproduise pas.

Jane regarda son père gravement avant d'ajouter :

— C'était bien ?

— Parfait. Adresse-toi toujours aux domestiques sur un ton autoritaire, c'est important.

Jane alla ensuite trouver son frère Andrew. Elle lui exposa brièvement la nouvelle situation et lui demanda son aide.

— Les Bruce sont au château. Nous manquons de divertissements. Elizabeth de Burgh m'a dit que son père employait des ménestrels, des petites troupes d'acteurs ambulants.

— Le comte d'Ulster possède la moitié de l'Irlande, Jane. Son train de vie n'a rien à voir avec le nôtre.

— Nous choisirons quelque chose de plus modeste, voilà tout.

Andrew posa sur sa sœur un regard neuf et il découvrit qu'elle valait vraiment le coup d'œil !

Quand Jane rencontra le Bruce et qu'il la détailla de la tête aux pieds, elle s'empourpra violemment.

— Lady Jane, vous êtes resplendissante, dit-il en s'inclinant galamment sur la main qu'elle lui tendait. Il paraît que nous allons bientôt célébrer un mariage.

— Peut-être pas aussi vite que le comte de Warenne le souhaiterait, répondit-elle timidement.

— Vous l'avez éconduit ? demanda-t-il, stupéfait.

— Je lui ai dit que j'avais besoin d'un peu de temps.

Robert renversa la tête en arrière et partit d'un grand éclat de rire.

— Lady Jane, j'aimerais vous présenter mes frères Nigel et Alexander.

— Je suis ravie de vous rencontrer, dit-elle. Et vraiment désolée que le comte de Warenne ne soit pas là pour vous accueillir. Il est parti chasser.

— Il doit avoir perdu la tête pour laisser seule une si belle dame, déclara Alexander.

— La gente dame ne risque rien, intervint Nigel en donnant un coup de coude à son frère. Je prendrai soin d'elle en l'absence d'Alan.

18

Sous le dais, Jane fit asseoir Marjory à la place d'Alan, et plaça Robert Bruce à sa droite. On venait de servir la viande quand Jory se pencha vers Robert :

— Jane sait, pour nous deux.

Mortifiée, celle-ci ferma les yeux.

— Elle sait que nous sommes des amis d'enfance, c'est cela ? demanda Robert après un temps.

— Jane sait tout, murmura Jory.

Le Bruce sembla dérouté.

— Elle sait que ma mère est ta belle-mère ?

— Jane était dans ma garde-robe cet après-midi, soupira Jory.

— Ah... dit-il avant d'exercer une brève pression sur la main de Jane. Les Celtes ne se trahissent jamais entre eux.

— Ils passent leur temps à ça au contraire ! s'exclama Alexander, assis près de lui.

— Quelqu'un t'a demandé ton avis ? rétorqua Robert.

— Je suis sûr que mon avis intéresse Lady Jane. Demande-lui.

Assis à la droite de Marjory, Nigel Bruce intervint à son tour.

— Si vous n'arrêtez pas de faire rougir Lady Jane, vous deux, je vous traîne dehors par la peau des fesses !

Jory semblait aux anges.

— Cela me rappelle mes quatorze ans ! Vous n'avez pas changé, messieurs.

— La seule différence, glissa Robert, c'est qu'à l'époque nous étions tous les trois amoureux de toi. Aujourd'hui, c'est Jane qui a ravi nos cœurs.

Les chasseurs rentrèrent le lendemain, en début d'après-midi. Jane et Jory se trouvaient dans le pâturage derrière l'étable avec les frères Bruce qui leur donnaient des conseils pour les envols des faucons.

Quand le cheval d'Alan déboucha dans la prairie au grand galop, Jane tendit son autour à Robert pour aller accueillir le comte mais il la retint.

— Ne le touchez pas, Jane. Il est tout ensanglanté.

Le regard d'Alan se posa sur la jeune femme en robe de velours rose pâle. Cette couleur rehaussait agréablement son teint et, une fois de plus, il la trouva ravissante. Ses cheveux de feu évoquaient les flammes et sa silhouette si joliment arrondie éveillait son désir.

— Si j'avais su que tu venais, Robert, je t'aurais attendu et tu serais venu chasser avec nous.

— Jane nous a admirablement reçus. Des félicitations s'imposent, ajouta Robert avec un large sourire. Tu as beaucoup de chance.

Alexander et Nigel saluèrent à leur tour leur ami.

— Voulez-vous que je vous prépare un bain, mon seigneur ? offrit Jane.

— Je m'en charge, s'interposa Taffy. Ne vous dérangez pas.

Taffy lançait à Robert Bruce des regards méfiants. Il avait remarqué sa main sur le bras de Jane, quand il l'avait retenue...

— Je suis en train d'apprendre les devoirs d'une châtelaine, expliqua-t-elle.

Alan songea quant à lui qu'il aurait bien aimé que Jane s'occupe de son bain.

— Tu peux disposer, Taffy, jeta-t-il sèchement. Robert, tu as des informations pour moi ?

Le Bruce tendit l'autour à Nigel et les précéda avec Alan vers le château.

— Taffy, dit Marjory avec son sourire le plus enjôleur. Lady Jane a besoin de ton aide. Lui es-tu totalement dévoué ?

Taffy rougit.

— Bien sûr, Lady Marjory.

— Elle m'a volé tous mes admirateurs ! gémit celle-ci avec un petit soupir moqueur.

— On emmène les oiseaux dans la forêt ? suggéra Nigel en posant doucement l'autour sur la main gantée de Jane.

— Lady Jane ne doit pas monter à cheval en ce moment, intervint Taffy.

Nigel se tourna vers Alexander.

— Allons-nous recevoir des ordres d'un Gallois ?

— Il ne manquerait plus que ça !

Sur ce, les deux gaillards soulevèrent Taffy chacun d'un côté et l'emmenèrent en courant vers les écuries.

— Oh, non, c'est ma faute ! gémit Jane.

— Les hommes adorent s'amuser comme des enfants, Jane, la rassura Jory. Surtout ceux qui sont grands et forts. C'est une façon de déployer leur énergie.

Alan prit son bain dans sa chambre où Robert Bruce et lui en profitèrent pour parler en privé.

— Alan, reste sur tes gardes. D'autres troubles risquent d'éclater d'ici peu, l'avertit Bruce.

— Je reçois régulièrement des rapports du gouverneur. Il ne semble pas conscient d'une telle menace.

— La rébellion prendra naissance dans les Highlands. Par ici, la situation restera stable plus longtemps.

— C'est grâce à ta présence parmi nous. La loyauté des Bruce envers Édouard est indispensable. La route qui relie l'Angleterre à l'Écosse traverse l'Annandale.

— Mes espions m'ont appris que Andrew de Moray s'était évadé de Chester où le roi l'avait emprisonné. Les Moray gouvernent le comté de Bothwell et le sud du pays jusqu'à Lanark.

— Édouard a placé une solide garnison au château de Bothwell, lui rappela Alan.

— Oui, mais ils ont d'autres bastions à Moray, Banff, Inverness et Ross.

— Moray n'aurait pu s'échapper sans une aide haut placée.

Robert prit un seau d'eau et le vida sans cérémonie sur la tête d'Alan.

— Exactement !

Tout en s'habillant, Alan regardait son ami du coin de l'œil, se demandant ce qu'il lui cachait. Apparemment, les espions des Warenne n'étaient pas aussi bien renseignés que ceux des Bruce.

Dans la salle à manger, Alan découvrit avec surprise la présence de musiciens jouant de la cornemuse, de la harpe et du tambourin. Entre les plats, des pages apportaient des rince-doigts avec des serviettes.

— Je vois que ma sœur Jory est passée par là, dit Alan à Jane.

— Non, mon seigneur. Tout cela est *mon* œuvre. Les Écossais ne sont pas si attardés que vous semblez le croire.

Alan réprima un petit sourire amusé. Jane prenait sa tâche très au sérieux. Derrière elle, Thomas et Taffy veillaient à précéder le moindre de ses désirs et elle les remerciait chaque fois d'un sourire lumineux. C'était à qui serait le premier à la satisfaire et Alan remarqua qu'une petite compétition s'était installée entre les deux hommes. Il n'en prit pas ombrage, songeant qu'ils agissaient ainsi parce qu'elle était sa dame.

Il ne cessait de la regarder, la trouvant superbe dans sa robe de soie blanche sur laquelle ondulait sa lourde toison de feu jusqu'au creux de ses reins. Elle pouvait rivaliser de beauté avec n'importe quelle lady qui avait jadis attiré son attention, à la cour. Après le repas, les hommes se pressèrent autour d'elle pour l'inviter à danser. Non seulement les Bruce mais deux de ses chevaliers, Sir Giles et Sir Harry.

Quand elle commença à prendre congé des uns et des autres, Alan était partagé entre le désir de parler aux Bruce et celui de monter avec elle. Il décida d'allier les deux et prévint Robert qu'il redescendait tout de suite. Il prit alors le bras de Jane et l'escorta jusqu'à sa chambre.

— Je préfère te raccompagner. Ces escaliers sont raides.

— Merci, mon seigneur.

Elle s'exprimait d'une façon polie mais distante. Alan se demanda à quoi elle pensait au fond et regretta soudain de ne pas le savoir. Une aura de mystère l'enveloppait, qu'il attribua à son sang celte.

— J'ai apprécié que tu ne montes pas à cheval pour faire voler les faucons, aujourd'hui, lui dit-il, une fois dans sa chambre. Je ne te l'ai pas interdit pour t'ennuyer mais pour te protéger. Je m'inquiète autant pour toi que pour le bébé.

— Heureuse de l'apprendre, mon seigneur. Je ne m'amuserai plus à dédaigner systématiquement vos ordres.

Le taquinait-elle ? Elle lui offrit son plus charmant sourire et Alan prit soudain conscience qu'il ne l'avait encore jamais embrassée ! Décidant de réparer cet oubli sans délai, il l'attira contre lui et se pencha pour poser ses lèvres sur les siennes. Mais elle tourna la tête et ce fut sa joue qu'il rencontra.

— Bonne nuit, mon seigneur.

— Bonne nuit, Jane, répondit-il, légèrement perplexe.
Il la quitta avec la certitude qu'elle se jouait de lui délibérément !

Depuis qu'Alan était revenu, Jane n'était pas retournée au bord de l'étang mais, le lendemain, le croyant occupé ailleurs avec ses hommes, elle s'habilla chaudement, s'arma de sa faucille et prit le chemin de son coin de prédilection, retrouvant le plaisir d'aller et venir à sa guise.

Elle approchait de l'étang quand elle fut victime d'un étrange pressentiment. Une sensation indéfinissable... Elle s'arrêta et tendit l'oreille, scrutant les berges, humant l'air. Une sorte de gémissement se fit entendre, à peine perceptible. Il s'agissait d'une plainte de détresse. Se dirigeant vers l'endroit d'où elle provenait, elle parvint à un taillis de plantes rampantes enchevêtrées. Jane écarta les branches et sursauta en découvrant deux grands yeux verts qui la fixaient. Le lynx !

D'abord effrayée, elle lâcha les branches et la cachette se referma. Mais elle avait eu le temps de voir que la magnifique créature était blessée. Elle toucha son talisman et invoqua Brigantia, implorant son aide et sa protection. Puis, le cœur battant, elle écarta de nouveau les branchages. Une flèche était plantée dans l'une des pattes avant du félin, au niveau de l'épaule.

Jane regarda le lynx droit dans les yeux et lui parla doucement, sans ciller.

— Ne t'inquiète pas. Je suis là maintenant et je vais t'aider. Ne bouge pas et laisse-moi faire.

Avec des gestes lents, elle massa doucement son épaisse fourrure, écartant les poils çà et là, sachant que, peu à peu, l'animal ne ressentirait plus la douleur. À son regard vitreux, elle comprit qu'il était hypnotisé et qu'il ne souffrait plus.

Aussitôt, elle partit cueillir des feuilles de saule. Il n'y avait pas mieux pour arrêter les hémorragies. Elle ramassa ensuite quelques patiences et une bonne poignée de boue. Elle déchira un morceau de tissu de sa chemise, le trempa dans l'eau, l'essora et repartit au chevet du lynx.

Avec une grande délicatesse, elle ôta la pointe de la flèche de la patte de l'animal. Un flot de sang s'en écoula. Tout en chantonnant une étrange litanie, elle appliqua des feuilles de saule et de la boue sur sa plaie, et banda le tout avec le tissu de sa chemise.

Sachant qu'elle devrait le nourrir elle-même jusqu'à ce qu'il puisse marcher et chasser normalement, elle décida de lui apporter de la viande dès le lendemain. Elle y malaxerait du pistil de pavot afin qu'il dorme calmement.

Après avoir consciencieusement remis les branches en place pour cacher le lynx, elle se lava les mains dans l'étang en pestant contre les chasseurs. La flèche appartenait à un archer gallois mais elle ne pouvait se plaindre. La présence du lynx blessé devait rester secrète si elle ne voulait pas qu'il lui arrive malheur.

Avant de partir, elle traça un cercle magique autour de la cachette et visualisa une flamme bleu argent jaillissant de la pointe d'une faucille. À présent, personne ne pénétrerait dans son refuge.

Alan de Warenne chargea l'un de ses capitaines de porter un message scellé au quartier général de son oncle, à Édimbourg. Des écuries, il contemplait la vaste forêt, au-delà du pâturage, quand il aperçut Jane disparaître entre les arbres.

Il chercha aussitôt Taffy pour lui demander de la suivre. Mais l'écuyer n'était nulle part en vue. Avisant alors Keith, le frère de Jane, il lui dit qu'il venait de la voir partir seule dans la forêt.

— Elle va au bord de l'étang, mon seigneur. Elle s'y rend depuis sa plus tendre enfance.

— Oui, je l'ai rencontrée là-bas, une fois. Mais je serais plus rassuré si vous gardiez l'œil sur elle.

Keith aimait de Warenne. Il lui promit de le faire.

Un peu plus tard, un émissaire arriva au château avec un message de John de Warenne, l'informant que Fitz-Waren s'était vu octroyer le commandement du château de Torthwald. Son oncle avait choisi l'un des officiers de cavalerie légère de Fitz pour lui transmettre la nouvelle, et Alan eut beaucoup de mal à masquer l'animosité que l'homme lui inspirait. Torthwald n'était pas plus éloigné de Dumfries que Lochmaben, le bastion des Bruce. C'était comme si l'on avait posté des chiens de garde à sa porte. L'idée venait du roi, ce qui n'étonnait pas Alan. Édouard Plantagenêt se plaisait à dresser les uns contre les autres.

Le messager apportait aussi des invitations de Fitz-Waren adressées à Alan, Marjory et Alicia, les conviant à venir visiter Torthwald. Alan les prit, dit à l'envoyé qu'il les transmettrait aux dames mais qu'il n'y avait pas de réponse pour l'instant. En le laissant au régisseur qui l'emmena se restaurer, il songea qu'il ne manquerait pas d'aller à Torthwald. Mais dans le plus grand secret...

Keith Leslie s'apprêtait à partir à la recherche de sa sœur quand elle réapparut à l'orée de la forêt. Il ne lui dit pas qu'Alan l'avait chargé de la surveiller et, de son côté, elle resta tellement évasive quant à ses occupations qu'il ne suspecta rien de particulier.

Elle se rendit aux cuisines où elle demanda une double ration de gibier, prétextant que son état lui ouvrait l'appétit. Le lendemain matin, elle reprit le chemin de l'étang avec la viande bourrée de pavot et un pot d'onguent à base de lait d'avoine, de lavande et autres plantes aux pouvoirs guérisseurs. Cette fois, elle s'assura pour plus de sûreté que Keith ne la voyait pas partir.

Son cœur battait lorsqu'elle écarta les branchages de la cachette. Le lynx n'avait pas bougé. Elle lui jeta la viande et s'éloigna pour qu'il mange en paix. Les animaux sauvages deviennent imprévisibles lorsqu'on leur présente de la nourriture. Elle l'entendit dévorer le gibier en poussant des grognements sourds.

Elle emmena un couple de hérissons intrigués par sa présence à l'autre bout de l'étang, en sécurité. Puis elle chassa une biche et des colombes. Quand elle retourna auprès du lynx, il somnolait sous l'effet de l'opiacé qu'il venait d'ingurgiter.

Aussitôt, elle défit son bandage pour laver la plaie, l'enduisit de baume et rebanda soigneusement la blessure afin que le lynx ne puisse se lécher.

De retour au château, Jane se dirigeait vers les cuisines quand Alan l'appela. Elle se retourna en sursautant.

— Je m'apprêtais à partir pour Lochmaben. Je ne rentrerai pas avant demain.

En réalité, il allait à Torthwald mais il ne voulait pas que cela se sache.

— Si tu avais besoin de quoi que ce soit…

— Thomas et Taffy sont là, acheva-t-elle à sa place.

Alan l'observait d'un air intrigué et elle éprouva soudain le besoin de s'expliquer.

— J'allais aux cuisines. Une châtelaine accomplie doit toujours savoir ce qui mijote dans les chaudrons, mentit-elle.

Alan la trouva tellement jolie qu'il eut soudain envie de la toucher. Il posa un doigt sous son menton et plongea son regard dans le sien.

— Tu devrais faire une très bonne épouse, dit-il tandis qu'un sourire se dessinait lentement sur ses lèvres.

Jane sentit son cœur battre plus vite. N'était-ce pas la première fois qu'il lui souriait ? Intimidée, elle baissa les yeux.

— Mon seigneur, me feriez-vous la cour ?

Il éclata de rire.

— C'est autorisé, murmura-t-il en effleurant ses lèvres des siennes.

Elles étaient si douces, si tentantes, qu'il s'en empara aussitôt pour un vrai baiser, tendre et sensuel, tandis qu'il l'enfermait dans l'étau de ses bras et la serrait contre lui. Quand elle sentit sa langue s'insinuer dans sa bouche pour caresser la sienne, de longs frissons coururent en elle. Son odeur mâle la grisa. Il aspira ensuite sa lèvre inférieure tout en serrant Jane plus fort contre lui, afin de sentir pleinement ses seins contre sa poitrine.

Ce fut comme si une flamme s'allumait au plus secret d'elle-même. Quand il la lâcha, Jane tremblait de désir. Un désir partagé : il avait fait en sorte qu'elle s'en rende compte. Pourtant, elle préférait qu'il s'absente pendant deux jours. Cela lui laisserait le temps de finir de soigner le lynx. Si jamais Alan apprenait les risques qu'elle prenait, il serait furieux et lui en voudrait terriblement de mettre en danger la vie de l'enfant qu'elle portait. Il ne comprendrait pas et l'enfermerait dans sa chambre...

À la faveur de la nuit, Alan de Warenne approcha à pas de loup du château de Torthwald, après avoir attaché son cheval un peu plus loin. L'endroit était si bien gardé qu'il n'avait pas la moindre chance de s'y glisser. Fitz-Waren avait posté des gardes partout.

Le lendemain, il parla avec les bergers des environs. Le bruit courait que les pires atrocités étaient commises au château. Les renseignements qu'il glana confirmèrent ses craintes : la haine contre les conquérants anglais se propageait à grande allure.

Il passa l'après-midi au village de Beattock, mais les bouches restèrent closes. Le seul fait qu'il soit anglais et qu'il pose des questions éveillait la suspicion. Quand il vit les potences avec leurs macabres dépouilles, il comprit pourquoi.

Alan de Warenne rentra à Dumfries fort déprimé. Il venait de comprendre qu'il était vain de s'imaginer que l'on pouvait conquérir un peuple par la force. Si tant de soldats maintenaient l'ordre dans les châteaux occupés, c'est que la soumission était loin d'être acquise. Les Écossais n'ouvraient guère la porte aux Anglais de leur plein gré. Ces derniers étaient-ils aveugles au point de ne pas voir que l'usage de la violence ou de l'intimidation ne faisait que renforcer la résistance écossaise ?

Alan pensait que John de Warenne était un gouverneur conciliant et modéré. Cependant, ce n'était pas le cas des Ormsby et des Cressingham. Mais avant toute chose, il devait déjà faire retirer à Fitz-Waren la direction de Torthwald.

Sur la route du retour, le ciel s'obscurcit et il endura une pluie serrée et froide. Novembre était là et l'hiver menaçait. Lorsqu'il pénétra dans les écuries de Dumfries, il se prit à espérer qu'un jour ses héritiers puissent gouverner paisiblement le château et il espéra que son humeur sombre n'était due qu'au mauvais temps.

À cause de la pluie, il gagna la tour de maître par l'intérieur et s'arrêta en passant par la chambre de Jane. Peut-être l'avait-elle entendu et s'était-elle réveillée ? Il attendit dans le silence, un étrange sentiment de vide en lui. Il prit alors une décision et se dévêtit lentement.

Il s'approcha du lit.

— Jane, tu dors ? murmura-t-il. N'aie pas peur, c'est moi, Alan.

Il se glissa sous les couvertures où il faisait délicieusement chaud et s'approcha de la jeune femme jusqu'à ce qu'elle soit contre lui.

— Mon seigneur... s'écria-t-elle en essayant de s'asseoir.

— Ne bouge pas, dit-il en la ramenant contre lui. Rendors-toi, Jane.

Mais avec la sensation de ce corps d'homme contre le sien, Jane fut incapable de se rendormir. Elle écoutait leur respiration dans le silence de la nuit, et quand il enroula un bras possessif autour de son ventre, elle sourit, s'étonnant elle-même de se sentir si bien.

19

Lorsque le lendemain matin Jane se réveilla seule dans son lit, elle se demanda si elle n'avait pas rêvé. Alan avait-il réellement passé la nuit blotti contre elle ? Oui, son corps avait laissé son empreinte sur le matelas de plumes. Pourquoi l'avait-il rejointe ? Était-il préoccupé ? Il n'avait parlé de rien et, comme ce n'était apparemment pas le désir qui l'avait amené à elle, elle en conclut qu'il était venu à cause de l'enfant.

Elle souhaitait de tout son cœur qu'il en fût autrement mais elle n'allait pas passer ses journées entières à rêver à l'impossible. Une fois habillée, elle descendit aux cuisines où elle prit un morceau de mouton qu'elle enveloppa dans un linge. La blessure du lynx était presque guérie et elle espérait que, d'ici à une semaine, il recommencerait à chasser.

Afin d'éviter Keith, elle contourna le lavoir et entra dans la forêt.

Par la fenêtre de la chambre du maître, Alan la vit disparaître entre les arbres. Où diable allait-elle et qu'emportait-elle ? Il comprit qu'elle évitait les écuries pour ne pas être vue de Keith. Il devina aussi qu'elle ne partait pas pour une petite promenade d'agrément. Elle avait un but précis.

Alan se demandait s'il valait mieux faire porter une lettre de sa main à Édimbourg ou s'y rendre en personne. Mais à présent, Jane et ses mystérieuses escapades occupaient toutes ses pensées.

Quelques instants plus tard, il pénétrait à son tour sous le couvert des arbres et n'eut aucun mal à retrouver sa trace. Peu après, il la rattrapa.

Elle s'immobilisa avant de se retourner. Quand elle le vit, l'effroi se peignit sur son visage et elle fit volte-face, prête à courir.

— Jane, attends ! ordonna-t-il.

L'instant d'après, il était près d'elle.

— Que fais-tu, exactement ?

— Que… que voulez-vous dire, mon seigneur ?

— C'est simple, je veux savoir ce que tu fais.

— Rien…

— Que venais-tu faire ici ?

— Cueillir des herbes, dit-elle en montrant le sac de toile qu'elle tenait plus fermement que jamais de peur qu'il ne voulût l'ouvrir.

Comme elle le craignait, il le lui prit. Il s'attendait à tout sauf à y trouver un morceau de mouton et un pot d'onguent ! Il exhiba la viande.

— C'est au cas où tu aurais un petit creux, pendant ta cueillette ?

Connaissant son appétit d'oiseau, il savait très bien que ce gigot de mouton ne lui était pas destiné.

Elle ouvrit la bouche pour parler mais il la devança.

— Ne me mens pas, Jane.

L'idée lui vint qu'elle aidait peut-être un hors-la-loi réfugié dans la forêt. Tout à coup, elle prit l'offensive.

— C'est *votre* faute ! s'écria-t-elle. La vôtre et celle de vos chasseurs aveugles ! Je m'occupe simplement d'un animal blessé par une flèche.

Alan s'en voulut aussitôt d'avoir réagi aussi vivement. Il savait combien elle aimait les animaux.

— Jane, nous essayons toujours de tuer proprement mais ce sont des choses qui arrivent, au cours d'une chasse. Où est-il ?

— Je ne vous le dirai pas !

Il plissa les yeux.

— Tu n'as pas besoin de me le dire, il est au bord de l'étang. Je t'accompagne.

— Non ! Allez-vous-en ! Vous demandez à mon frère de m'espionner et maintenant vous me suivez !

Elle réagissait trop vivement pour n'avoir rien à cacher. Quel genre d'animal pouvait bien se nourrir d'un gigot de mouton ?

— Quel est cet animal blessé ?

Elle serra les dents en relevant la tête avec défi mais il remarqua qu'elle touchait son talisman. Lentement, les yeux d'Alan s'écarquillèrent de stupeur.

— Dieu du ciel ! Il ne s'agit pas de ce lynx dont tu m'as parlé ? s'écria-t-il en se ruant à grandes enjambées vers l'étang.

Jane s'élança derrière lui.

— Non, je vous en prie, ne le tuez pas !

Il avait déjà empoigné le manche de sa dague. Une fois sur la rive, il scruta les buissons et son regard s'arrêta inexorablement sur la tanière recouverte de branchages.

— Non ! cria Jane en sanglotant.

Elle courut se poster entre lui et la cachette mais deux bras puissants la soulevèrent du sol sans la moindre difficulté et la posèrent derrière lui. Ensuite, de la pointe de sa dague, il écarta les branchages et jura quand il s'aperçut que le repaire était vide. Le regard accusateur d'Alan de Warenne se concentra sur la jeune femme qui prit alors vraiment conscience des risques qu'elle avait pris.

— Vous ne vous souciez que de l'enfant ! C'est votre unique obsession ! hurla-t-elle, oubliant toute prudence tant elle était furieuse.

— Encore heureux que quelqu'un s'en soucie, jeta-t-il d'un ton tranchant en se retenant pour ne pas la secouer de toutes ses forces. Tu as mis sa vie en danger avec une totale inconscience. Ton propre enfant ne signifie donc rien pour toi ?

— J'aime mon enfant plus que tout et jamais je ne lui ferais le moindre mal ! Essayez donc de comprendre que ce lynx ne représentait pas de danger. J'ai le pouvoir de communiquer avec les animaux et de les guérir quand ils sont blessés. Il serait temps que vous reconnaissiez mes dons.

— En voilà assez ! la coupa-t-il en désignant la direction du château. Je te suis.

Jane le précéda vers le château et, pendant tout le trajet, il resta silencieux. Ce fut seulement aux abords de l'enceinte de Dumfries qu'il desserra les dents :

— Jusqu'à nouvel ordre, je t'interdis de quitter le château, déclara-t-il froidement.

Au même moment, Alice Bolton revenait de la distillerie en compagnie de Kate Leslie. Elle s'était préparé une nouvelle dose de produit destiné à décolorer ses cheveux. Quand elle vit Jane, au bord des larmes, suivie d'Alan le visage fermé, elle comprit qu'ils s'étaient disputés.

Un petit sourire de satisfaction se forma sur ses lèvres.

— Ta sœur est bouleversée. Donne-lui donc un peu plus de ce vin que je lui destine et essaie de savoir ce qui s'est passé, ordonna-t-elle à Kate. Tu laveras mes cheveux plus tard.

Alicia avait la ferme intention de profiter de la colère

d'Alan contre Jane pour le ramener dans son lit. Ce soir, à table, elle laisserait ses cheveux tomber librement sur ses épaules et porterait l'une des robes que son amant préférait.

Kate la rejoignit plus tôt qu'elle ne s'y attendait.

— Je n'ai rien pu tirer d'elle. C'est tout juste si elle m'a adressé la parole. Elle prend des grands airs depuis quelque temps, faut voir!

— Lui as-tu donné de mon vin?

— Elle l'a mis de côté, avec les précédentes coupes. Vous y aviez mis quelque chose? murmura Kate avec des airs de conspiratrice.

— Bien sûr que non, mentit Alicia. Le vin délie les langues, c'est tout. J'espérais qu'il l'aiderait à se confier à toi. Tu sais pourquoi ils se sont disputés?

— C'est sûrement à cause du bébé, s'empressa de répondre Kate qui préférait éviter les remontrances. Le seigneur n'éprouve rien pour ma sœur.

Alicia pinça les lèvres.

— Bien sûr. Il lui avait interdit de monter à cheval, et maintenant, elle n'a plus le droit de sortir. L'attention qu'il porte à cet enfant doit la rendre verte de jalousie. Qu'est-ce que ce sera quand il sera né!

Si seulement cette petite garce pouvait boire le vin, elle avorterait!

Alicia dégrafa la guimpe qui enserrait ses cheveux.

— Aide-moi à me laver la tête. Je veux être particulièrement à mon avantage, ce soir.

Pendant que Kate s'occupait de ses cheveux mous et ternes, Alicia échafauda plusieurs plans. Même si Jane ne se confiait pas à Kate, il était indispensable que celle-ci continue d'avoir libre accès à la tour de maître pour que ses projets aboutissent.

— J'ai une robe qui devrait t'aller particulièrement, Kate, lui dit-elle. Je m'étonne que ta sœur ne soit pas plus généreuse à ton égard.

L'expérience lui avait appris combien acheter les gens pouvait faire des miracles.

Avant de descendre dans la salle à manger, ce soir-là, Alicia se brossa consciencieusement les cheveux et se para des saphirs qu'Alan lui avait offerts, longtemps auparavant. Il la traitait avec une certaine indifférence depuis quelque temps mais cela devait changer sans tarder. L'excitation courait dans ses veines. La colère difficilement contenue qu'elle avait devinée en lui ce matin aiguisait ses sens et l'image des cicatrices de guerre sur son corps nu lui mettait l'eau à la bouche. Elles étaient les preuves visibles des dangers qu'il bravait sans cesse.

Lorsque Alan parut ce soir-là, il savait que Jane ne l'y rejoindrait pas. Il fallait lui laisser le temps de digérer leur dispute et, après tout, cela lui permettrait peut-être de réfléchir sur sa conduite insensée.

Cherchant Thomas des yeux, il l'aperçut en grande conversation avec Alicia, ce qui le contraria. Pas moyen de l'éviter, celle-là ! Tout en s'approchant, il remarqua avec cynisme qu'elle portait l'une des robes bleu saphir qu'il préférait avec des bijoux qu'il lui avait offerts jadis.

— Bonsoir, Alan, dit-elle d'une voix douce.

Il devina aussitôt qu'elle allait lui demander quelque chose.

— Tu veux bien que je te tienne compagnie, ce soir ?

Le « non » catégorique qu'il avait au bord des lèvres lui sembla trop dur, malgré son humeur sombre. Il songea à trouver une excuse quelconque quand il s'aperçut qu'au fond, sa présence l'indifférait.

— Pourquoi pas ? répondit-il en l'aidant à prendre place à ses côtés.

Thomas leur servit du vin et Alicia en but une longue gorgée.

— Alan, je te dois des excuses.

— Pourquoi ? demanda-t-il, méfiant.

Il la trouvait bien mielleuse et se demandait ce que cela cachait.

— Pour t'avoir négligé, bien sûr. J'ai voulu te punir de m'avoir emmenée dans le nord mais j'ai agi comme une égoïste, sans réfléchir, et je n'ai puni que moi. Alan, tu m'as terriblement manqué. Sommes-nous toujours amis ?

Tout en l'écoutant, Alan l'observait attentivement,

remarquant combien elle était maigre, presque décharnée. Sans le vouloir, il la compara à la belle Jane aux
formes si appétissantes. Tout à coup, il sut qu'il ne la
désirait plus. Sa maîtresse appartenait au passé. Et
la pitié le prit. Elle devait se sentir bien seule. Ce n'était
pas très charitable de la confiner dans ce château
perdu.

— Je compte me rendre à Édimbourg d'ici peu...
commença-t-il.

— Oh, Alan, l'interrompit-elle sans le laisser finir sa
phrase. Emmène-moi avec toi. Je te promets que tu ne
le regretteras pas.

Il scruta son regard.

— Ta place n'est pas ici. Tu dois haïr Dumfries et tu
seras beaucoup plus heureuse à Édimbourg.

Il posa une main sur la sienne pour l'empêcher de l'interrompre. C'était le moment ou jamais de l'éloigner. Il
ne laisserait pas passer cette opportunité.

— La résidence du gouverneur d'Édimbourg ressemble à la cour du roi. Il y a beaucoup de monde, un
va-et-vient constant de nobles anglais et écossais. Si je
te retenais un appartement là-bas, ou bien si je t'ache
tais une petite maison dans le voisinage ?

— Quelle merveilleuse idée ! Nous pourrions être
ensemble quand tu viendras en ville, ce qui arrivera souvent, j'espère. Merci, chéri ! Oh, merci !

Alan ôta sa main et prit son couteau.

— Je n'aurais pas dû t'amener ici, tu ne le mérites
pas.

Et Jane non plus ! se dit-il. Alan se demanda alors si la
raison pour laquelle Jane lui avait refusé son lit n'était
pas la présence de sa maîtresse à Dumfries. Alicia occupait dans sa vie une place tout à fait accessoire mais
Jane ne le savait pas.

Dès que le repas fut terminé, Alan s'excusa auprès
d'Alicia, soulagé de constater qu'elle ne lui ferait pas de
difficultés. Il pouvait se montrer aimable sans craindre
qu'elle ne lui prêtât autre chose que des sentiments ami-
caux.

— Je te verrai plus tard, quand nous partirons.

— Oui, plus tard, répondit-il en souriant.

Alan consulta ses chevaliers au sujet de ce voyage à Édimbourg. Quand il eut fait son choix parmi ceux qui l'accompagneraient, il prévint son régisseur puis son écuyer, Thomas, qu'il comptait emmener.

Ce dernier se frotta le nez.

— Vous ne devriez pas laisser Taffy s'occuper seul de Jane, mon seigneur. Il ne sait pas être ferme avec les dames. En tout cas, il est comme une carpette devant celle-ci.

— Diable ! Et comment expliques-tu cela ?

— Eh bien, il est amoureux d'elle, voilà.

Si Thomas prenait cela à la légère, ce n'était pas le cas d'Alan.

— Dans ce cas, c'est toi qui resteras. Si Jane ne doit pas quitter le château, c'est pour son bien.

Sur ce, Alan prit le chemin de ses appartements en plantant là un Thomas tout déconfit.

Une fois dans sa chambre, Alan prit sa plume et rédigea une lettre adressée au Bruce pour lui demander de veiller sur Dumfries pendant qu'il serait à Édimbourg. Il se sentirait plus tranquille. Après avoir scellé le parchemin du sceau de sa bague, il détachait son pourpoint quand on frappa doucement à la porte extérieure. Pensant qu'il s'agissait de Thomas, il cria :

— Entre ! J'ai un message pour...

Ses mots moururent sur ses lèvres quand il vit Alicia sur le seuil. La barbe ! Que lui voulait-elle ?

— Alicia, que viens-tu faire ici ?

— Tu m'as invitée.

— Moi ?

— Oh, pas explicitement, non... je l'ai lu dans ton regard.

Il la considéra avec stupeur tandis qu'elle commençait à enlever sa chemise de nuit.

Au-dessus, Jane distingua la voix d'une femme, mais elle ne put ni l'identifier ni saisir le sens de ses propos. Poussée par la curiosité, elle descendit l'escalier qui menait chez Alan et écouta à la porte.

— Ce soir, j'ai bien vu que tu me désirais autant que je te désire. Cette façon que tu avais de me déshabiller de tes yeux verts brûlant de passion. Pourquoi crois-tu que j'ai mis la robe que tu préfères et les saphirs que tu m'as offerts ?

Ce discours confirma Alan dans la certitude qu'elle ne l'attirait plus du tout. Que s'était-elle imaginé ? Et comment se débarrasser d'elle sans froisser sa fierté ? Car s'il la chassait sans égards, elle lui ferait une scène interminable.

— Alicia, commença-t-il en refermant étroitement sa chemise de nuit. Je veux que tu retournes dans ta chambre. Nous sommes ensemble depuis suffisamment de temps pour que tu saches que j'aime être celui qui décide. C'est moi qui te rejoindrai dans ton lit quand j'aurai envie de toi.

— Je comprends, chéri. Les murs ont des oreilles.

Il l'entraîna fermement vers la porte et la mit dehors.

Dans l'escalier, Jane était pétrifiée. Elle s'interdit de verser une larme. Alicia avait mis la robe qu'il préférait et les bijoux qu'il lui avait offerts ? Et alors ? La colère prit lentement le pas sur le chagrin.

Et il l'emmenait à Édimbourg ! D'accord, puisque vous vous intéressez davantage à votre maîtresse qu'à moi, allez au diable, Alan de Warenne !

Jane regagna sa chambre. Avec des mains tremblantes, elle alluma la chandelle et ses yeux tombèrent sur la coupe de vin. Elle la prit et la porta à ses lèvres...

Alicia avait repris confiance. Elle alluma les bougies dans sa chambre et rabattit les couvertures de son lit. Elle savait qu'Alan n'aimait pas qu'elle prenne l'initiative de venir elle-même dans sa chambre, mais ce soir, elle n'avait pu s'en empêcher. Il y avait si longtemps qu'ils n'avaient pas fait l'amour qu'elle craignait qu'il ne se fût lassé d'elle.

Elle se versa du vin qu'elle but en essayant de se persuader qu'elle avait agi comme il le fallait. Maintenant qu'elle lui avait clairement exprimé son désir, il viendrait à elle. Les minutes s'écoulèrent, puis une heure entière. Sa confiance commençait à vaciller.

Elle se servit une autre coupe et se mit à arpenter la chambre. Pourquoi n'était-il pas plus pressé de la rejoindre ? C'était à cause de l'autre petite garce qu'il avait engrossée ! Sous prétexte qu'elle portait son enfant, voilà qu'aucune autre ne comptait plus pour lui ! L'herbe de Saint-Laurent qu'elle avait versée dans le vin ne servirait à rien si cette imbécile ne le buvait pas !

Au bout de deux heures d'attente, Alicia comprit qu'Alan de Warenne ne viendrait plus. Comment un homme normalement constitué pouvait-il refuser une telle invitation ? Elle s'était abaissée à aller vers lui la première et voilà ce qu'elle en retirait. La plus odieuse des humiliations ! Elle se précipita vers le miroir pour vérifier son apparence. Elle ouvrit sa robe de chambre et constata avec satisfaction qu'elle était aussi mince qu'elle le souhaitait. Son ventre était plat, presque creux, pas comme l'horrible ballon distendu de sa rivale. C'est alors qu'une évidence la frappa. Ce n'était pas elle, sa rivale, mais l'enfant qu'elle portait !

Mais tout irait bien. Alan l'emmenait à Édimbourg. Elle se raccrocha à cette idée comme à une bouée de sauvetage. Hélas, elle ne put se mentir à elle-même bien longtemps. La vérité, c'est qu'il l'emmenait avec lui pour se débarrasser d'elle. Voilà pourquoi ils se disputaient, ce matin ! Parce que Jane lui avait demandé de chasser sa maîtresse de Dumfries !

Alicia jeta la coupe contre le miroir. Il était grand temps de changer ses plans. Semer les graines de la suspicion là où il le fallait serait plus efficace que toutes les potions abortives. Elle n'avait que trop attendu pour employer les grands moyens !

20

Au lieu de se coucher, Jane s'installa devant le feu et posa la coupe de vin sur la table basse. Elle souffrait et se demandait comment réagir. Devait-elle affronter Alan et lui dire franchement ce qu'elle ressentait ou bien aller voir Alicia et lui arracher les yeux ?

Jory lui avait dit que les hommes préféraient les

femmes fortes aux soumises. Soit, puisqu'il l'avait confinée au château, elle se rebellerait en retournant chez elle. Son père passant la plupart de ses nuits au château, elle serait seule avec Megotta. Elle laissa tout ce qu'il lui avait donné, ce qui réduisit son bagage à trois fois rien.

Aux premières lueurs du jour, elle se glissa subrepticement dehors et rentra chez elle avec l'espoir qu'Alan viendrait la chercher et que tout s'arrangerait. En arrivant, elle eut la surprise de trouver Sim et Ben en grande conversation avec Megotta, autour de quelques chandelles. Elle ignorait qu'ils étaient rentrés des alpages d'été, bien qu'ils fussent restés un mois de plus, à cause de l'automne particulièrement long cette année.

Au silence qui l'accueillit, Jane eut l'impression de surprendre un complot. Elle en oublia aussitôt ses soucis. Que se passait-il donc ? Sa grand-mère s'adressa à quelqu'un que, d'où elle était, elle ne voyait pas.

— Tu l'as dit à Jane ? demanda Megotta.

Keith émergea de l'ombre.

— Non.

Jane courut vers son frère.

— Que se passe-t-il ? Qu'est-ce qui ne va pas ?

— Jane est comme moi, elle a le don de double vue. Il est inutile de lui cacher quoi que ce soit.

— Quand nous étions dans les Uplands, expliqua Ben, nous avons entendu parler d'un meneur écossais, qui incite à la révolte. Des hommes venus de partout se joignent à lui, constituant une armée prête à se battre contre l'envahisseur anglais. Cet homme s'appelle William Wallace et son but est de reconquérir la liberté. Ses troupes grossissent de jour en jour.

— Il est celte, comme nous. Nous l'avons vu, écouté, ajouta Sim. La moitié des bergers de la région l'ont déjà rejoint. Il veut redonner sa fierté à notre peuple.

Jane dévisagea ses frères, atterrée.

— Seigneur, vous l'avez déjà rejoint vous aussi ! Voilà pourquoi vous êtes restés partis si longtemps !

— Nous sommes celtes, déclara Ben.

— Vous êtes des hommes morts si de Warenne entend parler de ça, les mit en garde Keith.

— Personne ne doit savoir. Pas même père. Si la chose s'ébruite, c'en est fini de notre famille ! insista Jane.

— Êtes-vous donc innocents au point d'ignorer pourquoi de Warenne est ici à Dumfries ? demanda Keith. Il est chargé de déceler et d'étouffer toute tentative de rébellion. Son oncle est gouverneur d'Écosse, sapristi ! Même les Bruce marchent avec eux ! Ils ont des espions partout !

Sim et Ben échangèrent des regards apeurés. Ils avaient déjà donné plusieurs de leurs moutons aux rebelles. Cela suffisait à les faire pendre.

Quand leur sœur Kate arriva, ils prenaient leur petit déjeuner.

— J'ai appris que vous étiez rentrés, dit Kate. Je suis passée vous dire bonjour.

Elle ouvrit de grands yeux quand elle vit Jane attablée avec eux.

— Qu'est-ce que tu fais ici ?

Consciente que sa sœur était incapable de garder pour elle le moindre secret, Jane lui dit à dessein :

— Tu sais que le seigneur de Warenne et moi nous sommes disputés. J'ai décidé de rentrer chez moi.

Dès que Kate fut repartie, Jane mit ses frères en garde :

— Elle ne doit rien savoir de vos activités. Elle n'est pas digne de confiance. En ce moment, elle est au mieux avec la maîtresse du seigneur, précisa-t-elle en s'efforçant d'ignorer les regards de pitié de ses frères.

— Ton père n'aurait jamais dû te vendre à cet homme ! cracha Megotta.

— Tu sais bien que je n'avais pas le choix, grand-mère.

Jane regrettait déjà d'être rentrée et d'avoir découvert les agissements de ses frères. À présent, elle se sentait tiraillée entre deux partis, comme déchirée.

— Ma sœur Jane est rentrée se réfugier à la maison, dans les bras de grand-mère, apprit Kate à Alicia. Elle a défié l'autorité du seigneur de Warenne.

— Ta sœur ne m'intéresse plus. Le seigneur de Warenne m'emmène à Édimbourg. Va plutôt me chercher mon petit déjeuner. Ensuite tu m'aideras à faire mes bagages.

Alicia n'en revenait pas que le destin se mette à lui sourire enfin. Dès que Kate fut sortie, elle prit ce qui lui restait d'herbe de Saint-Laurent et partit vers la tour de maître. Après s'être glissée dans la chambre de Jane, elle posa les herbes près de sa coupe et repartit aussi silencieusement qu'elle était entrée. À présent, elle n'avait plus qu'à informer Alan de ce qu'avait fait sa garce d'Écossaise. Elle ne perdait rien pour attendre, la pauvre idiote !

Quand Alan quitta la salle à manger avec sa sœur Jory, il tomba sur Alicia qui semblait l'attendre.

— J'ai un mot à te dire en privé.

Voyant à son regard que même Jory serait de trop, il dissimula tant bien que mal son impatience et accepta de l'emmener dans le petit salon.

— Jane Leslie essaie d'avorter, annonça-t-elle de but en blanc.

Alan la saisit aux épaules.

— Tu mens !

— C'est vrai ! cria-t-elle. Sa sœur a trouvé des herbes dans sa chambre. De l'herbe de Saint-Laurent. Apparemment, cela n'a pas suffi, alors elle est allée trouver sa grand-mère pour qu'elle finisse le travail proprement. Cette vieille sorcière de Megotta est connue à Dumfries pour avorter qui veut ! Renseigne-toi !

Alan écarta Alicia de son chemin, s'élança dans l'escalier qui menait à leurs appartements où il entra en trombe. Il ne pouvait se résoudre à croire que Jane ait osé lui désobéir en quittant le château. Même si une petite voix intérieure lui soufflait le contraire. Personne. Il ouvrit les armoires et se sentit légèrement rassuré de voir ses robes toujours à leur place. C'est alors que son regard tomba sur l'herbe de Saint-Laurent. À côté étaient posés un pichet de vin et la faucille de la jeune femme. Il sentit le vin, et son odeur lui donna la nausée. Son enfant ! Alan de Warenne se précipita dehors en courant.

Jane se leva en sursautant quand la porte s'ouvrit en trombe et qu'Alan surgit, fou de rage. Aussitôt, elle craignit pour ses frères. Comment avait-il pu apprendre si vite les agissements de William Wallace ? Il lui arracha la tasse de lait qu'elle était en train de boire.

— Tu ne vas pas boire cette potion de malheur !

Jane se laissa choir sur un tabouret, soulagée qu'il soit en colère contre elle. Il désigna Megotta d'un geste impérieux.

— Toi, la vieille, si tu as osé mettre en péril la vie de mon enfant, tu peux te préparer à mourir !

— Quoi ? Mais que racontez-vous, voyons ? De quoi nous soupçonnez-vous ? s'interposa Jane.

— De faire avorter le bébé !

— Non ! Pas ça ! Jamais je n'aurais fait une chose pareille, je vous le jure sur mon honneur !

— Les femmes n'ont pas d'honneur, tonna-t-il.

Jane avança d'un pas et posa ses mains sur les bras d'Alan. Elle sentit en lui la peur, la fureur et la douleur qui l'égaraient. Elle enfonça ses ongles dans sa peau pour attirer son attention.

— Alan, je vous jure sur ma tête que je n'ai rien fait de tel, répéta-t-elle en lui prenant la main pour la poser sur son ventre. Vous le sentez bouger ? Oui... ?

Son regard fou s'apaisa au fur et à mesure qu'il percevait effectivement les mouvements vigoureux du bébé. Jane amena alors la main d'Alan contre sa joue.

— Mon seigneur, je sais combien vous aimez cet enfant. Je vous en prie, essayez de comprendre que je l'aime aussi. De toute mon âme et de tout mon être.

— Bien, alors pourquoi es-tu rentrée chez toi ?

— Par défi ! J'ai entendu votre maîtresse dans votre chambre, hier soir, et j'étais hors de moi ! Qui m'a accusée d'avoir commis ce crime ?

— Alicia et ta sœur Kate. J'ai vu les herbes abortives de mes propres yeux.

— Comment ? Où sont-elles ?

— Suis-moi.

Pâle mais décidée, Jane marcha aux côtés d'Alan jusqu'au château. Dans l'escalier de la tour de maître, elle s'essouffla. L'enfant grossissait de jour en jour et elle devenait moins alerte.

Ses yeux tombèrent immédiatement sur l'herbe de Saint-Laurent. Elle se tourna vers Alan.

— Je vous jure que je n'ai jamais cueilli ces herbes.

— Le vin en contient. On en a fait infuser dedans.

— Kate m'apportait du vin, en effet... Seigneur ! Je n'en ai jamais bu, heureusement ! Alan, vous devez me croire !

Jory apparut sur le seuil de la porte restée ouverte.

— Que vous arrive-t-il à tous les deux ? Vous avez l'air bouleversés. Qu'est-ce qu'Alicia a bien pu manigancer pour vous nuire ?

— Elle a fait croire à votre frère que j'essayais d'avorter, expliqua Jane d'une voix blanche.

— Seigneur, elle ne recule donc devant rien pour obtenir ce qu'elle veut ? Alan... il y a une chose que j'aurais peut-être dû te dire depuis longtemps.

Marjory emmena Jane vers un fauteuil.

— Asseyez-vous, vous ne tenez plus sur vos jambes.

Jory entraîna ensuite son frère dans la chambre contiguë.

— Quand j'étais à Wigton avec Alicia, je l'ai surprise un jour en pleine hémorragie due à une fausse couche volontaire. J'ai eu une peur bleue mais elle m'a assuré qu'elle ne risquait rien, que ce n'était pas la première fois. Elle m'a suppliée de garder le secret, et moi, comme une idiote, je lui ai donné ma parole.

— Seigneur Dieu ! Mais pourquoi ne m'as-tu rien dit ?

— Parce qu'à l'époque, Alicia me faisait pitié et je craignais ta colère si tu apprenais la vérité. Toutefois ses calomnies concernant Jane viennent de chasser tous mes scrupules et me libèrent de ma parole.

Alan serra les dents.

— Existe-t-il une seule femme digne de confiance, en ce bas monde ?

Le regard meurtrier de son frère la fit frémir et Jory quitta la pièce.

Kate achevait les bagages d'Alicia quand Alan de Warenne fit irruption dans sa chambre.

— Laissez-nous, jeta-t-il d'un ton tellement tranchant que Kate laissa tomber la robe qu'elle s'apprêtait à plier et se retira sans demander son reste.

De Warenne affronta Alicia sans préambule.

— Quand nous étions ensemble, as-tu été enceinte ?

Alicia le regarda fixement, comprenant qu'elle était perdue. Quelle que soit sa réponse.

— As-tu été enceinte ?

Son regard haineux lui donna l'impression d'une gifle. Elle opta pour une demi-vérité.

— Oui, Alan, mais j'ai perdu le bébé. J'ai préféré te le cacher parce que je savais à quel point tu voulais un enfant.

— Alors, c'est vrai, c'est bien vrai...

— Que Marjory de Warenne soit damnée ! explosa-t-elle.

— Ma pauvre ! C'est toi qui vas brûler en enfer.

Il jeta un bref regard sur les malles qu'elle avait préparées pour l'accompagner à Édimbourg.

— Je te ferai escorter jusqu'à Édimbourg. Ou en Angleterre. N'importe où pourvu que tu disparaisses de ma vue.

Alicia regarda la porte qu'il venait de refermer derrière lui en se retenant pour ne pas hurler. Il ne s'imaginait tout de même pas qu'il allait se débarrasser d'elle aussi facilement ? Elle se vengerait ! Elle piétinerait cette arrogance qu'elle avait trouvée si attirante, il fut un temps ! Oui, il ramperait devant elle. Ce n'était pas à Édimbourg qu'elle allait se rendre, mais chez Fitz-Waren...

Marjory obligea Jane à s'allonger.

— Vous avez passé une matinée trop éprouvante, Jane, il faut vous reposer.

— Mais je ne suis pas malade.

— Non, mais vous devez vous ménager. Je vous

trouve bien pâle. Je vais rester auprès de vous, si vous voulez bien.

— Bien sûr, Jory. Je vais m'installer confortablement et peindre une amulette, c'est très... apaisant.

— Oh, vous voulez bien m'en faire une ? Robert a un talisman. Vous croyez vraiment en son pouvoir magique ?

— Il porte un cheval celte, symbole de la souveraineté. Je pense que les amulettes ont le pouvoir de nous protéger mais c'est en lui que Robert puise les fondations de son destin.

Jory scruta son visage.

— Vous connaissez son destin ? Non, ne me dites rien, se reprit-elle en posant un doigt sur les lèvres de Jane. Je préfère que les choses continuent telles qu'elles sont.

— La roue du destin tourne, Jory. Tout change. Voulez-vous que je peigne un couple divin réuni dans une union sacrée ? C'est un symbole prometteur d'une vie pleine et riche.

— Cela me semble parfait.

Les deux jeunes femmes s'absorbèrent dans leur tâche en évitant de parler d'Alan et de ce qui venait de se passer. Plusieurs heures s'étaient écoulées quand on frappa à la porte. Jory se leva pour ouvrir et se retira aussitôt pour laisser son frère et Jane parler en tête à tête.

— Vous ne vous sentez pas bien ? s'inquiéta-t-il en voyant Jane installée sur le divan, les jambes légèrement surélevées.

— Si... Jory a pensé que je devais me reposer. J'étais en train de lui peindre une amulette.

Alan arpenta brièvement la pièce, la tête baissée, avant de commencer à parler.

— Alice Bolton ne nuira plus à personne. Elle est partie.

Jane comprit qu'il ne lui donnerait pas d'autres détails.

— Merci de m'avoir crue, dit-elle, même si au fond elle savait qu'Alan n'avait fait que lui accorder le bénéfice du doute en choisissant entre elle et Alicia.

Alan de Warenne ne faisait confiance à aucune femme, se souvint-elle.

— J'ai agi trop durement, ce matin. Je suis un militaire, Jane. Un militaire responsable d'une armée, habitué à donner des ordres et à ce qu'ils soient respectés sans condition.

Qu'essayait-il de faire ? De s'expliquer ou de plaider sa cause ?

— Je suis habituée à une liberté totale, murmura-t-elle.

Un gouffre les séparait. Elle regarda le couple qu'elle peignait et songea qu'il représentait aussi leur propre union. Ils avaient chacun besoin d'indépendance et devraient trouver un compromis, apprendre à se faire confiance s'ils voulaient goûter ensemble au bonheur de la vie.

— Je préfère que vous restiez au château plutôt que chez vous.

Jane lui fut reconnaissante de ne pas avoir exprimé ce désir comme un ordre.

— Je resterai, mon seigneur. Et ne craignez rien pour le bébé. Jamais je ne lui nuirai.

Ils se sentaient mal à l'aise mais au moins ils ne se disputaient plus.

— Je pars à Édimbourg pour voir le gouverneur. Cette petite séparation nous laissera le temps de nous reprendre. Je n'ai jamais eu l'intention de te retenir prisonnière.

Ils avaient retrouvé un ton de politesse distante. À son retour, tout serait à recommencer.

— Que Dieu vous garde, seigneur de Warenne.

Quand Alan arriva avec ses chevaliers au château d'Édimbourg, il eut la surprise de trouver Robert Bruce en compagnie de son oncle. Son ami semblait fort préoccupé.

— J'ai assez de problèmes comme ça, Alan. J'espère que tu ne viens pas m'en annoncer d'autres ? déclara John.

— Le roi a libéré Comyn, grommela Bruce.

— Le temps que je fasse parvenir ton message au sujet de l'évasion d'Andrew Moray, il levait déjà une rébellion dans le nord. Édouard a libéré Comyn à condition qu'il étouffe cette révolte et rétablisse la paix.

— Moray est un parent de Comyn, nom d'un chien! jura Bruce.

— C'est précisément pourquoi Édouard l'a choisi, remarqua John.

— Ils marcheront main dans la main, c'est évident. Comyn vise le trône d'Écosse! dit Robert.

— Il n'est pas le seul, répliqua John en posant sur Robert un regard appuyé.

Alan se frotta le menton.

— Comyn a réussi à persuader Édouard qu'il était dangereux de laisser aux Bruce les mains libres en Écosse et qu'il valait mieux leur opposer un contre-pouvoir. Celui de Comyn, bien sûr. Le roi adore monter les nobles les uns contre les autres. Cela le laisse libre de voguer vers la Flandre.

— Allez au diable, tous les deux! s'emporta John. J'ignore ce que vous attendez de moi mais je ne désobéirai pas aux ordres du roi. Ce serait de la trahison!

— Tu devrais lui signifier par écrit ton désaccord avec sa décision de laisser à Comyn les mains libres dans le nord. Suggère-lui d'envoyer les comtes d'Atholl et de Fife à sa place.

— Ton idée n'est pas sotte, Alan, admit John. Je vais la suivre.

— Y a-t-il eu des révoltes ailleurs?

— L'un de vous deux a-t-il entendu parler d'un certain William Wallace?

Les deux hommes secouèrent la tête.

— J'ai reçu un rapport d'Henry Percy. Ce Wallace et sa bande de ruffians ont tué le régisseur de Percy sur la place du marché de Ayr. Percy a lancé un mandat d'amener contre lui mais il est introuvable. Et pour cause! ajouta John en brandissant un autre rapport. Pendant qu'ils le cherchaient, Wallace était en train d'attaquer une tour de guet à Larnak.

— Qui est ce Wallace? demanda Alan.

— Un moins que rien! Il n'a ni terres ni titre!

— Un homme qui n'a rien à perdre fait le pire des ennemis, remarqua Alan.

— Quand le roi a obtenu le serment d'allégeance de tous les nobles et que l'armée était en débandade, j'ai vraiment cru que la partie était gagnée, soupira John.

— Il ne faut jamais sous-estimer les Écossais, glissa Bruce avec légèreté.

Alan devina une menace certaine sous cette insouciance apparente.

— Les papiers et les pétitions s'amoncellent sur mon bureau. Pourrions-nous poursuivre cette discussion plus tard ? proposa John.

Alan regarda son oncle. Il semblait avoir vieilli de dix ans. Visiblement, le champ de bataille lui convenait mieux que les tâches administratives.

Une fois dans le couloir, Bruce prit son ami à l'épaule.

— Allons manger quelque chose, lui dit-il. Je te parlerai de William Wallace.

Alan haussa les sourcils.

— Je croyais que tu n'en avais jamais entendu parler.

— J'ai menti.

21

Robert finit sa bière et s'essuya la bouche.

— J'ai fait partir un convoi spécial, sachant qu'il serait attaqué avant d'arriver à Glasgow. Je n'ai pas été déçu. Wallace s'est emparé des chevaux de charge à Ayr.

— Et tu ne l'as pas tué ? Tu ne l'as pas arrêté ?

Alan ne se faisait aucune illusion sur son ami. Bruce ferait toujours passer son intérêt personnel avant celui de la couronne.

— Non, je l'ai écouté, je l'ai jugé et je l'ai évalué.

— Et qu'en as-tu conclu ?

— Wallace est formidable. C'est un jeune géant, unc force de la nature. Tu n'es déjà pas mal dans le genre, mais je crois qu'il te dépasse ! Il a un regard clair et perçant. Il émane de lui une certaine sauvagerie. On le sent prêt à verser le sang sans état d'âme. Il est armé d'une gigantesque claymore.

Bruce redemanda de la bière.

— D'un autre côté, je ne crois pas qu'il aura gain de cause. Le petit peuple écossais le rejoindra, les paysans, les hors-la-loi mais pas les nobles ni les chefs de clan. Aucun d'entre eux n'acceptera jamais de se soumettre à l'autorité de cet homme. Ils sont trop habitués à donner des ordres pour se plier à ceux d'un autre.

— Tu as parlé d'une alliance avec William Wallace !

Robert se mit à rire.

— Rien ne t'échappe, Alan. Je le reconnais, nous avons évoqué certaines... possibilités. Le problème c'est que Wallace veut restaurer Baliol sur le trône. Ce qui va contre mes intérêts. Je n'ai donc rien signé avec lui.

— Rien signé, peut-être, mais passé un marché, sûrement.

— Il m'a donné sa parole de ne plus attaquer aucun convoi des Bruce.

— Mais il s'en est pris au régisseur de Percy.

— C'est moi qui aurais dû être gouverneur de l'Ayr ! Je n'y peux rien si le roi a nommé Percy à ce poste et je me moque de ce que Wallace lui fait dès l'instant où il évite de s'en prendre aux miens et à moi.

— La rumeur court que tu as conclu un pacte avec certains nobles depuis longtemps et que tu attends le bon moment pour monter sur le trône.

— Cela concernait mon père et mon grand-père, Alan. Les comtes changent de bord plus souvent que de caleçons ! J'ai plus confiance en toi, mon ami, qu'en tous les comtes d'Écosse.

Le lendemain, Robert Bruce regagna l'Annandale mais Alan resta au château d'Édimbourg, à la demande de son oncle. Malgré tous les clercs et les scribes qui l'entouraient, le vieil homme semblait tenir à l'aide de son neveu. Avant toute chose, Alan voulut clarifier la situation.

— John, as-tu placé Fitz-Waren à Torthwald pour qu'il nous surveille, Bruce et moi ?

John eut l'air surpris.

— Mais non ! Pourquoi me soupçonnes-tu d'une chose pareille ? Je n'ai aucune envie que du sang coule entre vous !

En vérité, John avait concédé Torthwald à Fitz-Waren pour se débarrasser de lui. À Édimbourg, le jeune voyou n'avait fait que créer des problèmes et se remplir les poches.

— Dans la mesure où je t'accordais Dumfries, j'ai trouvé équitable qu'il ait Torthwald.

— Ce n'est rien, comparé à Dumfries, mais peu importe.

Alan voulait parler à John des atrocités commises à Torthwald mais Fitz justifierait aisément toutes les pendaisons en prétendant qu'il y avait des fauteurs de troubles au village. Et si Alan accusait Fitz-Waren de quoi que ce soit, John le défendrait, comme cela c'était déjà produit par le passé. Il lui posa toutefois une question :

— Pourquoi as-tu choisi l'un de ses officiers pour me délivrer un message ?

— Fitz m'a dit qu'il avait des lettres personnelles à faire parvenir à Dumfries.

— Je préférerais utiliser mes propres messagers, à l'avenir, insista Alan.

— Seigneur, encore cette vieille jalousie ? C'est normal que Fitz soit envieux puisque tu es l'héritier d'un comté mais, venant de toi, cela me déçoit. Je reconnais qu'il a des défauts mais essayez donc de mettre vos désaccords de côté, vous me serez plus utiles.

John sous-estime le problème, songea Alan. Fitz n'est pas seulement un faible et un jaloux : il est cruel et pervers. Diaboliquement dangereux. John est un peu dépassé par ses nouvelles responsabilités.

— J'ai encore je ne sais combien de messages à ouvrir, la plupart me signalant des troubles aux quatre coins de l'Écosse, c'est sûr.

— Je me rendrai sur place pour rétablir l'ordre,

John, proposa Alan. J'ai une bonne nouvelle à t'annoncer. Je vais être père.

— Félicitations, Alan ! J'en suis très heureux. Tu t'es marié ?

— Pas encore. Nous nous marierons peut-être à Noël.

Mais au fur et à mesure que Noël approchait, Alan de Warenne voyait ses espoirs de finir l'année à Dumfries s'éloigner. Des plaintes ne cessaient d'affluer de Scone concernant Ormsby, le nouvel administrateur. Il soutirait de l'argent à ses sujets écossais frappés d'impôts énormes et, de plus, les déclarait hors la loi s'ils ne payaient pas. N'ayant pas assez de chevaliers avec lui pour intervenir, Alan devait se contenter de constater les faits et d'en informer le gouverneur.

Pendant ce temps, William Wallace renforçait son pouvoir de jour en jour. À Larnak, le shérif Heselrig fut tué après avoir vaillamment résisté et le quartier général anglais fut détruit.

Alan envoya son capitaine Montgomery et ses hommes pour renforcer Dumfries. Il écrivit à Marjory, à Jane et à son régisseur afin de leur expliquer qu'il ne pourrait être de retour pour Noël mais qu'ils fêteraient la nouvelle année ensemble.

Il était partagé entre son désir de voir naître son enfant et la nécessité d'accomplir son devoir. Gouverner un pays occupé était une lourde tâche. Son oncle avait besoin d'aide. Il passa beaucoup de temps à écrire à Jane. Il déchira ses premières lettres où il ne cessait de lui donner des conseils ou des ordres et recommença plusieurs fois avant de lui dire finalement qu'il espérait qu'elle se portait bien et qu'elle ne s'aventurait plus dans la forêt de Selkirk, grouillant de bandits de tout poil.

Il chercha en vain le fameux Wallace. Néanmoins, il comptait de nombreux alliés en Écosse et nombre de portes s'ouvraient discrètement pour le cacher. Le peuple l'aimait et le soutenait. Alan finit par nourrir des soupçons envers l'Église écossaise. Qui finançait tous ces soulèvements ?

L'hiver arriva brutalement. La température chuta

d'un seul coup et la neige se mit à tomber. Simultanément, les révoltes s'apaisèrent mais Alan et John de Warenne savaient l'un comme l'autre qu'il s'agissait seulement d'une accalmie passagère.

John décida d'informer le roi des agissements de William Wallace mais passa ceux d'Ormsby sous silence.

— Édouard me répondra qu'il ne m'a pas nommé gouverneur d'Écosse pour que j'espionne ses officiers. Tout ce qui l'intéresse, c'est que la sécurité soit maintenue, quelles que soient les méthodes employées, confia-t-il un jour à Alan.

Profitant de la trêve due à l'hiver, ce dernier informa son oncle qu'il comptait fêter la nouvelle année à Dumfries. Il en profiterait pour amener suffisamment de soldats pour venir à bout de la résistance et restaurer la paix dans les Lowlands.

— Je demanderai à Bruce de nous aider. Je vais devoir me montrer persuasif. Donne-moi au moins deux semaines.

Ce fut le pire Noël qu'Alice Bolton eût jamais connu. Fitz-Waren et ses chevaliers prirent le prétexte des fêtes de fin d'année pour justifier une gigantesque beuverie et un déploiement de débauche. Ils commencèrent par faire entrer des béliers dans la grande salle et ils parièrent sur ceux qui les attraperaient et les chevaucheraient le plus longtemps. Ils se tournèrent ensuite vers les servantes du château et les filles du village de Torthwald, pour satisfaire leurs appétits sexuels, les violant sans scrupules.

Leurs sens ainsi excités, les plus pervers organisèrent une chasse aux brebis qu'ils s'amusaient à piquer, ou à mutiler à coups d'épée. Le sol de la grande salle du château ne fut plus bientôt qu'une épaisse mare de sang.

Alicia attendit que Fitz-Waren soit légèrement dégrisé pour l'attirer dans son lit où elle le garda durant trois jours entiers. Tout en faisant l'amour avec lui, elle ne cessait de distiller sa haine envers Alan de Warenne aux oreilles particulièrement réceptives de son amant.

— Fitz, ton père est gouverneur d'Écosse. Où est ta fierté ? Comment peux-tu accepter d'être relégué dans ce trou ? Un homme de ton envergure mérite autre chose. Imagine un peu la fortune que tu pourrais amasser, si tu administrais le pays ?

— Toute ma vie, j'ai essayé de briller devant mon père. Mais il n'a jamais eu d'yeux que pour ce salaud d'Alan !

— Ce n'est pas juste qu'Alan soit son seul héritier. Si tu parvenais à convaincre ton père qu'il complote contre la couronne avec Bruce... ?

Les mains de Fitz se refermèrent brutalement sur les fesses d'Alicia.

— C'est vrai ? Il complote avec Bruce ?

— Quelle importance, du moment que John le pense ?

— Ce vieux porc ne croira jamais ça de son cher Alan, surtout venant de moi. Mais... ajouta-t-il en plissant ses petits yeux de rat, le roi me croira, lui.

Alicia en rajouta. Elle était en bonne voie :

— Quelle brillante idée, Fitz ! Vraiment, tu mérites mieux ! Discrédite Alan, et ton père fera de toi son héritier !

— Pas tant que sa vermine de neveu sera en vie.

Un lent sourire se dessina sur les lèvres d'Alicia :

— Tu es tellement intelligent, Fitz... je suis sûre que tu pourrais arranger un tragique accident. Je me demande d'ailleurs comment tu as pu le laisser en vie aussi longtemps. Il te hait à un point tel qu'il n'hésiterait pas à te supprimer, lui.

Alicia semait des graines dans un sol particulièrement fertile. Fitz décida de se rendre à Édimbourg. Son oncle envoyant de fréquents rapports au roi, il n'aurait qu'à ajouter les siens. Il rappellerait par exemple à Édouard que, lorsque Alan lui avait laissé le commandement de ses troupes, ses archers gallois avaient menacé de se rallier aux Écossais...

— Fais tes bagages, Alicia. Nous quittons ce trou puant dès demain.

À Dumfries, Noël s'était passé calmement. À la grande joie des enfants, un manteau de neige poudrait de blanc les pentes des collines. Marjory, Elizabeth et Jane avaient été invitées chez Bruce pour festoyer ensemble mais Jane avait préféré éviter le voyage en attelage jusqu'à Lochmaben.

Une semaine plus tard, les femmes la rejoignirent près du feu, comme elles le faisaient de plus en plus souvent. Jane était très entourée ces temps-ci. Sa belle-sœur Judith et deux couturières avaient pris l'habitude de lui tenir compagnie, tout en cousant la layette du bébé. Jory et Elizabeth s'étaient mises à la tâche elles aussi, mais leurs tentatives maladroites provoquaient plus de rires que de brassières.

Ce soir-là, en se levant, Jane posa ses mains sur ses reins douloureux, en avançant jusqu'à la fenêtre, et là, elle s'immobilisa en étouffant un cri.

Jory bondit aussitôt sur ses pieds.

— C'est le moment ?

— Non, non... répondit Jane en désignant un point au-dehors.

Un groupe de cavaliers formait des taches sombres sur la neige, au loin.

— C'est Alan ! ajouta-t-elle.

— Comment le savez-vous, à cette distance ?

— Je le reconnais à sa façon de monter. Je le reconnaîtrais entre mille.

— Il était temps qu'il revienne, le bougre !

Jane sourit à Jory.

— Jory, ne me disiez-vous pas que les hommes aimaient retrouver un foyer paisible ? Qu'ils fuyaient comme la peste les rabat-joie et compagnie ?

— Vous faites donc attention à ce que je dis maintenant ? la taquina Jory.

— J'ai tout noté dans mon journal, annonça solennellement Elizabeth de Burgh.

Jane ne se pressa pas de descendre. Elle savait que les voyageurs passeraient d'abord par les écuries. Quand ils entrèrent enfin dans la grande salle en tapant des pieds pour se débarrasser de la neige, les femmes étaient toutes là.

— Bienvenue à la maison ! s'écrièrent-elles en chœur.
Le regard d'Alan alla de Jory à Jane.

— Je suis désolé de n'avoir pas été là pour fêter Noël avec vous, ni même le Nouvel An.

— Au moins, tu es là pour fêter les Rois !

Les femmes saluèrent cette remarque de Jory dans un éclat de rire.

— Je ne vois pas ce qu'il y a de drôle, bougonna Alan. Mais… c'est si bon d'être accueilli dans la gaieté !

Il prit les mains de Jane dans les siennes et la contempla de la tête aux pieds.

— Tu vas bien ?

— Oui, mon seigneur, très bien.

— Bonne et heureuse année, Jane ! J'ai apporté un berceau d'Édimbourg, sculpté de roses et de bleuets. Tu vas voir, il est superbe.

— Nous avons vu les chevaux de charge croulant sous les présents, glissa Jory. Nous sommes peut-être disposées à vous pardonner.

— Ils sont tous destinés à Jane… Désolé, sœurette, la taquina-t-il, sachant très bien qu'il ne pouvait abuser sa sœur une seconde.

En regardant la jeune femme qu'il s'apprêtait à épouser, son désir, son impatience de concrétiser leur union s'accrut. Leur enfant ne tarderait plus à naître, et cette certitude le comblait.

Une fois de plus, il se sentait partagé entre le devoir de passer la soirée avec ses hommes et son envie d'être auprès de Jane.

— Tu dînes avec nous dans la grande salle ?

Jane rougit en secouant la tête.

— Dans l'état où je suis, j'attirerais tous les regards. Je préfère rester confortablement dans ma chambre.

— Ton confort passe avant tout. Quand j'aurai parlé à mes hommes, pourrai-je monter te rejoindre ?

Pendant qu'Alan formulait courtoisement cette requête, il se retenait pour ne pas la serrer dans ses bras, elle et l'enfant qu'elle portait. Mais Jane était trop timide pour se prêter à de telles démonstrations en public.

— Venez quand vous voudrez, mon seigneur, murmura-t-elle en se retournant pour s'engager dans l'escalier.

Tout à coup, Alan oublia tous ceux qui les entouraient. Il souleva Jane dans ses bras et l'emmena jusqu'à leurs appartements. Là, il l'installa devant l'âtre, approcha un repose-pieds et plaça des coussins dans son dos. Quand il fut certain qu'elle était à son aise, il posa un baiser sur son front :

— Je reviens dès que possible, lui promit-il.

Alan de Warenne dîna sous le dais tout en expliquant à ses hommes que son oncle le gouverneur pouvait avoir besoin d'eux à tout instant. Ils devaient se tenir prêts à se rendre où il les réclamerait afin de réprimer des soulèvements éventuels. Ils devaient donc préparer aussi bien leurs chevaux que leurs armes, leurs armures et leurs convois de vivres.

Il les mit en garde contre la rigueur des hivers écossais, leur rappela la nécessité de prévoir des vêtements chauds et des litières adéquates. Il ne s'agissait pas de mourir de froid ni de faim dans ces contrées hostiles.

Ensuite, il leva sa chope de bière et ajouta :

— En attendant, nous célébrerons Noël et la nouvelle année avec un peu de retard, certes, mais une ferveur égale. Il paraît que, chez les Bruce, la fête a duré trois jours. Qui dit mieux ? Je propose une semaine de vacances. Quelqu'un est-il contre ?

Une ovation unanime lui répondit.

22

Quand Alan ouvrit la porte de la chambre, Jane posa de côté la petite brassière qu'elle brodait et voulut se lever mais il l'en empêcha :

— Je t'en prie, Jane, ne te dérange pas pour moi.

— Non, dit-elle en souriant. Mais bouger un peu soulagera mon dos.

— Dans ce cas, laisse-moi t'aider.

Il lui prit les bras et la tira vers lui.

— J'avoue que c'est plus facile quand vous êtes là, reconnut-elle. Merci.

Ils firent quelques pas en silence. Alan déplorait la distance qui les séparait de nouveau, cette politesse de bon aloi. Elle creusait un gouffre entre eux et il n'en voulait plus. Pourquoi ne pas lui dire tout simplement ce qui lui passait par la tête en cet instant. *Je veux te voir nue. Toucher mon enfant, le sentir bouger sous ma main. Dormir auprès de toi*… Jane étouffa un bâillement malgré elle.

— Tu tombes de fatigue. Laisse-moi te déshabiller.

Elle baissa les yeux en rougissant mais elle ne dit pas non. Il l'emmena vers le fauteuil, devant la cheminée, y prit place et l'attira sur ses genoux. Lentement, il défit les boutons qui fermaient la tunique et la lui ôta. Restait une fine chemise de lin qui soulignait ses formes. Il s'aperçut aussitôt que l'enfant était descendu depuis la dernière fois.

Elle se positionna de sorte qu'il puisse enlever la chemise et lui tourna le dos, par pudeur. Jane était nue. Il dénoua l'épais chignon qui maintenait ses cheveux sur sa nuque et les longues boucles rousses ruisselèrent sur ses mains comme des rubans de soie.

— Tourne-toi vers moi, Jane.

Lentement, elle lui fit face. Alan retint son souffle. C'était la première fois qu'il voyait une femme enceinte nue et cette vision le fascinait. La rondeur prononcée de son ventre, la plénitude de ses seins l'éblouirent. Sa peau tendue prenait des reflets de nacre. À la lumière des flammes, ses cheveux magnifiques l'auréolaient de feu. Tout en bas de son ventre, il devina le triangle sombre.

— Tu es si belle que j'en ai le souffle coupé, avoua-t-il.

Timidement, il lui effleura la joue, puis le cou, les épaules, le buste. Elle était chaude et ferme.

— Je veux dormir avec toi, cette nuit.

Elle se prêta à ses caresses, ondulant sous sa main comme un chat. Elle aimait qu'il la touche.

— Je ne dors pas très bien depuis quelque temps. J'ai du mal à trouver une position. Je m'allonge sur le côté et je cale le bébé avec un traversin.

— Laisse-moi être ce traversin.

Jane acquiesça en souriant. Alors, il la souleva dans ses bras et la couvrit de baisers en l'emmenant vers le lit. Il se débarrassa de ses vêtements avant de la rejoindre sous les couvertures.

— J'ai besoin de votre dos, murmura-t-elle.

Il se tourna obligeamment sur le côté. Jane se lova contre lui, enroula un bras autour de son torse et glissa une jambe entre les siennes. Elle se sentait si bien ainsi, leur bébé niché entre eux. Elle s'endormit presque aussitôt.

Avec son enfant qui bougeait contre ses reins et Jane qui respirait paisiblement, Alan sombra lui aussi dans le sommeil.

Un peu plus tard, il se réveilla en sursaut. Près de lui, Jane essayait de s'asseoir en étouffant des gémissements de douleur. Une obscurité totale régnait dans la chambre. Alan se glissa hors du lit et alluma le chandelier posé sur la table de nuit.

— Est-ce que le bébé arrive ? Reste calme, je vais chercher de l'aide, dit-il en s'élançant vers la porte.

— Non, Alan, s'il vous plaît, ne dérangez personne.

Il revint vers elle, rejetant nerveusement sa crinière blonde en arrière.

— Je pense que le travail commence, Jane.

— Oui, mais c'est le tout début. J'en ai encore pour des heures.

Alan semblait affolé.

— Tu ne veux pas que j'appelle la sage-femme ? Ou quelqu'un d'autre ? Dis-moi, Jane !

— Non, je n'ai besoin que de vous pour l'instant.

Il poussa un profond soupir. En cet instant, elle aurait pu lui demander n'importe quoi, il se sentait prêt à relever tous les défis.

— Que dois-je faire, Jane ?

— Rester près de moi, me parler, m'aider à passer le temps en attendant que le jour se lève.

Il prit la robe de chambre en lainage de la jeune

femme, l'en enveloppa et l'aida à se lever avant de ranimer le feu encore rougeoyant et de s'asseoir comme précédemment à la chaleur des flammes, Jane sur ses genoux. D'un geste tendre, il écarta une mèche de son visage.

— Tu as peur ?

Jane scruta les beaux yeux verts emplis d'inquiétude et préféra garder ses angoisses pour elle. Elle avait peur, certes, mais surtout pour le bébé. Autant qu'Alan reste vaillant pour la soutenir.

Un petit sourire se forma sur ses lèvres.

— Je ne crains plus rien quand vous me tenez ainsi contre vous.

Il attira la tête de Jane contre son épaule et glissa une main dans la toison rousse. Peu après, il la sentit se crisper sous l'effet de la douleur.

— Parlez-moi, murmura-t-elle, une fois la contraction passée.

Il lui dit la première chose qui lui vint à l'esprit :

— As-tu lu la lettre que je t'ai envoyée ?

— Je ne sais pas lire, avoua-t-elle, un peu gênée. Mais Jory a promis de m'apprendre. J'ai mis votre lettre sous mon oreiller.

Alan éclata de rire.

— Moi, j'avais neuf ans quand j'ai appris à lire, lui confia-t-il. Mes précepteurs ont cru devenir fous ! Je ne pensais qu'à monter à cheval, manier l'épée et apprendre l'art de la guerre. Lorsque John de Warenne m'a proposé de devenir son écuyer quand je saurais lire, j'ai appris très vite !

Il lui parla ainsi des heures durant, de lui comme des sujets les plus divers. Il lui décrivit par exemple ses impressions avant de se lancer dans une bataille. Chaque fois que Jane avait une contraction, il parlait de plus belle, pour lui cacher sa propre angoisse. Il lui massa le dos, les pieds et lui donna à boire régulièrement.

Ils discutèrent également du prénom de l'enfant. Si c'était une fille, Jane voulait l'appeler Jory et ils tombèrent d'accord sur Lincoln pour un garçon, le deuxième prénom du père d'Alan.

Au matin, les contractions se rapprochèrent de plus en plus. C'est avec soulagement qu'Alan vit arriver Taffy avec le plateau du petit déjeuner. Ce dernier évalua la situation au premier coup d'œil. Il courut aussitôt chercher Marjory. L'instant d'après, la sage-femme du château, Elizabeth de Burgh, Molly et Maggie qui avaient déjà mis des bébés au monde, Judith Leslie, bientôt suivie de Mary, envahissaient la chambre.

Jane souffrait de plus en plus et Alan s'affolait. Après chaque douleur, elle restait sans force, ses beaux cheveux mouillés de sueur.

— Vous n'avez rien pour la soulager ?

— Jane est toute fine et votre bébé énorme, répondit Molly d'un ton bougon. (Elle n'approuvait pas la présence d'un homme en ces circonstances.) C'est ça, l'enfantement !

Alan se tourna vers Judith.

— Vous ne pourriez pas lui donner quelque chose contre la douleur ?

— Seule Megotta sait quelles herbes utiliser, répondit-elle.

Jane se dirigea alors vers l'armoire. Elle décrocha la robe de chambre de velours noir et la pressa contre elle en fermant les yeux.

— C'est ma robe de chambre, dit-il bêtement.

— Elle me réconforte, murmura Jane.

Alan se sentait responsable de toute cette douleur. Ne sachant que faire, il s'agenouilla près du lit où elle venait de se recoucher et baisa ses lèvres exsangues.

— Alan, murmura Jane. Laissez-moi maintenant... s'il vous plaît... Je ne veux pas crier devant vous.

Il rassembla les deux mains de la jeune femme dans les siennes, les embrassa, puis sortit à grandes enjambées, se dirigeant tout droit vers la chaumière de Megotta.

— Qu'est-ce que vous voulez ? demanda-t-elle sèchement en ouvrant la porte où il tambourinait comme un forcené.

— Trouver un terrain d'entente pour communiquer avec vous.

— D'entente ? Entre nous ? Jamais !

— Nous avons beaucoup de choses en commun. Un orgueil étouffant, une grande tendresse pour Jane... Elle souffre, Megotta. Aidez-la.

— Elle va mettre au monde un Normand. Elle n'a que ce qu'elle mérite !

Cette vieille toupie était plus têtue qu'une mule. Mais à l'expression de son visage, Alan devina qu'elle s'inquiétait aussi. Il usa alors d'un argument perfide. Haussant les épaules avec désinvolture, il se retourna et feignit de partir.

— Tant pis. Il y a deux sages-femmes irlandaises auprès d'elle. Elle se passera de vous.

Comme il s'y attendait, Megotta sortit de ses gonds.

— Des Irlandaises ? s'étrangla-t-elle. Miséricorde ! Elles vont saccager le travail !

En un éclair, Megotta saisit sa trousse de médecine et bouscula Alan au passage pour courir vers le château en marmonnant des propos incompréhensibles.

À cause de la naissance imminente, le régisseur de Dumfries différa la fête prévue. Il envoya toutefois des valets et des pages cueillir du houx, du lierre et des feuillages pour décorer la grande salle. Prenant Alan en pitié, il se débrouilla pour lui trouver des occupations durant les heures cruciales et ils firent l'inventaire de leurs provisions, évaluant ce qui manquait et ce qu'il fallait remplacer.

Malgré tout, Alan n'oublia pas un instant ce qui se passait dans la tour de maître. Même lorsqu'il s'aperçut qu'il manquait des armes. Après une brève enquête qui ne donna rien, il se promit d'interroger ses hommes et retourna au château.

Une délicieuse odeur de viande rôtie flottait. Ne sachant où orienter ses pas, il se dirigea vers les cuisines où l'on s'activait mais il eut très vite l'impression d'étouffer. Il ressortit, courut aux écuries et sella son étalon avant de s'élancer à travers champs où il galopa à bride rabattue, cheveux au vent. Il alla jusqu'à l'embouchure du Nith pour respirer à pleins poumons l'air de la mer malgré le froid mordant et la piqûre des embruns. Le vent glacé le revigora et il chevaucha longtemps le long de la grève.

Quand il regagna Dumfries, l'après-midi était déjà bien avancé. Il dessella son cheval, le brossa longuement, lui cura les pieds, lui donna une double ration d'avoine puis rentra enfin au château. Il s'attendait à ce que l'on se précipite pour lui donner des nouvelles mais ceux qu'il croisa se contentèrent de le saluer.

Le cœur battant, il prit la direction de la tour de maître, redoutant le pire. Le courage lui manquait ! Il regarda ses mains et s'aperçut avec horreur qu'il sentait l'écurie. Il se précipita vers ses appartements dans l'intention de prendre un bain et de se changer, refusant de voir dans cette décision une part de lâcheté.

Quand il entra dans sa chambre, Thomas et Taffy l'attendaient. Alan retint son souffle.

— Où diable étiez-vous passé ? explosa Thomas.

— Voilà deux heures qu'on vous cherche partout, ajouta Taffy en vidant dans la baignoire deux nouveaux brocs d'eau chaude.

— Et l'enfant ? demanda Alan d'une voix blanche.

— Vous croyez que ces satanées bonnes femmes ont daigné nous dire quoi que soit ? vociféra Thomas. On croirait une nuée de sorcières occupées à accomplir leurs rites ! La naissance, c'est leur domaine et elles le font savoir, les chipies ! Faut les voir pincer les lèvres et nous regarder de haut !

Taffy remarqua le regard angoissé de son maître. Il eut pitié.

— Nous avons entendu un bébé crier, il y a une heure.

Alan jeta ses vêtements autour de lui et entra dans l'eau, heureux de savoir qu'au moins, l'enfant était né. Encore fallait-il qu'il aille bien, et la mère également. Il se hâta de se laver, se rhabilla en toute hâte et remplit ses poches de pièces d'or. Alors seulement, trépignant d'impatience, il descendit dans la chambre de Jane.

Une multitude de femmes se pressèrent dans l'entrée pour l'accueillir.

— Félicitations, mon seigneur ! Vous avez un fils. Il est superbe !

— Il y a des années que je n'en avais pas vu d'aussi gros !

Alan chercha sa sœur des yeux, comme s'il n'arrivait pas à croire ce qu'on lui disait et quêtait son approbation.

— Dépêche-toi, elle t'attend, énonça-t-elle simplement.

Comme dans un nuage, Alan s'engagea dans le court passage voûté et entra dans la chambre. Jane était assise dans son lit, absolument resplendissante. Elle souriait et l'amour donnait à son regard une chaleur particulière. Alan ne s'attendait pas à la trouver aussi épanouie. Il s'approcha du lit.

— Quand je t'ai laissée, tu étais presque mourante, dit-il d'une voix rauque.

— J'avais besoin de crier. Cela m'a soulagée. Merci de m'avoir envoyé Megotta. Elle m'a donné une potion qui m'a bien soulagée.

Jane écarta un pan du châle qui enveloppait le bébé.

— C'est un garçon, mon seigneur.

Alan regarda le nouveau-né et sembla stupéfait.

— Elles disaient qu'il était gros et il est minuscule !

— Mais robuste ! Je vous présente Lincoln de Warenne, troisième du nom !

Il observa son enfant de plus près et un sourire se dessina peu à peu sur ses lèvres. Il crut déceler un reflet émeraude dans les yeux du bébé. Un fin duvet doré recouvrait le petit crâne.

— Merci de m'avoir laissé ces quelques heures d'intimité avec lui. J'ai pu en profiter pour moi toute seule. Je me sens très possessive mais maintenant que vous êtes là, je... je veux bien que vous le preniez. Allez-y, prenez-le, insista-t-elle en lui tendant son fils.

Alan le prit avec d'infinies précautions, craignant d'être trop brusque, de ne pas savoir. Mais quand son fils fut bien calé au creux de son bras, l'instinct paternel l'emporta sur tout le reste et il se dit que tant qu'il serait là, rien de fâcheux ne lui arriverait jamais.

— Vous devez être impatient de le montrer. Emmenez-le dans la grande salle pour que vos hommes le voient, suggéra Jane, débordant de fierté d'avoir donné naissance à une telle perfection.

Pourtant, Alan ne suivit pas son conseil. Il venait de comprendre le bonheur qu'elle avait éprouvé à profiter de son bébé pour elle seule. Cette première nuit, il la consacrerait à Jane, à son fils et à lui. Rien que tous les trois. À l'abri du monde.

Il redonna le bébé à sa mère.

— Demain, il fera jour, dit-il avant de se diriger vers l'antichambre où il remercia les femmes en leur octroyant une pièce d'or à chacune. Merci de vous retirer, maintenant. J'annoncerai moi-même la nouvelle à mes hommes.

De retour auprès de Jane, Alan s'agenouilla au bord du lit et lui prit les mains.

— Jane, je voudrais te remercier de tout mon cœur de m'avoir donné un fils.

Un sourire heureux joua sur les lèvres de Jane.

— Non, c'est moi qui vous en remercie. Je n'y serais pas arrivée sans vous !

Alan se souvint soudain du caractère particulier de leur union et de la conception de l'enfant. Il vouerait à Jane une reconnaissance éternelle.

— Tu n'imagines pas à quel point je te suis redevable. Demande-moi ce que tu veux et tu l'auras.

Il y avait une seule chose que Jane voulait : son amour. Et tout à coup, elle songea que ce n'était peut-être pas une requête impossible. Un lien particulier s'était créé entre eux. Surtout depuis qu'il l'avait soutenue, réconfortée pendant les longues heures de travail. Il s'était montré tendre et cette tendresse venait peut-être du cœur ? Il l'épouserait par gratitude, certes. Mais elle voulait plus. Et à en juger par son bonheur d'être père, elle devina qu'il voudrait d'autres enfants...

— Il y a une chose que j'aimerais, murmura-t-elle.

— Tes désirs sont des ordres.

— Je sais que vous n'allez pas tarder à revenir sur la question du mariage... Vous voulez bien me laisser fixer la date ?

Il la regarda avec surprise. Effectivement, c'était bien son intention. Il avait même prévu de faire venir le prêtre dès le lendemain, pour essayer de la convaincre. Mais Jane était subtile. Elle avait précédé ses désirs et prenait les rênes !

À ce moment-là, son fils se mit à crier. Alan regarda Jane avec inquiétude. Elle parla doucement à son enfant tout en dégageant un sein. L'instant d'après, son fils buvait le lait avec voracité, ses petits poings serrés autour du mamelon.

Alan était au comble de l'émotion.

— Ta date sera la mienne, lui dit-il.

23

La naissance de l'héritier d'Alan de Warenne fut fêtée non seulement au château mais au village de Dumfries. La nouvelle se répandit comme une traînée de poudre dans les petites rues, jusqu'au monastère franciscain, bâti sur la rive nord du Nirth. Les cloches sonnèrent sans interruption pendant vingt-quatre heures.

Un messager fut envoyé chez le Bruce, à Lochmaben, pour lui demander s'il voulait bien être le parrain de Lincoln de Warenne, troisième du nom. La nuit n'était pas encore tombée que Robert, Nigel, Alexander et Thomas chevauchaient vers Dumfries, chargés de présents.

Jane s'était levée. Elle se sentait en pleine forme mais les femmes refusèrent de la laisser porter le bébé, prétextant qu'elle était encore trop faible. Jane avait du mal à s'en séparer ne serait-ce que quelques instants. Elle le leur abandonna à regret. Entre Jory et Elizabeth, Molly et Maggie qui s'occupaient jalousement du nouveau-né, Alan avait beaucoup de mal à voir son fils, à le tenir dans ses bras. Il alla trouver Jock Leslie pour lui demander de lui recommander une nourrice compétente et susceptible d'aider Jane.

— Je préférerais une femme mûre et expérimentée, ajouta-t-il.

— Je vous envoie Grace Murray. Elle est responsable

des servantes du château qu'elle mène à la baguette. Vous en serez content, mon seigneur.

Jock hésita avant d'aborder un sujet délicat qui lui tenait à cœur. Le comte de Warenne avait toujours été juste et honnête envers lui. Il s'éclaircit la voix :

— Je suppose que vous voulez que votre fils ait des frères et des sœurs, mon seigneur ?

Alan sourit.

— C'est sûr que je ne compte pas m'arrêter en si bon chemin, maintenant que j'ai commencé.

— Vous aviez parlé d'épouser Jane...

Alan planta son regard dans celui de son régisseur.

— J'essaie d'épouser Jane depuis le jour où je suis revenu, il y a trois mois, et que son ventre était déjà bien rond. Sur mon honneur, monsieur, c'est Jane qui se fait prier. Pas moi.

— Comment ? s'exclama Jock, outré. Je saurai la raisonner, mon seigneur, croyez-moi. Vous pouvez vous arranger avec le prêtre.

— Non, Jock, je ne veux pas qu'il y ait de contrainte. Je lui ai donné ma parole de la laisser convenir elle-même d'une date.

Effaré, Jock regarda le comte comme s'il avait perdu l'esprit.

— Avec tout le respect que je vous dois, mon seigneur, je m'étonne que vous laissiez une femme agir à sa guise.

— Je n'ai pas le choix. Jane a déjà rejeté plusieurs fois ma proposition.

— Et vous ne l'avez pas battue ?

Alan imagina le géant frappant une délicate jeune femme comme Jane...

— Bien sûr que non, voyons.

— Voilà l'erreur ! Je vous garantis qu'avec les femmes, il n'y a pas trente-six manières de se faire obéir.

— Merci pour vos conseils, Jock, répondit Alan, comprenant qu'il était inutile de discuter avec lui.

Ce n'était pas la première fois qu'il constatait combien les hommes étaient frustes et ignorants en ce qui concernait les femmes. Ils s'imaginaient qu'en les battant ils s'assuraient leur obéissance mais, en réalité, la violence ne faisait que les inciter à l'infidélité ou à les pousser à leur faire boire de la ciguë pour se débarrasser d'eux !

Alan rencontra Grace Murray. Satisfait, il l'engagea dès le lendemain car les festivités commenceraient et Jane devait être secondée sans tarder. Il monta ensuite l'informer de sa décision, s'attendant à rencontrer une certaine résistance.

Pendant que Jane nourrissait son fils, Jory testait l'eau du bain du bébé et Elizabeth de Burgh décorait les bougies de rubans bleus et blancs. Alan s'apprêtait à les congédier sans autre forme de procès quand une autre idée lui vint.

— Mesdames, j'ai besoin de votre aide. Les Bruce viennent d'arriver au grand complet et il n'y a personne pour les accueillir, en bas. Vous voulez bien vous en occuper ?

S'il remarqua avec satisfaction qu'Elizabeth avait rougi et comprit qu'il avait choisi la bonne méthode pour se débarrasser d'elle, il ne vit pas la flamme qui s'alluma dans les yeux verts de Jory qui emboîta le pas de la jeune fille sans se faire prier.

Alan referma soigneusement la porte. Il ne se lassait pas de contempler le tableau ravissant que Jane offrait avec son bébé au sein.

— Tu es fatiguée ?

— Oh, non ! Je suis tellement heureuse, que mon bonheur efface tout le reste.

Cette réponse ne lui facilitait pas la tâche.

— J'ai engagé Grace Murray comme nourrice. C'est une femme compétente. Son aide te soulagera.

Le visage de Jane se ferma.

— Je n'ai besoin d'aucune aide. Je veux m'occuper de Lincoln toute seule !

Il prit une longue mèche de cheveux roux qu'il laissa glisser entre ses doigts.

— Tu n'en veux peut-être pas mais tu en as besoin. Le petit te tient éveillée jour et nuit. Combien de temps penses-tu tenir à ce rythme ? Jane, tu continueras de t'occuper de lui mais Grace pourrait au moins te relayer la nuit. Elle partagera cette chambre avec lui.

— Mais il boit aussi la nuit.

— Eh bien, nous lui trouverons une nourrice de complément.

— C'est hors de question ! Je le nourrirai jour et nuit !

Alan la considéra avec stupeur. Comment osait-elle le défier avec une telle autorité ? En même temps, il l'admirait pour son audace.

— Jane, comme tu y vas !

Ils s'affrontèrent du regard pendant un long moment mais, cette fois, Jane ne baissa pas les yeux.

— Mon seigneur, vous faites preuve d'une grande magnanimité en acceptant de transiger avec une femme. Je veux bien que Grace soit sa nourrice et qu'elle s'installe dans sa chambre mais, nuit et jour, je dis bien nuit et jour, je veux qu'on me l'amène quand il aura faim. Je refuse qu'un autre sein que le mien le nourrisse.

Après tout, elle avait accepté Grace. N'était-ce pas ce qu'il voulait ?

— Je m'incline, Jane, dit-il, une petite lueur amusée au fond des yeux. J'aime les femmes décidées, pour ne pas dire têtues. J'adore les défis. Avec toi je suis servi !

Elle passa le bout de sa langue sur ses lèvres pleines et Alan demeura fasciné. Une flambée de désir l'incendia.

— Vous pensiez avoir épousé une pauvre petite pucelle effarouchée ?

Les yeux d'Alan glissèrent de la bouche humide de Jane à son fils qui s'endormait, repu.

— Pucelle, je l'étais, mais effarouchée... sûrement pas !

Alan l'écoutait sans mot dire, effaré par la violence des appétits qu'elle éveillait en lui. Il en avait mal au ventre tellement il avait envie d'elle. C'était la première fois que cette femme suscitait une telle réaction en lui. *Sa* femme, se rappela-t-il. Mais il devait attendre encore plusieurs jours.

Il s'efforça de se calmer et, comme il n'y parvenait pas, il se détourna pour ne plus voir ses seins magnifiques, gorgés de lait.

— Je sais qu'il est tard, dit-il d'une voix altérée, mais vous sentez-vous la force de dîner en ma compagnie, avec les Bruce, et de leur montrer notre fils par la même occasion ?

Les fossettes de Jane se creusèrent.

— Je suis impatiente de montrer mon petit trésor à Robert.

Malgré ses efforts pour chasser de ses pensées toute image érotique, Alan constata que son sexe restait tendu, presque engorgé tant il y avait longtemps qu'il n'avait pas fait l'amour. Ce fut seulement quand Jane lui mit dans les bras le bébé endormi qu'il commença à se calmer. Enfin !

— Je dois laver mes seins et changer de robe. Je vous rejoins en bas.

Et voilà qu'en l'imaginant en train d'accomplir ces gestes, il s'embrasait à nouveau !

— Je t'attends. Nous descendrons ensemble.

Elle s'étonna qu'il veuille s'attarder en sa compagnie au lieu de se précipiter vers son ami pour lui présenter son fils. Agissait-il par simple politesse ou commençait-il à lui trouver quelque intérêt ? Dans ce cas, c'était à Jory qu'elle devait cette petite victoire. Ses conseils portaient leurs fruits. Ne lui avait-elle pas dit et répété que les hommes n'admiraient pas les femmes soumises ? Qu'ils préféraient celles qui avaient du caractère ? Du répondant ?

Jane sourit. Alan venait d'admettre implicitement qu'il aimait qu'elle le défie. Et si elle ne s'était pas trompée, elle avait noté une légère altération dans sa voix. À quoi était-elle due sinon au désir qu'elle lui inspirait ? *Les hommes veulent ce qu'ils ne peuvent avoir...* Enhardie par ce petit succès, Jane trouva que le moment était venu de se montrer sensuelle, quitte à frôler l'impudeur...

Sa robe s'ouvrait sur le devant pour lui permettre d'allaiter. Elle négligea délibérément de la refermer et commença à dénouer les cordons situés dans le dos. Bien entendu, elle n'y parvint pas et, comme elle s'y attendait, Alan vola à son secours après avoir couché le bébé dans son berceau. Debout derrière elle, il avait une vue plongeante dans son décolleté.

Un délicieux frisson la parcourut quand elle sentit ses

doigts contre sa peau, mais quand ses lèvres brûlantes prirent le relais, entre ses omoplates, Jane crut défaillir. Elle se laissa aller en arrière contre lui et sentit aussitôt son érection au creux de ses reins. Feignant de n'avoir rien remarqué, elle laissa choir sa robe à ses pieds, l'enjamba et se pressa vers la coiffeuse où elle versa de l'eau de rose dans une cuvette.

Comme aimanté, il la suivit et fit glisser la chemise de Jane jusqu'à sa taille. Il embrassa sa peau nue et elle frissonna de tout son être, renversant la tête en arrière pour le regarder.

Une flamme ardente dansait dans ses yeux verts. Il souleva une lourde mèche de cheveux, en caressa la joue de Jane et respira leur odeur.

— J'aimerais m'envelopper tout entier dans tes cheveux. Leur douceur me rend fou.

Lentement, Jane se tourna vers lui. Fasciné par le spectacle de ses seins, il semblait hypnotisé. Avec une lenteur étudiée, elle prit l'éponge et la lui tendit. Alan la trempa dans l'eau de rose puis, avec une grande douceur, il lava sa poitrine magnifique.

Une faible plainte s'échappa de la gorge de Jane. L'exquise torture qu'il lui infligeait aiguillonnait son désir. Un désir fulgurant. Quand il la sécha avec d'infinies précautions, les pointes de ses seins étaient dures et tendues. Elle lui tendit alors un petit pot.

— Qu'est-ce que c'est ?

— De la glycérine… Il faut en mettre une goutte sur chaque mamelon et le masser, murmura-t-elle, le regard embué.

— D'accord, je… oui. Laisse-moi faire.

Du bout des doigts, il enduisit la zone la plus sensible de ses seins et Jane se retint pour ne pas crier de plaisir. Elle sentit une moiteur révélatrice entre ses cuisses. Alan partageait son émoi. Son visage contracté, légèrement congestionné, ne trompait pas. Dans un instant, il allait la prendre dans ses bras et la couvrir de baisers.

Malgré son envie brûlante, Jane se souvint des conseils éclairés de Jory. *Refuse-toi à lui et il remuera ciel et terre pour te conquérir.* Mais… la tentation était trop forte. Elle lui concéderait un baiser, un seul. Juste pour attiser encore ses appétits.

Il s'empara de ses lèvres avec avidité et Jane comprit qu'Alan contrôlait la situation, pas elle. Le baiser se prolongea, s'intensifia et les emporta dans un tourbillon de volupté où ils s'abîmèrent totalement. Quand leurs lèvres se séparèrent, il était étourdi par l'intensité de ses sensations. Jamais il n'avait rien éprouvé de semblable. Et Jane non plus.

Éperdue, elle se sauva vers la garde-robe et prit des vêtements propres.

— Nous… nous devons nous dépêcher, mon seigneur. Il est impoli de faire attendre ses invités.

Son fils lové au creux de son bras droit et Jane à son bras gauche, Alan descendit peu après l'escalier sous les applaudissements retentissants des frères Bruce.

Deux bras puissants soulevèrent Jane de terre. Robert Bruce lui planta un baiser sur ses lèvres.

— Beau travail, Jane !

Il prit enfin l'enfant des bras d'Alan et écarta le châle qui l'enveloppait pour l'inspecter de la tête aux pieds.

— Alan de Warenne tout craché ! Est-ce que tu te rends compte qu'il est écossais, mon ami ?

Jusqu'à maintenant, Alan n'y avait pas pensé. Eh bien, puisque le mal était fait, autant le prendre de bonne grâce !

— Je lui ai apporté un superbe berceau de famille à condition que tu lui donnes mon nom en deuxième prénom, continua Robert, implacable.

Alan reprit son fils.

— Il a déjà un berceau que je lui ai moi-même apporté d'Édimbourg et il s'appelle Lincoln de Warenne.

Jane se glissa entre les deux hommes.

— Il utilisera les deux berceaux, un dans la chambre et l'autre ici, dans la grande salle. Et je trouve que Lincoln Robert de Warenne est le plus beau des noms !

Robert envoya une claque dans le dos de son ami.

— Je vois que c'est la petite qui fait la loi.

— Tu ferais bien de réagir. Elle est partie pour te

faire marcher à la baguette. Il ne te manque plus que l'anneau dans le nez et la chaîne ! renchérirent Nigel approuvé par Alex Bruce.

— Si on passait à table et qu'on arrosait ça ? proposa Thomas. Qu'on nous apporte du whisky !

— Nous prendrons de l'hypocras, vous verrez, c'est très épicé.

— Vous n'aimez pas le pur malt, Jory ? s'étonna Thomas.

— Je me suis découvert un goût particulier pour certaines choses d'Écosse mais le whisky n'en fait pas partie.

Alan installa le bébé dans le berceau. Le dîner s'avéra des plus agréable. Malgré les éclats de rire et les verres qui ne cessaient de se lever pour célébrer encore et encore le nouveau-né, ce dernier dormait à poings fermés. Quand tout le monde fut repu, Taffy arriva les bras chargés de présents. Selon la tradition de la fête des Rois, Saint-Nicolas avait semé derrière lui des présents pour chaque convive.

La plupart des hommes se virent offrir des dagues ou des couteaux mais Robert resta en arrêt devant son cadeau : un morceau de ruban sur lequel étaient brodés... Seigneur ! Il s'empressa de le mettre dans sa poche en évitant soigneusement le regard de Jory, qu'il devinait rieur et fixé sur lui...

Tous se tournèrent vers Jane quand elle déballa son volumineux paquet. Marjory avait secrètement monopolisé toutes les couturières du château pendant des jours et des jours, afin de confectionner à Jane une somptueuse robe digne des courbes parfaites de son corps élancé. Une robe de velours fuchsia, aux manches larges, doublée de satin blanc. Le décolleté et l'ourlet étaient brodés de perles de culture et de cristal.

Subjuguée, Jane retint son souffle puis, contre toute attente, elle fondit en larmes.

— Oh, Jory ! C'est la plus belle robe que j'aie jamais vue ! Comment vous remercier ?

— En la portant dès demain et en prenant la place qui vous revient, en tant que châtelaine de Dumfries.

Les Bruce renchérirent, consolant Jane de son émotion et lui répétant qu'elle était la plus jolie maman d'Écosse.

— Merci à vous d'être venus pour cette célébration, dit chaleureusement Alan. Nous avions prévu de la donner pour les Rois, mais le petit était pressé d'arriver, ce qui nous a un peu retardés. La grande fête aura lieu demain soir.

Marjory lança à Robert un regard fripon.

— Nous devrions peut-être nous ménager et aller nous coucher, glissa-t-elle.

Se gardant bien de tourner les yeux vers elle, Robert adressa un clin d'œil à Jane.

— Je me sens prêt à aller au lit, lança-t-il.

Jane savait bien que ces deux-là s'envoyaient des messages silencieux au nez et à la barbe de l'assemblée. Son rire cristallin résonna en cascade. Alan fronça les sourcils. Pourquoi Jane trouvait-elle tout ce que disait Robert si amusant ?

Quand elle se leva pour prendre son fils dans le berceau et se diriger vers l'escalier, les hommes la suivirent des yeux. Tous envièrent Alan de Warenne, en cet instant

Ce dernier s'approcha de sa sœur.

— Jane était ravie de la robe. Elle ne s'y attendait pas. J'avais moi-même l'intention de lui offrir quelque chose dans ce style mais je n'ai acheté de cadeaux que pour le bébé.

— Cela ne m'étonne pas, tu n'es qu'un rustre ! J'ai fait faire une autre robe pour Jane, que j'ai cachée dans ton armoire. Elle n'a jamais rien porté de luxueux mais elle adore les belles choses. Elle ne possède rien de précieux, aucune fourrure, aucun bijou...

Alan imagina Jane nue dans un manteau d'hermine, sa chevelure de feu flottant autour d'elle. Une flambée de désir l'incendia.

— Tu es un compromis paradoxal entre l'ange et le démon, Jory.

Quand il entra dans la chambre de Jane, son fils se mit à pleurer.

— Seigneur Dieu, il va nous tenir éveillés toute la nuit ? pesta Alan.

Jane sourit.

— Je vais le nourrir puis vous le promènerez un peu en le berçant. La combinaison des deux fait des miracles.

Une heure plus tard, Alan arpentait la chambre. Au creux de son bras, son fils venait de s'endormir. Il remercia secrètement le Seigneur de lui avoir accordé un tel présent. Pour rien au monde il n'aurait voulu être ailleurs, en cet instant. Il continua de bercer son fils pendant un long moment, submergé par les émotions inconnues de l'amour paternel, puis Jane le prit délicatement et monta dans sa chambre en silence.

Au même moment, dans la tour opposée, Robert Bruce se glissait subrepticement dans une autre chambre dont il verrouilla soigneusement la porte de l'intérieur. Jory l'attendait.

— Il t'a fallu un certain temps pour reconnaître le symbole phallique de la tour d'Hadrien, sur le ruban.

Robert sourit.

— Cela me disait bien quelque chose mais…

Il éclata de rire.

— Tu ne crois tout de même pas que je vais le porter ?

— Bien sûr que non. Monsieur le comte, déshabillez-vous !

— À vos ordres, très chère !

24

Grace Murray se chargea du fils de Jane dès le premier jour de la célébration.

— Ne vous inquiétez pas, Madame, et amusez-vous. Je veillerai sur cet adorable bébé comme à la prunelle de mes yeux.

— Nous fêtons en même temps Noël, la Nouvelle Année et le baptême de Lincoln. Je veux qu'il passe le plus de temps possible avec nous. Il a un berceau, en bas, offert par Robert Bruce. Aujourd'hui, ce sont les gens du château et les soldats de De Warenne qui festoieront, mais demain les villageois de Dumfries nous rejoindront et tous voudront voir mon enfant. Autant qu'il soit en bas, avec nous.

— D'accord, mais je ne laisserai personne l'approcher de trop près. Ils voudront tous le prendre, ils vont nous le secouer et ce cher petit ange recrachera son lait. Et puis il n'est pas question qu'ils posent leurs mains sales sur lui !

— Mon Dieu, je n'avais pas pensé à ça !

— Je monterai la garde près de son berceau, soyez tranquille !

Jane se réjouit soudain que Grace Murray ait tout l'air d'un dragon. Sur ce, Marjory et Elizabeth firent irruption dans la pièce, tout excitées.

— Jane ! Vous n'êtes pas prête ? s'exclama Jory.

— J'ai pris mon bain. Je m'apprêtais à passer cette robe sublime que vous m'avez offerte hier.

— Ce n'était pas moi, c'était Saint-Nicolas ! D'ailleurs, je crois qu'il a d'autres surprises en réserve pour Lady Jane.

— Jory, vous êtes si bonne !

— Bonne et de bon conseil ! Jane, durant les festivités qui vont suivre, le château sera plein d'hommes décidés à s'amuser. Vous êtes jeune et belle, alors je vous conseille de danser, de rire et de profiter de ces instants au maximum.

Elle se tourna vers Elizabeth de Burgh et ajouta :

— Notre Elizabeth devra en faire autant. L'Irlande lui manque et son père aussi. Elle pensait le revoir à Noël mais le comte d'Ulster est parti envahir la France avec le roi Édouard.

— Avec de Burgh à ses côtés, le roi ne peut pas perdre, intervint Alan qui descendait de sa chambre par l'escalier intérieur.

Son regard s'arrêta sur Jane, seulement vêtue d'une fine chemise de lin.

— Je venais aider Jane à s'habiller. Si vous voulez bien nous laisser, mesdames...

— Tu rêves, mon frère! Jane n'a pas le temps de se consacrer à la bagatelle ce matin. D'ailleurs, elle sera très prise, pendant les festivités. Retiens tes ardeurs et reviens dans une semaine.

Elizabeth de Burg rougit violemment.

— Quelle honte de corrompre ainsi de chastes oreilles! riposta Alan. Je me demande si tu as une bonne influence sur ces toutes jeunes femmes.

— Je trouve que tu devrais me remercier, en ce qui concerne Jane!

Nigel Bruce choisit cet instant pour faire son apparition dans la chambre.

— Où se cachent les plus belles? Ah, les voilà! Vous me devez chacune un baiser pour vous punir de nous faire attendre!

Elizabeth insista pour être la première, suivie de Jory, toute langoureuse. Nigel se tournait vers Jane quand Alan intervint froidement.

— Je ne crois pas que Jane ait envie de jouer à ce jeu.

Nigel lança à son ami un regard ironique et Jane glissa malicieusement:

— Alan est trop vieux pour se rappeler ces plaisirs-là!

Quand elles descendirent enfin, la grande salle du château était bondée. Jamais Dumfries n'avait connu pareille affluence. Les tables repoussées contre les murs disparaissaient sous les plats de nourriture. Les invités en liesse se pressaient au centre de l'immense salle.

Sous le dais, Grace Murray montait farouchement la garde près du berceau où le fils du seigneur était couché. Taffy et Thomas l'assistaient. Alan avait lui-même rangé en file les invités qui venaient voir son enfant.

Pour cette célébration se mêlaient les coutumes anglaises, écossaises et irlandaises. Une immense bûche de Noël en pin de plusieurs mètres avait été apportée par une centaine d'hommes des plus musclés. Partout, des jarres d'hypocras et de whisky, des barils de bière et d'hydromel. Des guirlandes de lierre et de houx décoraient les fenêtres. Des bouquets de gui pendaient à chaque encadrement de porte, à toutes les voûtes d'entrée.

Les cornemuses écossaises, les harpes irlandaises, les tambours, les flûtes anglaises, les timbales et les cloches se répondaient d'un peu partout sans parvenir à couvrir la rumeur ponctuée de cris et de rires de la foule en joie.

À onze heures, les adultes s'effacèrent pour laisser entrer tous les enfants de Dumfries. Leur excitation s'avéra très vite contagieuse. Jane, Marjory et la jeune Elizabeth jouèrent avec eux, dansèrent et chantèrent. Jane se posta ensuite près de son père pour l'aider à distribuer les cadeaux. Chaque enfant reçut un jouet et un vêtement ainsi que des friandises à profusion. Des montagnes de pommes et de noisettes supportaient des plateaux de caramels, de bonbons à la mélasse et d'animaux en pâte d'amande.

En regardant Jane courir avec les enfants, Alan fut ébloui par sa jeunesse, son éclat. Puis en la voyant auprès de son père pour la répartition des présents, il comprit qu'elle y était pour beaucoup dans l'organisation de ces réjouissances et une bouffée de fierté l'envahit. Tout Dumfries s'était démené pour préparer cette fête, pendant son absence.

Après le déjeuner, on disposa sur les tables les cadeaux destinés au personnel du château. À nouveau, aidée de ses frères, Jane procéda à la distribution. Elle offrit à chacune des femmes Leslie un élégant manteau et des pourpoints à ses frères. Seule Megotta eut droit à un cadeau particulier : un coffret de médecine en bois ciselé.

À la fin, Jane capta le regard d'Alan et l'invita à la rejoindre. Elle réclama le silence en levant les mains puis, les larmes aux yeux, elle déclama :

— Toutes ces largesses n'ont été possibles que grâce à l'immense générosité du comte de Warenne.

Se haussant sur la pointe des pieds, elle l'embrassa sur la joue, ovationnée par la foule.

Alan la contempla avec tendresse. C'était elle qui avait été généreuse : elle avait dépensé tout l'argent qu'il avait laissé pour ses besoins personnels pour régaler tout le monde.

De Warenne passa la plus grande partie de l'après-midi avec ses hommes d'armes et ses archers gallois, leur souhaitant à tous, personnellement, une bonne et heureuse année. Il savait qu'ils étaient loin de chez eux et tenait à leur exprimer sa reconnaissance.

Pendant ce temps, dans la grande salle, ses chevaliers, les Bruce et les dames jouaient dans l'allégresse et la plus grande confusion. En pleine partie de colin-maillard, Jane, un foulard sur les yeux, avançait à tâtons au sein d'une nuée masculine. Alan se mêla à eux et la souleva de terre. Elle sut immédiatement que c'était lui. Elle reconnut sa force, son odeur et sa chaleur. Toutefois, elle ne résista pas à la tentation de le taquiner :

— Robert ! s'écria-t-elle en riant. Vous avez eu assez de baisers comme ça !

Alan la reposa aussitôt et lui ôta le foulard. Elle le sentit se raidir et comprit qu'il ne s'amusait plus.

— Robert t'a embrassée ? demanda-t-il froidement.

Jane eut pitié de lui.

— Alan, je plaisantais... Je savais que c'était vous ! Il n'empêche que Robert est un démon avec les femmes. Il a même entraîné Megotta sous le gui !

Alan lui prit la main et l'emmena sous le dais où ils s'assirent.

— Tu dois te reposer, décréta-t-il. Tu es tout essoufflée.

— Alors seulement quelques minutes, concéda-t-elle d'une voix mielleuse. Vos soldats irlandais préparent une représentation de tours de magie et ils comptent me révéler certains de leurs secrets.

Dans sa robe de velours fuchsia, avec sa chevelure de feu, Jane était resplendissante. Plus Alan la contemplait, plus il la désirait. Le mystère qui émanait d'elle, son éclat et sa grâce le subjuguaient. Mais surtout sa joie, sa bonne humeur, son bonheur d'être là et de ne pas perdre une miette des plaisirs de la fête.

Après le dîner, Alan dut se contenter de l'admirer de loin car, danse après danse, les hommes l'accaparaient, ne serait-ce que pour le plaisir d'un sourire, d'un regard, pour entrevoir ses adorables fossettes. Il comprit pourquoi elle attisait ses sens comme aucune autre ne l'avait jamais fait.

À cause de son innocence. De sa candeur. De sa simplicité.

Jane n'avait jamais porté ni bijou ni parure. Sa peau n'avait jamais connu l'ombre d'un fard et elle ignorait tout des jeux de la séduction. Elle était une mère, certes, mais pas une femme pour autant! Sa sexualité ne lui avait pas encore été révélée. Il s'était contenté de lui faire un enfant sans lui faire vraiment l'amour. Elle ne connaissait toujours pas le plaisir.

Or, Jane était prête pour être initiée et les hommes le sentaient. Sans le savoir, elle était infiniment désirable, attirante, fascinante. Quelque chose d'exotique rendait son charme très rare. Elle avait autant d'allure, de classe innée que Jory de Warenne. Elle était aussi provocante mais son naturel la rendait irrésistible.

À force de l'admirer, Alan s'était mis à la désirer si fort qu'il ne pouvait même plus danser! Il dut attendre, assis, que l'on procède aux nouvelles distributions de cadeaux.

Ses chevaliers s'étaient mis en quatre pour gâter son fils qui reçut des hochets en argent, des timbales gravées à ses initiales, des médaillons en or portant les armes de De Warenne. Les archers gallois, particulièrement habiles de leurs mains, avaient eux-mêmes sculpté des jouets, et même un cheval à bascule, un château fort avec toute une armée de soldats, des animaux en peau rembourrés de laine. Jane découvrit tous ces présents avec un bonheur sans retenue.

Alan garda le sien pour la fin. Il tenait à voir son visage s'illuminer de joie quand elle découvrirait la robe qu'il lui destinait. Elle défit le paquet en tremblant d'émotion car elle avait compris que ce cadeau-là était pour elle : une robe en taffetas d'un vert chatoyant, moiré de bleu, d'une couleur changeante au gré de la lumière. Le col montant sur la nuque descendait en une échancrure plongeante sur la poitrine, révélant un bustier incrusté d'émeraudes et de turquoises.

Alan jeta à Jory un bref regard de gratitude avant de le reporter sur Jane. Elle semblait transfigurée. Sans lâcher la robe, elle se mit à genoux devant lui.

— Mon seigneur... vous l'avez vraiment choisie pour moi ?

Alan perçut les larmes qui tremblaient au bord de ses cils et il regretta amèrement de ne pas l'avoir choisie lui-même. Il lui prit la main et la releva pour lui donner un baiser.

— Jane, ne t'agenouille pas devant moi. Tu as fait de moi un homme comblé.

Dès le lendemain, il remuerait ciel et terre pour trouver à Dumfries un cadeau digne d'elle.

Une longue procession suivit Grace Murray qui portait le bébé vers la tour de maître. Les domestiques chargés de cadeaux la suivaient. Venaient ensuite Jane, et Alan de plus en plus impatient d'être seul avec elle.

Elle rangea soigneusement la robe de taffetas puis il l'aida à se déshabiller, s'attardant à caresser sa peau si douce. Il se souvint alors qu'il avait omis un léger détail : elle devait encore nourrir le bébé. Il s'assit sur le lit et la contempla pendant tout le temps de la tétée.

Une fois cette tâche achevée, elle dut encore changer Lincoln avant de le déposer auprès de son père et de s'installer elle aussi dans le grand lit.

En regardant Jane embrasser son fils, le cajoler, Alan comprit qu'il avait attendu en vain. Jane avait consacré les forces qui lui restaient au bébé. Elle était épuisée.

— Repose-toi, Jane, dit-il en posant un baiser sur son front. Demain, la fête recommence.

Les réjouissances se prolongèrent pendant trois jours à l'issue desquels le bébé fut baptisé dans la petite chapelle du château. Alan tenait son fils dans ses bras, Jane à ses côtés. Robert Bruce et Jory, le parrain et la marraine, les entouraient.

Après la cérémonie, Robert emmena son filleul dans la grande salle du château, fier comme un paon.

Alan surprit sa sœur à essuyer furtivement une larme. Il enroula un bras protecteur autour d'elle.

— Merci, Jory, murmura-t-il. Je sais combien tout cela a été difficile pour toi.

Elle chassa une nouvelle larme.

— Pourquoi difficile ?

— Parce que je sais que tu donnerais n'importe quoi pour avoir un enfant de lui.

Jory ferma brièvement les yeux.

— Nous avons pourtant été si discrets. Comment le sais-tu ?

— Peu de choses venant du Bruce m'échappent, petite sœur.

Il la pressa contre lui et leva son visage vers le sien pour l'obliger à le regarder.

— Il ne t'épousera pas, Jory. Sa seule ambition est d'être roi d'Écosse. Elle prédomine sur tout le reste et le peuple n'acceptera jamais une reine anglaise.

— Je sais tout cela, Alan. Je vis cet amour au jour le jour, sachant qu'il n'a pas d'avenir.

Ce soir-là, un ménestrel gallois raconta un conte épique de Beowulf, dans la grande salle, après le dîner. Alan observa Jane, captivée par l'histoire que l'homme égrenait au son de sa harpe. Le ménestrel regardait beaucoup la châtelaine et il n'était pas le seul. Taffy, son fidèle amoureux, deux de ses plus jeunes chevaliers ainsi que nombre de ses archers gallois n'avaient d'yeux que pour elle.

En dehors de son propre désir qui se précisait d'heure en heure, Alan éprouvait des émotions nouvelles telles que la jalousie, et chaque sourire, chaque éclat de rire d'où il était exclu enfonçait un peu plus le couteau dans la plaie.

Ce soir, il se sentait même d'humeur belliqueuse. Il ne supportait plus de voir tous ces hommes papillonner autour d'elle, la taquiner, lui voler des baisers innocents sous le gui. Il était temps de réagir. Il fallait que ces jeunes crétins sachent que Jane lui appartenait.

Elle marcha vers lui dans une robe de lainage rose qui laissait deviner chaque courbe de son corps. La chaîne en argent que lui avait donnée Jory soulignait ses hanches et le rubis de la boucle descendait sur son bas-ventre, attirant tous les regards masculins sur sa féminité. Satanée Jory! Elle lui avait montré trop de ruses. Soit. Il allait enfin lui révéler cette sensualité dont elle n'avait qu'une idée vague.

Elle lui tendit un petit paquet avec un sourire timide.

— J'ai longtemps hésité avant de vous le donner, parce que nos croyances sont différentes, mais je vous l'offre du fond du cœur. Bien sûr, comparé aux vôtres, ce présent vous paraîtra insignifiant mais...

— Jane, tu m'as donné un fils... C'est moi qui te suis redevable.

Il sortit alors un énorme paquet de sous son fauteuil et elle rosit de plaisir. Ils échangèrent leurs présents. Jane lui avait offert une amulette en pierre gravée et peinte par ses soins, représentant un lynx bondissant sur sa proie.

— Merci, Jane. Je me sens très honoré.

Il l'observa attentivement tandis qu'elle déballait son cadeau. Ce soir, il serait comblé à tout point de vue.

Elle resta en arrêt devant une superbe houppelande de velours vert émeraude, doublée de renard argenté.

— Oh, Alan, c'est... c'est somptueux! Aidez-moi à la passer.

— Non! dit-il en l'attirant contre lui. Quand tu essaieras ta première fourrure, lui souffla-t-il au creux de l'oreille, je veux que tu sois nue et que tu éprouves sa douceur sensuelle contre ta peau.

Une lueur de surprise s'alluma dans le regard de Jane et deux petites fossettes creusèrent ses joues.

— Si telle est votre volonté... Obtenez-vous souvent ce que vous désirez, mon seigneur?

— Toujours.

Les implications contenues dans sa voix mâle la firent frissonner de tout son être.

25

Alan de Warenne demanda à Grace Murray d'emmener son fils dans la chambre. Comme il s'y attendait, Jane les suivit peu après.

Il prit congé de ses hôtes sans regret et monta chez elle récupérer sa robe de chambre de velours noir sans même qu'elle s'en aperçoive. Chez lui, il prit un bain et s'attarda à sa toilette pour laisser à Jane tout le temps de nourrir le bébé et de le coucher. Il descendit ensuite par l'escalier intérieur et l'admira en silence tandis qu'elle câlinait Lincoln en lui murmurant des mots tendres. Quand la voix d'Alan s'éleva, Jane sursauta.

— Ce tout petit t'accapare. Son père aimerait bien que tu lui consacres quelques attentions. Grace restera avec lui, cette nuit, pendant que tu occuperas la place qui te revient auprès de moi.

Sur ce, Alan remonta dans sa chambre, laissant Jane interdite. Elle avait eu raison de suivre les conseils avisés de Jory. Ses efforts portaient enfin ses fruits ! Ces derniers jours, il n'avait cessé de la regarder flirter ouvertement avec les autres hommes. Enfin, il semblait voir la femme en elle, et non plus seulement la mère.

Elle confia le bébé à Grace mais hésita au moment de s'engager dans l'escalier. La nourrice l'encouragea d'un geste.

Le cœur battant la chamade, Jane monta les premières marches, se ravisa, revint dans la chambre prendre la cape de fourrure et repartit.

Une fois chez Alan, elle verrouilla la porte et se tourna vers lui. L'air lui manqua quand elle découvrit qu'il portait la robe de chambre noire. Lui-même sourit en constatant qu'elle avait apporté la cape de fourrure.

— Viens, dit-il. Il est temps que nous fassions connaissance d'une façon un peu plus... intime, tous les deux.

Sa voix lui sembla aussi douce que le velours noir

qu'elle adorait. Depuis combien de temps attendait-elle cet instant ? Une vie entière ? Une éternité ?

— As-tu apprécié la fête, Jane ?

— Oh, oui ! Ce fut un bonheur pour moi.

Il la débarrassa de la houppelande, lui prit les mains et les embrassa.

— Pour moi aussi, et c'est grâce à toi. Je tiens à t'exprimer ma gratitude. Cette nuit sera la tienne, Jane. La nuit de Lady Jane.

Son regard erra de ses lèvres à son décolleté puis au rubis plaqué sur son ventre.

— Sais-tu seulement à quel point tu es attirante ?

Jane n'en avait qu'une idée vague. Il l'amena face au miroir.

— Regarde ton visage. Tes yeux évoquent les pétales veloutés des pensées. Tes traits ont la douceur de ceux d'une fée. Tu m'as envoûté, Jane. Avec toi, j'irai jusqu'au paradis. Quand tu es heureuse, d'humeur à me taquiner, je retiens mon souffle en attendant de voir tes adorables fossettes se creuser dans tes joues. La forme de ta bouche est une pure merveille, murmura-t-il en laissant courir son pouce sur sa lèvre inférieure délicieusement bombée. Une merveille de beauté et de sensualité.

Les joues de Jane rosirent de plaisir. Elle s'était bien rendu compte qu'il l'observait mais jamais elle n'aurait cru qu'il la détaillait ainsi dans le moindre détail.

— Les cheveux sont l'un des attraits féminins auxquels les hommes sont le plus sensibles. Les tiens sont magnifiques. Ils t'auréolent d'une flamme mouvante qui épouse chacun de tes mouvements, les suivent de près en te caressant les seins, le dos, le creux des reins, en s'enroulant autour de ta taille. J'ai tellement envie d'y enfouir mes doigts, de les toucher, que j'en tremble. Je t'imagine allongée…

Il plongea ses doigts dans la masse soyeuse, les souleva des deux mains et les laissa retomber autour d'elle.

— Et cette robe… Elle moule la rondeur de tes seins si étroitement que j'ai passé toute la journée à essayer de refréner mon désir.

Il se glissa derrière elle et referma ses mains en coupe

autour de sa poitrine. Entre le pouce et l'index, il fit rouler les petites pointes roses de ses seins qui durcirent sous ses doigts, arrachant à Jane un gémissement de plaisir.

— Nous arrivons maintenant au cœur du problème. Ce rubis-là, au bas de ton ventre… J'ai cru devenir fou à force de l'imaginer pressé contre l'endroit le plus secret de ton corps. J'ai ôté en pensée l'étoffe de ta robe, me représentant le contact intime de ces deux joyaux, la pierre précieuse sur le centre du plaisir…

Ses mains descendirent le long de son buste pour finir sur ses hanches. Brusquement, il la plaqua contre lui, de sorte qu'elle n'ignore rien de la force de son désir.

— Voilà douze heures que j'attends de t'enlever cette tenue provocante. Qui disait que je n'étais pas un homme patient ?

Ses doigts défirent un à un les petits boutons qui fermaient le haut de la robe, dans le dos, et, chaque fois, ses lèvres se posaient sur l'espace minuscule de peau laissé à nu, diffusant à chaque baiser de longs frissons dans tout le corps de Jane. Elle adorait les sensations qu'il éveillait en elle et ne voulait pas qu'il s'arrête.

Alan n'en avait pas l'intention. Il venait à peine de commencer. Il lui ôta sa robe et la ceinture en argent. Jane demeura en arrêt devant son reflet dans le miroir. Sa chemise de batiste blanche contrastait contre la robe de chambre de velours noir et elle semblait toute fine contre son corps large, immense et puissant. Il remonta lentement la chemise, révélant d'abord ses longues jambes.

— La première fois où je t'ai vue nue, tu portais mon enfant. Cette nuit-là, je t'ai trouvée magnifique. As-tu la moindre idée de l'effet que ton corps va produire sur moi maintenant ?

Elle tourna légèrement la tête pour le regarder et il gémit d'excitation. La chemise alla rejoindre la robe et Jane se retrouva nue. Elle se dit que si jamais il la touchait, elle ne pourrait s'empêcher de crier, tant son désir de lui était intense, mais il n'en fit rien. Il se contenta de la contempler avec des yeux avides.

Elle retint son souffle quand il alla prendre la houppelande. L'instant d'après, la fourrure caressait sa peau nue, lui infligeant des tourments délicieux. De divines vibrations la parcoururent.

Il lui tendit la main.

— Viens, dit-il d'une voix sourde en lui tendant la main.

Étonnée, Jane se rendit compte qu'il l'emmenait dehors, sur le chemin de ronde, dans le froid de la nuit... Pourtant, elle le suivit. Elle était prête à le suivre au bout du monde, à faire tout ce qu'il voudrait.

Il la souleva pour l'asseoir sur le parapet du mur crénelé et glissa ses mains sous la fourrure pour caresser son corps.

— Tu crois peut-être que les baisers que tu as accordés sous le gui t'ont enseigné quelque chose de l'amour ? Tu te trompes. C'est moi qui vais t'initier à l'art d'embrasser...

Comme elle était assise en hauteur, sa bouche se trouvait au même niveau que celle d'Alan. Dès qu'elles se rejoignirent, une sorte de faim trop longtemps contenue s'empara d'eux, se déchaînant en un baiser torride. En même temps, il se mit à explorer les zones les plus secrètes de son corps, sous la fourrure. D'abord choquée par ces caresses intimes, elle sentit peu à peu une étrange chaleur monter en elle. Le genre de sensation à laquelle pour rien au monde on a envie de renoncer quand on y a goûté.

La tempête inouïe qu'il déchaînait en elle eut pour effet de la libérer de ses peurs et elle glissa elle aussi une main sous sa robe de chambre, découvrant sa peau brûlante. Sans hésiter, elle écarta les jambes pour que sa main s'y insinue et se cambra de plaisir sous la caresse de ses doigts experts. En même temps, elle écarta les deux pans de velours noir et posa ses lèvres sur son torse, y promenant sa langue jusqu'au petit mamelon qu'elle mordilla doucement.

Leur désir partagé les submergeait. Ils oublièrent la nuit, le froid, le reste du monde. Leurs doux frémissements se transformèrent peu à peu en de violents frissons.

— Je crois que tu as suffisamment goûté à la froideur de l'air. Tu veux bien que je t'emmène à l'intérieur pour te réchauffer ?

— J'ai déjà chaud, haleta-t-elle en s'accrochant à lui.

— Oui, c'est vrai, Dieu merci...

Il la souleva du mur, la serra contre son cœur et l'emmena dans la chambre où il la déposa sur le tapis, le temps de la débarrasser de la cape de fourrure, d'ôter sa robe de chambre et de la soulever de nouveau pour l'emmener devant le feu de cheminée. Après le vent glacé, la chaleur délicieuse de l'âtre agissait comme un baume magique.

— Tu te souviens de ce fauteuil ? demanda-t-il avant de s'y asseoir.

Jane n'hésita pas à s'installer sur lui, face à lui, ouvrant ses jambes de part et d'autre de son sexe tendu. Elle ne résista pas non plus à la tentation de le prendre dans sa main. Sa taille impressionnante l'effraya un peu mais le désir qui la taraudait effaça ses frayeurs.

Alan glissa ses mains sous elle, les referma sous ses fesses et la souleva légèrement pour la pénétrer doucement.

— Je ne veux pas te refaire un enfant maintenant, c'est trop tôt. Je veux seulement te donner du plaisir.

Plus de plaisir que ce qu'elle ressentait déjà ? Mais elle en mourrait !

Lentement, en la soulevant doucement, il lui imprima un mouvement de va-et-vient jusqu'à ce qu'elle prenne elle-même le relais. Ne la soutenant plus que de la main gauche, il glissa l'autre sur son bas-ventre et caressa la petite excroissance si sensible, entre ses jambes.

Elle en conçut un tel plaisir qu'elle se cambra en renversant la tête en arrière. Des cris lui échappèrent au fur et à mesure qu'elle allait et venait, et soudain, une sorte de cataclysme la secoua tout entière. L'extase la transporta tandis qu'elle se démenait de plus en plus vite le long de son sexe, pour le sentir le plus loin possible dans son ventre, haletante, éperdue.

Alan eut beaucoup de mal à retenir sa propre jouissance mais il ne laissa rien échapper de sa semence.

— Alan, Alan... murmura-t-elle, émerveillée par sa première expérience de l'orgasme.

Elle se glissa alors entre ses jambes et se mit à baiser ce qui venait de lui donner un plaisir aussi violent, à le lécher, à le savourer.

— Jane, ma douce, tu n'es pas obligée de faire ça.

— J'en ai envie, Alan...

Un grognement sourd lui répondit et il s'offrit à ses lèvres brûlantes.

Il la garda ensuite contre lui, nichée au creux de ses bras, jusqu'à ce que leur fièvre s'apaise. Mais comme elle ne semblait pas décidée à baisser, il voulut lui donner à son tour du plaisir avec sa langue. Cette fois, il l'emmena devant le miroir où, derrière elle, il l'enveloppa de son corps et l'embrassa au creux de l'oreille tout en prenant sa main dans la sienne pour la guider.

— Je veux t'apprendre à te caresser. Quand je serai loin de toi et que les nuits seront longues, il faut que tu saches comment te donner du plaisir.

La main de Jane toujours dans la sienne, il la porta à ses lèvres à elle puis le long de sa gorge, jusqu'à ses seins où il la fit effleurer les pointes d'un mouvement circulaire, jusqu'à ce qu'elles soient dures et tendues. Jane gémit. Tandis que de sa langue il léchait les contours de son oreille, il entraîna sa main vers son ventre et la sentit frémir quand elle atteignit la fine toison.

— Alan, je ne peux pas, chuchota-t-elle, choquée par ces gestes qu'il voulait lui apprendre.

— Chut... Laisse-toi faire.

Jane rit doucement.

— Je ne suis pas une très bonne élève, n'est-ce pas ?

— Tu es innocente, c'est tout, et sache que ta candeur m'apporte un plaisir que jamais aucune femme ne m'avait laissé entrevoir avant toi.

Résolument, il amena ses doigts plus bas et lui montra le petit point si sensible qui évoquait un bouton de rose attendant la plus infime stimulation pour éclore.

— Laisse-moi te le prouver, murmura-t-il en s'emparant de ses lèvres.

Elle sentit aussitôt le petit bouton se tendre sous ses doigts et, quand il frotta sa langue contre la sienne, son sexe la brûlait. Alan sépara ses doigts et en glissa un dans sa moiteur.

— Alors, ce n'est pas bon ?

— Oh, si ! Mais Alan, je veux davantage, j'ai envie de toi.

Il ôta sa main de là où elle se plaisait tant maintenant et lui baisa les paupières.

— Fais-moi confiance, je sais exactement comment te combler.

Il se mit à genoux devant elle, et, le souffle coupé, elle le vit dans le miroir l'embrasser entre les jambes. Sans honte aucune, elle le laissa lui faire l'amour de cette façon, étourdie par la fulgurance de ce nouveau plaisir. Oubliant vite toute retenue, elle enfouit les mains dans sa crinière blonde pour mieux le guider et, quand l'extase l'emporta, elle lui sembla différente de la première, mais aussi intense. Celle-ci se déclinait en vagues successives qui la laissèrent haletante et sans force.

Comme s'il devinait exactement tous ses besoins, il la souleva dans ses bras d'acier et la porta jusqu'au lit. Jamais elle ne s'était sentie si divinement bien et en sécurité que contre lui.

Il referma une main sur un sein et l'autre au creux de ses reins. Jane s'enivra de son odeur, du poids de son corps sur le sien, du goût de sa peau. Elle l'aimait de toute son âme et voulut le lui dire mais elle se souvint des conseils de Jory. *Ne dis jamais à un homme que tu l'aimes avant qu'il ne t'ait lui-même déclaré sa flamme éternelle !* Alors Jane se contenta de le serrer contre elle sans mot dire, puis d'onduler savamment pour sentir son désir brûlant contre le sien. Il répondit à sa provocation avec passion, se frottant contre elle, l'étreignant comme s'il voulait se fondre en elle.

Ne pouvant plus contenir son désir, il roula de côté de façon à se retrouver sur elle et il la pénétra avec une sorte de râle animal, presque sauvage.

Incapable de retenir sa frénésie plus longtemps, il se mit à aller et venir en elle en grondant de plaisir, avec une force qui aurait pu l'effrayer si elle n'avait éveillé en elle l'exigence de l'extase.

Peu après, elle reposait contre lui, à plat ventre, son visage dans la toison qui bouclait sur sa poitrine. Avec un soupir d'aise, elle déposa un baiser là où battait le cœur d'Alan. Elle se sentait heureuse qu'il la désire autant et songea soudain qu'elle avait été folle de repousser la demande en mariage d'un homme comme lui. Le seul fait de s'imaginer liée à lui par des liens sacrés la fit fondre.

Surmontant ce bref instant de doute, elle se dit qu'au fond, elle n'avait pas été si folle que cela. Au contraire, elle prolongerait à dessein ce petit jeu courtois.

Un sourire heureux apparut sur ses lèvres bien après qu'elle se fut endormie.

26

Quand la porte donnant sur le chemin de ronde grinça sur ses gonds, Jane se réveilla en sursaut et s'assit dans le lit. Deux bras puissants l'encerclèrent, et aussitôt elle se rendit compte qu'elle était dans le lit d'Alan.

— Dieu du ciel, aurais-tu l'intention de la garder au lit toute la journée ? demanda Robert Bruce.

— Espèce de malotru ! Comment oses-tu faire rougir Jane à ce point ? C'est à se demander si elle retrouvera un jour son teint normal ! rétorqua Alan en lançant un clin d'œil à son ami.

— Oh, ce n'est pas moi qui suis responsable de cette rougeur-là ! Je sais ce que tu caches sous les couvertures !

Jane s'empourpra de plus belle, d'autant plus qu'elle sentait effectivement contre elle le sexe d'Alan d'une raideur impressionnante. Comme un fait exprès, Grace Murray choisit ce moment pour ouvrir la porte intérieure et apparaître avec son fils, la plongeant dans un total désarroi. La nourrice darda sur Alan un regard sévère.

— Le jeune seigneur n'attendra pas davantage, déclara-t-elle fermement. C'est son tour à présent !

— Je suis victime d'une conspiration écossaise, lança Alan avec un soupir résigné.

Il se glissa hors du lit, alla chercher des vêtements propres dans la garde-robe et commença à se vêtir. Pas une fois Grace Murray ne le regarda. Elle s'empressa d'installer Lincoln au sein de sa mère qui se cala contre les oreillers.

— J'avais oublié que tu repartais aujourd'hui, dit Alan à son ami.

— Ta femme ferait oublier son propre nom à n'importe quel homme, remarqua Robert avec une pointe d'envie.

Avant de sortir, Alan caressa la joue de son fils puis les lèvres de Jane.

— Merci, ma douce.

Il appuya ses paroles d'un regard qui en disait long sur son intention de la rejoindre au plus vite pour lui exprimer sa reconnaissance d'une façon beaucoup plus intime.

Sa sœur Jory à ses côtés, Alan fit ses adieux aux Bruce. Robert n'avait pas évoqué avec lui la question des troubles qui avaient repris dans les Lowlands. Le Bruce se trouvait pris entre deux chaises et ne pouvait se résoudre à se battre contre son propre peuple qui refusait de se soumettre aux Anglais. Il s'en tenait exclusivement à respecter ses engagements, c'est-à-dire à veiller à ce que les frontières de l'ouest restent ouvertes et sûres.

Une heure plus tard, Alan devait se rendre compte qu'en invitant les Bruce à sa fête il les avait détournés de leur tâche. Sur les six hommes qu'il avait envoyés à Carlisle pour rapporter de nouvelles provisions pour Dumfries, seulement quatre revinrent sains et saufs. Deux des chevaux de charge ramenèrent des cadavres à la place des vivres.

Quand ses chevaliers lui racontèrent qu'ils avaient été attaqués dans la vallée d'Annandale, Alan en déduisit tout de suite que les responsables de l'embuscade savaient non seulement que le convoi passait par là mais également que les Bruce avaient quitté leurs châteaux de Lochmaben et Caerlaverock.

Faisant le lien entre cette attaque et le vol des armes déjà survenu à Dumfries, Alan reporta ses soupçons sur les frères Leslie. Il demanda à Jock de convoquer ses sept fils sur-le-champ.

Il les réunit dans un petit salon attenant à la grande salle. Seul Jock Leslie inspirait à Alan une confiance totale. D'ailleurs, ce dernier ne chercha pas à défendre systématiquement ses fils. Il voulait que la vérité émerge et les prévint même que, si jamais l'un d'entre eux se trouvait mêlé à ce crime, il n'aurait aucune pitié pour lui.

Au bout de deux heures d'interrogatoire, durant lesquelles ils nièrent tous obstinément, Alan s'approcha de David, responsable des vivres de Dumfries.

— Auriez-vous des cercueils dans votre magasin ?

David déglutit avec peine, se demandant s'il comptait lui en attribuer un.

— Oui, mon seigneur.

Alan se tourna alors vers Jock.

— Puis-je vous charger de veiller avec David à ce que mes deux chevaliers morts aient des funérailles décentes ?

— Bien sûr, monsieur le comte, répondit Jock, infiniment soulagé qu'il ait au moins disculpé l'un de ses fils.

Au bout d'une nouvelle heure d'interrogatoire, ce fut au tour d'Andrew, le régisseur en second, d'être disculpé. Jock l'avait vraiment éduqué à son image et Alan doutait qu'Andrew eût songé à couvrir de honte son père ou Dumfries.

À midi, Alan menait toujours son enquête et il ne fut pas question de repas. Il s'adressa soudain à Keith :

— Keith, on se connaît mieux, maintenant. Je sais que tu n'as pas participé à ce crime. Mais tu savais qu'il aurait lieu.

Il se tourna vers les quatre autres et ajouta :

— Je pourrais le torturer pour le faire parler, mais ce jeune idiot préférerait mourir plutôt que de dénoncer l'un d'entre vous. Dehors ! ajouta-t-il à Keith en lui désignant la porte.

Les frères restants échangèrent de rapides regards. James et Alex se demandèrent si Alan allait choisir de punir un innocent. Ben et Sim, les bergers, renforcèrent leur détermination de ne jamais avouer leur implication dans la rébellion contre les conquérants normands.

À ce moment-là, on frappa à la porte et l'interrogatoire fut interrompu. Thomas apportait un message de John de Warenne. Alan sortit afin d'en prendre connaissance.

Reviens à Édimbourg immédiatement avec des hommes et des vivres.

Un message concis mais clair. Alan réprima un juron. Cela tombait mal. L'affaire des frères Leslie n'était pas tirée au clair, et puis, il y avait son fils, dont il aurait aimé profiter un peu. Et Jane. Jane, surtout, qu'il avait envie de connaître mieux maintenant qu'ils étaient amants. Il n'avait pas la moindre envie d'aller à Édimbourg !

Il passa une main nerveuse dans ses cheveux. Ces émeutes qui agitaient le pays seraient-elles plus importantes et plus dangereuses qu'il ne le pensait ? D'après le ton du message, c'était à craindre. Résigné, il rendit le message à son écuyer et lui dit :

— Informe nos chevaliers que l'on nous demande à Édimbourg. Qu'ils soient prêts à partir dès demain avec armes et bagages. Veille à ce que le messager se restaure convenablement.

— Vous-même n'avez pas déjeuné aujourd'hui, mon seigneur, lui rappela Thomas.

— J'ai l'esprit plus alerte l'estomac vide, rétorqua-t-il. Mais je n'en ai plus pour longtemps. L'un des frères Leslie ne va pas tarder à échouer au donjon du château.

Alan retourna dans le petit salon qu'il arpenta nerveusement en pensant tout haut.

— Il règne dans cette pièce une tension presque palpable. Cette tension confirme mes soupçons. Après m'être mille fois interrogé, j'en ai conclu que seulement deux d'entre vous avaient eu l'opportunité de s'allier avec les rebelles : les bergers. Ils sont les seuls à quitter Dumfries chaque jour pour aller de vallées en vallées.

Ne sont-ils pas rentrés des Uplands avec un mois de retard, cette année ?

Le regard perçant d'Alan s'arrêta sur James et Alex. D'un mouvement de la tête, il leur indiqua la porte puis se tourna vers Sim et Ben.

— Je vous ai dit un jour que quiconque s'aviserait de voler un mouton à Dumfries serait pendu. Vous ne m'avez pas cru ? Vous pensiez peut-être que voler des armes et des vivres n'entraînerait pas le même châtiment ?

Comme leur visage demeurait de marbre, Alan rouvrit la porte et cria :

— Garde !

Montgomery accourut à la minute même.

— Arrêtez ces hommes !

Ignorant tout du drame qui se jouait au château, Jane passa la matinée dans un état d'euphorie permanent. Après s'être occupée de son bébé, elle monta dans la chambre d'Alan en songeant que, la veille, c'était une jeune fille innocente qui avait gravi ce même escalier. Ce soir, ce serait une femme qui s'y engagerait de nouveau.

Elle changea les draps du lit en prévision de la nuit à venir et rangea la chambre en se rappelant leurs étreintes. Toutes les barrières qui les séparaient étaient tombées. Un sourire sur les lèvres, elle prit la cape émeraude doublée de renard. Elle frotta sa joue contre la fourrure en se remémorant les moments délicieux qu'elle avait connus sur le parapet, puis suspendit la houppelande près de la robe de chambre de velours noir encore tout imprégnée de l'odeur d'Alan qu'elle respira à s'en griser. Elle rangea ensuite sa robe de lainage rose en s'émerveillant qu'un vêtement puisse produire sur un homme un effet aussi érotique.

Déjà, elle se sentait impatiente de passer une deuxième nuit à faire l'amour avec lui. Elle porterait l'une de ses tuniques à lui, comme la nuit où il était venu à elle la première fois. Elle ouvrit sa commode et en trouva une brodée d'un lynx en fil d'argent.

Ravie, elle organisa sa soirée. Elle prendrait son bain

avant de nourrir le bébé. Puis elle ferait monter un repas pour dîner en tête à tête avec Alan.

Jane passa l'après-midi dans un état second, à chanter, à danser toute seule avant de se reposer sur le grand lit en évoquant les mots qu'il lui avait murmurés durant la nuit. Il l'avait particulièrement émue en lui avouant qu'il ne voulait pas lui refaire un enfant tout de suite. Cela signifiait qu'il la désirait pour elle-même, qu'il voulait qu'ils soient amants.

Elle ferma les yeux en essayant d'imaginer sa réaction quand elle lui dirait qu'elle acceptait d'être sa femme puis elle effleura ses lèvres du bout des doigts en se souvenant du goût de ses baisers et du plaisir inouï que certains d'entre eux pouvaient provoquer.

Des frissons la traversèrent quand elle pensa à sa joue râpeuse contre son ventre, contre ses seins ; à ses mains qui se promenaient sur son corps. Le simple fait d'évoquer ses caresses l'incendiait et elle espérait qu'il en était de même pour lui, qu'il pensait à elle et la désirait à distance.

Un peu plus tard, Taffy entra dans la chambre de son maître où il fut surpris de trouver Jane. Il s'excusa, lui proposant de revenir plus tard.

— Non, Taffy, entrez si vous avez quelque chose à faire ici.

Taffy hésita. Il devait préparer les bagages de son maître. Jane ne savait pas qu'il partait le lendemain et elle était tellement heureuse qu'il répugnait à ternir son bonheur.

— De toute façon, il est temps que je redescende pour nourrir Lincoln.

Il la regarda sortir le cœur lourd. Lady Jane était loin de se douter que deux de ses frères risquaient d'être pendus pour trahison. Taffy aurait donné n'importe quoi pour lui épargner la douleur d'apprendre qu'Alan les avait enfermés dans le donjon en attendant de décider du sort qu'il leur réserverait.

Tout à ses préparatifs de départ, Alan mit momentanément de côté la question des frères Leslie. À la tombée du soir, les chariots étaient chargés d'armes, d'armures, de cottes de mailles et de vivres.

Dans les écuries, Alan s'occupa lui-même de son destrier. Keith Leslie aidait ses chevaliers à préparer leur monture, à vérifier l'état de leurs fers, de leurs jambes. Il aimait vraiment les chevaux et il lui fit penser à Jane qui partageait son amour des bêtes. Il espérait vivement que Keith ne soit en aucune manière impliqué dans la trahison.

— Tu t'occupes parfaitement des chevaux. J'aimerais que tu viennes avec nous à Édimbourg.

— Pour me battre, mon seigneur ?

— Non, je ne te demanderai pas ça. Veiller à la santé des bêtes t'occupera à plein temps. Si tu décidais de te joindre à nous, prends une bonne paire de bottes et des vêtements chauds.

Quand tout fut réglé jusque dans le moindre détail, Alan songea à Jane. Il avait prévu de passer une heure ou deux auprès d'elle, au cours de la journée, mais les circonstances en avaient décidé autrement. À présent, il s'attendait à endurer sa colère et ses larmes. Il ne serait pas facile de lui expliquer que le problème de Ben et de Sim ne devait pas interférer dans leurs relations et n'affectait en rien les sentiments qu'ils éprouvaient l'un pour l'autre.

Alan avait toujours pensé que les femmes étaient des êtres excessifs qui réagissaient soit trop bruyamment soit en s'enfermant dans des silences réprobateurs. Leur imagination n'avait pas de bornes lorsqu'il s'agissait d'obtenir ce qu'elles voulaient. Pourtant, Jane ne rentrait pas dans cette catégorie. Elle n'était pas comme les autres, elle ignorait tout de la fourberie, de la ruse, de la manipulation.

Elle n'était pas dans sa chambre et il le regretta. Il aurait préféré un affrontement immédiat plutôt qu'une absence peut-être destinée à lui montrer sa désapprobation.

La vue de son fils le divertit et il se pencha sur le berceau pour le prendre dans ses bras.

— Il vient de boire, mon seigneur. Ce n'est pas le moment de le remuer.

Alan leva un sourcil amusé.

— Vous faites un redoutable dragon, Grace Murray, mais vous ne m'intimidez pas le moins du monde, déclara-t-il en attirant son fils contre lui et en le berçant doucement.

Ils se ressemblaient comme deux gouttes d'eau, remarqua-t-elle.

— Très bien, alors laissez-moi essayer un autre type de persuasion. Jane l'a nourri de bonne heure pour que vous ayez le temps de vous retrouver tranquillement là-haut, tous les deux.

L'argument porta. Alan sentit son sang courir plus vite dans ses veines. Il tendit le bébé à la nourrice.

— Grace, je me rends. Prenez-le mais... ce n'est pas le moment de le remuer!

Alan monta aussitôt dans sa chambre, soulagé de savoir que Jane n'avait pas cherché à l'éviter délibérément. Dès qu'il ouvrit la porte, un délicieux fumet lui rappela qu'il mourait de faim.

Le sourire qu'elle lui adressa sembla illuminer la chambre. Elle était si jolie dans sa robe d'intérieur en lainage fluide qu'il eut envie de se jeter sur elle et de l'étreindre avec passion. Quand elle lui tendit ses lèvres, si douce et si confiante, il se demanda si elle était au courant de ce qui se passait. Était-il possible qu'elle ignore tout ce qui était arrivé depuis qu'il l'avait quittée, ce matin?

Ses lèvres tout contre les siennes à présent, elle murmura:

— Tu as faim?

Sa bouche brûlante glissa vers le creux de son cou.

— Je suis affamé, murmura-t-il en lui mordillant le lobe d'une oreille.

Soit elle ne savait rien, soit elle était d'un calme exemplaire. Il décida de jouir du plaisir de dîner avec elle avant de lui annoncer les mauvaises nouvelles.

Elle avait dressé une petite table basse devant l'âtre, avec des coussins disposés tout autour. Il se demanda s'il n'allait pas d'abord satisfaire ses appétits sexuels mais déjà, Jane prenait les couverts pour le servir. Elle dégusta sa propre assiettée avec plaisir tout en le regardant dévorer.

De son côté, il ne parvenait à détacher ses yeux d'elle. Il avait l'impression de la découvrir. Quand elle mit dans sa bouche une part de tarte aux poires puis se lécha les doigts avec une lenteur délibérée, il lui prit la main pour la porter à ses lèvres et continuer lui-même ce qu'elle avait commencé.

Mais elle se déroba pour se lever et aller chercher un pichet de vin sur une petite desserte.

Fasciné par sa grâce, il la contempla en silence.

— Je savais de quoi tu aurais envie, dit-elle.

— Petite sorcière, répondit-il avec un sourire malicieux.

Elle servit le vin puis se retourna lentement vers lui en détachant le haut de sa robe qui glissa peu après à ses pieds.

Il reconnut aussitôt sa sous-tunique brodée d'un lynx en fil d'argent, assez courte pour mettre en valeur ses longues jambes nues. Elle le séduisait savamment et c'est alors qu'une pensée terrible lui vint : *elle savait, pour ses frères* !

Comme elle avançait vers lui en ondulant des hanches, une coupe de vin dans chaque main, il la supplia intérieurement de cesser ce jeu. Mais déjà son corps d'homme réagissait.

Il se reprocha sa propre sottise. Il l'avait crue différente des autres mais il n'en était rien. Cette petite mise en scène n'était destinée qu'à le manipuler pour qu'il gracie ses frères.

Jane, je t'en prie, arrête maintenant ! Seules les prostituées offrent leur corps par intérêt ! l'implora-t-il en silence, effaré de constater qu'elle puisse aller aussi loin.

Il lui prit les coupes des mains, les posa sur le tapis et l'attira dans ses bras, déterminé à prendre ce qu'elle lui offrait avant qu'elle ne commence à marchander. Dès qu'il l'embrassa, il la sentit s'enflammer et glisser ses mains contre son torse. Cette excitation était-elle entièrement jouée ?

— Alan, aide-moi, s'il te plaît... le supplia-t-elle en tentant de le déshabiller.

Il se débarrassa de ses vêtements, la soupçonnant de le croire plus vulnérable quand il était nu, et s'allongea devant le feu, en appui sur un coude, en attendant la suite. Jane ne le laissa pas languir. Le repoussant sur le dos, elle monta sur lui à califourchon, dans la position dominante.

En dépit des arrière-pensées qu'il lui prêtait, Alan la trouvait infiniment désirable. Elle était fine, délicate. C'était la femme la plus exquise qu'il ait jamais rencontrée. Comment avait-il pu être attiré par cette fausse blonde maigre comme un clou ?

Il sentit sa virilité se dresser entre ses cuisses douces comme la soie. Satisfaite de l'effet qu'elle produisait sur lui, Jane sourit et il lui répondit, décidant de se prêter à ce petit jeu. Lentement, elle se positionna de façon que leurs sexes soient l'un contre l'autre, puis, telle une reine assise sur son trône, elle leva son verre de vin et avala une gorgée en la savourant sensuellement.

Alan admira les seins magnifiques qu'il entrevoyait sous la soie. Le lynx brodé sur la poche ondulait au rythme de son souffle. Jane secoua la tête de sorte que son opulente chevelure retombe en cascade sur la poitrine d'Alan puis elle lui caressa le torse en se servant de ses ongles.

— Tu n'as jamais eu affaire à une femme-lynx ?

L'érotisme de sa question fit courir une onde brûlante dans le bas-ventre d'Alan. Elle se pencha sur lui pour inhaler l'odeur de ses cheveux et laissa courir sa langue sur sa peau. De sa joue à son cou, de son poitrail à son ventre, elle descendit inexorablement, s'enhardissant au fur et à mesure que des grognements de plaisir échappaient à Alan.

Elle en était là de son exploration quand elle releva brièvement la tête :

— Les femmes-lynx jouent avec leur proie avant de la dévorer, murmura-t-elle d'une voix rauque.

Sur ce, elle mit sa menace à exécution.

Alan était au bord de l'extase. Comprenant qu'il ne pourrait résister bien longtemps, il la ramena vers lui en la tirant par sa tunique, l'en débarrassant par la même occasion. La nuit les enveloppa. Quand il fut en elle, que tout en l'embrassant avec une faim insatiable il lui fit l'amour, ils s'élevèrent ensemble dans un bonheur ineffable qui explosa avec violence, telle une brûlure lumineuse se répandant dans tout leur corps en de longs fourmillements.

Ils s'apaisèrent peu à peu, reprenant leur souffle. Fière de se découvrir capable de lui procurer un tel plaisir, Jane resta sur lui.

— Le temps du *handfasting* touche à sa fin. Le printemps approche et il va me falloir décider si je t'épouse ou non, le taquina-t-elle. C'est une décision difficile à prendre mais... tu connais peut-être un moyen de me persuader ?

Elle reprit sa coupe, y trempa un doigt et le lécha lentement pour savourer le goût du vin se mêlant à celui d'Alan...

27

Jane sursauta quand il lui ôta sèchement la coupe des mains pour la reposer plus loin. Ce n'était plus la flamme du désir qui brillait dans ses yeux verts mais celle de la colère.

— Jane, que le diable t'emporte !

Elle ouvrit de grands yeux incrédules.

— Qu... quoi ?

Il lui saisit les poignets et il roula avec elle de façon à se retrouver sur elle, l'immobilisant sous le poids de son corps.

— Combien de fois t'ai-je demandé de m'épouser ? Et toi : « Oh, Alan, je ne sais pas, c'est trop tôt, rien ne presse. » Et voilà que quand il s'agit de sauver la peau de ces misérables tu es prête, comme par miracle ! Vraiment, quel noble sacrifice !

Jane avait l'horrible impression de se retrouver devant un étranger. Il ne semblait pas seulement furieux, il semblait souffrir aussi.

— Qu'ai-je donc fait, Alan ? Je ne comprends pas ! De quoi parles-tu ?

— Arrête ce petit jeu ! Tu sais très bien que j'ai mis Ben et Sim aux arrêts. Tout Dumfries le sait !

Soudain glacée, Jane se dégagea et se leva tandis qu'il se redressait à son tour.

— Tu... crois que j'ai voulu te séduire pour que tu les libères ?

— Exactement !

— Tu te trompes. Ce soir, il ne s'agissait pas de séduction mais d'amour ! s'écria-t-elle, les larmes aux yeux.

— Tu peux pleurer toutes les larmes de ton corps, cela me laisse froid.

— Et moi qui croyais que tu commençais à éprouver un peu de tendresse pour moi... Je n'étais pas au courant pour mes frères. Tu as raison, je les aime quoi qu'ils aient fait et je te supplie de les épargner, mais je te le demande ouvertement, sans recourir à je ne sais quel vil subterfuge !

Jane vit le doute s'inscrire sur son visage.

— Toutes les femmes ne sont pas fourbes et menteuses, ajouta-t-elle tandis qu'il se rhabillait.

Une fois prêt, il scruta son regard.

— Quand Taffy est venu préparer mes bagages, il ne t'a rien dit au sujet de tes frères ?

— Taffy n'aurait jamais rien dit qui puisse me faire du mal.

— Tu ignorais que nous partions pour Édimbourg demain ? continua-t-il, totalement incrédule.

Jane hocha la tête, la gorge serrée, le cœur brisé. Comment pouvait-il la laisser maintenant ? Elle avait cru que la nuit dernière représentait quelque chose pour lui, qu'ils s'étaient donnés l'un à l'autre sans réserve, passionnément. Mais tant qu'il douterait d'elle, rien ne serait possible entre eux.

Il avança vers elle d'un pas hésitant, l'air penaud.

— Ne me touche pas !

Ses yeux verts s'étrécirent.

— Tu oses me défier ?

— Aveuglé par ta mâle arrogance, tu t'imagines que je ne suis pas de taille à te faire face. Tu te trompes lourdement.

Sur ce, elle tourna les talons et redescendit dans sa chambre.

Alan fixa la porte close avec une stupeur muette. Comment diable s'y était-il pris pour transformer sa dernière nuit avec Jane en un vrai désastre ? Était-il possible qu'il se soit trompé ? Qu'elle lui ait dit la vérité ? Peut-être avait-elle tout simplement passé la journée dans la tour de maître, à s'occuper de son bébé et à se reposer de la nuit enflammée qu'elle avait passée avec lui... Et si elle avait vraiment décidé de devenir sa femme, sans la moindre duperie ?

Seigneur, qu'avait-il fait ? Il s'imaginait tout connaître des femmes mais s'il se trompait ? Alan sortit sur le chemin de ronde et respira profondément l'air froid de la nuit. Il gagna ensuite les écuries, traversant la cour du château où ses hommes mettaient la dernière main aux préparatifs du départ.

— Taffy, as-tu dit à Jane que nous partions pour Édimbourg ?

— Non, mon seigneur. Elle était tellement heureuse, cet après-midi, que je n'en ai pas eu le courage.

Alan se tourna vers Thomas.

— Montre-moi où tu as enfermé les Leslie.

Il le suivit dans un passage souterrain dans les entrailles du château. À l'entrée du donjon, Alan prit la torche de Thomas et alluma celle qui se trouvait accrochée dans un support, sur le mur extérieur.

Malgré la faible lumière, il distingua la lueur de défi qui brillait dans les yeux des deux bergers.

— Par respect pour Jane, j'ai décidé de vous remettre en liberté. Si vous êtes déterminés à rejoindre William Wallace, je ne vous en empêcherai pas mais sachez que nous partons en guerre contre lui et que nous l'écraserons. Si, à mon retour, vous êtes toujours ici, cela signifiera que vous avez choisi d'être loyaux envers Dumfries. À vous de choisir.

Sur ce, Alan sortit en laissant la porte ouverte derrière lui. Il avait agi pour Jane et pour se faire pardonner.

— John, j'ai un fils ! Cela te sidère, n'est-ce pas ? Moi-même j'ai du mal à m'en persuader mais c'est pourtant vrai.

— Je n'ai pas entendu de meilleure nouvelle depuis des années. Félicitations, Alan. J'espère bien que c'est le premier d'une longue série ! Je n'ai pas encore rencontré ta femme. Elle se porte bien ?

— Oui, Jane va bien, répondit Alan, s'abstenant d'avouer à son oncle qu'il ne l'avait pas épousée. Nous lui avons donné le prénom de mon père, Lincoln... Lincoln Robert de Warenne.

John fronça les sourcils et Alan comprit que, quels que soient les troubles qui agitaient le pays, Robert Bruce s'y trouvait impliqué.

— Ton message m'a semblé alarmant. Je suis venu tout de suite, bien que j'eusse préféré m'attarder un peu à Dumfries.

— Le roi m'a demandé de rassembler l'armée. Il veut que nous ratissions le pays, des Lowlands au Firth de Forth, et que nous réprimions la rébellion avant qu'elle ne s'étende. Il veut Wallace.

John s'interrompit mais Alan devina que ce qu'il avait encore à lui dire n'était pas le plus agréable.

— Le roi vous a désignés, Robert Bruce et toi, pour diriger cette opération. Une façon de vous mettre à l'épreuve en soutenant votre allégeance.

— Ma loyauté envers la couronne aurait-elle été mise en doute ?

— Celle de Robert Bruce certainement et la tienne aussi dans la mesure où vous êtes très proches. Les rumeurs s'apaiseront dès l'instant où tu prendras les armes.

— Et si Robert refuse ?

— Ses terres anglaises lui seront confisquées.

— Nom d'un chien ! Quelqu'un a menti au roi Édouard !

Une petite voix souffla à Alan que Robert pourrait

être impliqué dans la résistance écossaise mais il ne l'écouta pas.

— Laisse-moi parler au messager que tu as envoyé au roi, ajouta-t-il.

Son oncle sembla soudain mal à l'aise.

— C'était Fitz-Waren.

Le nom resta comme suspendu dans le silence de la pièce.

— Fitz est arrivé le lendemain du jour où tu es reparti pour Dumfries, continua John. Je venais de terminer mon rapport et il m'a généreusement proposé de le transmettre lui-même au roi.

— Je vois, jeta Alan en se retenant pour ne pas dire à John le fond de sa pensée.

— Cressingham a des forces importantes à Berwick. De mon côté, j'ai demandé à Percy et Clifford de s'armer. Fitz-Waren est déjà ici, avec sa cavalerie. Si le Bruce accepte de prendre les armes avec nous, il aura prouvé sa loyauté, du moins pour le moment.

John de Warenne frotta ses yeux fatigués par toute la paperasserie dont il devait s'acquitter.

— Alan, je ne veux pas que des problèmes surgissent entre Fitz et toi.

— Pourquoi me dis-tu cela ?

— Alicia est avec lui.

Alan émit un petit rire moqueur. Ce moins que rien de Fitz avait distillé les pires calomnies aux oreilles du roi et son oncle s'imaginait qu'ils risquaient de se disputer à cause d'une femme ?

— Ne t'inquiète pas, John, je ne m'intéresse pas à Alice Bolton.

Tandis que Thomas allumait les bougies dans la chambre du château d'Édimbourg où Alan était logé avec ses écuyers, Montgomery écoutait attentivement le message qu'il devait répéter à Robert Bruce.

— Ne transmets cette information qu'à Robert en personne, et qu'il sache bien qu'elle provient de moi. Dis-lui que si John l'appelle à prendre les armes, c'est pour tester sa loyauté. Le roi Édouard est prêt à confisquer les terres des Bruce dans l'Essex.

Sur ce, Alan se tourna vers Thomas :

— La cavalerie de Fitz-Waren est déjà ici, dans les baraquements. Dis à mes chevaliers que je ne veux aucune bagarre, quelles que soient les provocations dont ils seront l'objet. Et garde l'œil sur Keith Leslie. Montre-lui bien qui sont les hommes de Fitz afin qu'il apprenne à les éviter.

— C'est un garçon sérieux et intelligent, mon seigneur. Même s'il n'est que palefrenier. Ne vous inquiétez pas pour lui.

Une fois ses écuyers sortis, Alan se retrouva seul pour la première fois de la journée et il se mit à arpenter la pièce comme un ours en cage. L'idée que Fitz-Waren ait pu prendre connaissance des rapports qu'il avait établis sur le grand justicier William Ormsby, qu'il soupçonnait d'entretenir avec l'Église écossaise des liens douteux, le minait. Fitz-Waren pouvait vendre ces informations ou s'en servir pour du chantage.

D'ailleurs, qu'est-ce qui avait poussé ce vaurien à rejoindre les troupes et marcher sur York en plein cœur de l'hiver ? Il serait prêt à faire n'importe quoi pour le discréditer aux yeux du roi. Mais des motifs plus profonds devaient le mener, cette fois. La vengeance, par exemple... Dieu du ciel !

Alan fut infiniment soulagé d'apprendre que Robert Bruce prenait les armes aux côtés des Anglais avec mille cinq cents hommes. Il était plus de minuit quand Alan monta dans la chambre attribuée à son ami, dans le château d'Édimbourg.

— Je n'aurais jamais bougé si tu n'avais envoyé Montgomery.

— Ma loyauté aussi est remise en cause. Je ne serais pas surpris que quelqu'un s'amuse à souffler des mensonges aux oreilles du roi. Mais ce que je crains le plus, c'est qu'Édouard le croie !

— C'est à cause de mon ennemi Comyn. Le roi a commis une grave erreur en le libérant à condition qu'il réprime la révolte de Moray. La vérité, c'est que Comyn va s'allier avec Moray et avec Wallace. Ils attendent que le roi parte en France pour passer à l'action et mettre le pays à feu et à sang.

— Moi, je pensais que c'était mon cousin Fitz-Waren qui tentait de nous discréditer auprès du roi après avoir mis la main sur les rapports de John.

— L'un n'empêche pas l'autre. Comyn est mon ennemi juré, le tien, c'est Fitz-Waren. Tôt ou tard nous serons obligés de les affronter, mon ami.

Alan chassa cette déplaisante pensée de son esprit. Même s'il le haïssait, il n'avait pas envie d'avoir le sang de son cousin sur les mains.

Durant les mois de février et de mars, une armée de trente mille hommes menée par Alan, Bruce, Percy et Cressingham ratissa toutes les régions frontalières du Lothian, du Galloway, de l'Annandale et de Dumfries sans déceler le moindre foyer de résistance. Tout semblait si calme que Cressingham accusa Édouard de dilapider l'argent de la couronne par des actions inutiles.

Certain qu'il n'y avait pas l'ombre d'une insurrection dans les Lowlands, le roi Édouard Plantagenêt prit la mer pour gagner la France au mois d'avril, laissant le gouvernement de l'Écosse aux mains de John de Warenne, comte de Surrey.

Cette année-là, l'hiver céda la place au printemps en l'espace de quelques jours. Alan de Warenne et Robert Bruce ne se laissèrent pas griser par ce redoux. Tout était trop calme, le temps comme la situation dans les campagnes.

Le soulèvement naquit là où ils ne l'attendaient pas. William Douglas se rallia à Wallace et ils marchèrent sur Scone où Ormsby s'était honteusement enrichi en instaurant des impôts outranciers, notamment des taxes touchant les infirmes. Il ne résista pas longtemps aux forces combinées des rebelles et le peuple écossais fut heureux que la ville sacrée de Scone où leurs rois avaient été couronnés ne soit plus aux mains de l'odieux occupant anglais.

John de Warenne réunit ses généraux en séance extraordinaire et rappela Cressingham de Berwick avec la moitié de l'armée.

— Nous n'avons pas d'autre choix que de marcher sur Scone, déclara John de Warenne.

— Nous devrions attendre Cressingham, remarqua Percy.

— Non, nous n'avons pas de temps à perdre. Chaque jour qui passe verra de plus en plus de nobles écossais se joindre à eux.

— J'aurais dû suivre ton conseil, Alan, et prévenir tout de suite le roi des agissements d'Ormsby.

— C'est trop tard, maintenant. Le grand justicier aura détruit toutes les preuves.

— Avec tout le respect que je vous dois, le justicier n'est pas notre ennemi, nota Percy. Wallace et Douglas occupent Scone.

— Au nom du roi, je déclare confisquer toutes les terres anglaises de William Douglas jusqu'à ce qu'il se rende, annonça le gouverneur.

Robert Bruce pouffa avec mépris.

— Cela n'aura aucun effet sur lui. Les terres appartiennent à sa femme.

John lui jeta un regard noir.

— Dans ce cas, je *vous* charge en personne d'obtenir sa reddition.

Bruce haussa négligemment les épaules.

— Pas de problème.

Alan s'empressa d'intervenir avant que le ton monte davantage entre son oncle et son ami.

— Je propose que l'on se mette en route pour Scone immédiatement.

John de Warenne interrogea le reste de l'assistance du regard. Un par un, ils hochèrent la tête pour exprimer leur accord.

Le lendemain matin, comme les armées se préparaient à quitter Édimbourg, Alan demanda à Robert comment il comptait s'y prendre avec Douglas.

— J'irai tout simplement à Larnak où je ferai prisonniers sa femme et ses enfants avant de les envoyer à Lochmaben.

Choqué, Alan de Warenne pensa à Jane et à son fils. Si une telle mésaventure leur arrivait, il volerait aussitôt à leur secours sans se poser de questions.

— Tu viens à Larnak avec moi ou nous nous retrouvons à Scone ? demanda le Bruce avec un sourire sardonique.

Alan secoua la tête.

— Faire la guerre contre des femmes et des enfants, très peu pour moi. Je retourne à Scone.

L'armée anglaise et l'armée écossaise se retrouvèrent face à face à Irvine, aux abords de Scone. Sûr de la supériorité de ses forces, John de Warenne attendit néanmoins le lever du jour pour lancer l'attaque.

La nuit précédant la bataille, Alan passa de tente en tente pour parler longuement à ses chevaliers, puis à ses archers gallois qui dormaient à l'air libre, autour de feux de camp. Il tenait à leur insuffler sa foi, son courage et leur rappeler la confiance totale qu'il avait en eux, sachant combien cela comptait pour eux.

À l'aube où des volutes de brume grise flottaient au ras du sol, les chevaliers d'Alan étaient sur leurs destriers, protégés par leurs armures. En plus de leurs lances et de leurs épées, ils étaient armés de haches, de vouges et de plommées. Comme chaque fois, Alan partit en première ligne avec Thomas à sa droite et Taffy à sa gauche. Il ajusta fermement son casque, leva son poing serré, signe de la victoire, et donna alors l'ordre d'attaquer. Le regard fixé devant eux, ne déviant ni à droite ni à gauche, ils s'élancèrent contre leurs ennemis.

Le premier impact entre les lances, les épées et les boucliers fut terrible. Des hommes désarçonnés tombaient et se retrouvaient piétinés, les hennissements éperdus des chevaux affolés et les cris des hommes glaçaient le sang. Dans la mêlée, Thomas fut séparé d'Alan. Soudain, un coup de masse sur sa nuque l'assomma et il chuta. Aussitôt, un homme vêtu comme lui enfourcha son cheval et rejoignit Alan à sa place.

Quand Taffy vit que Thomas manquait, à la droite d'Alan, il le chercha désespérément. Il fut infiniment soulagé quand il l'aperçut qui reprenait son poste.

Les yeux fixés sur son opposant, Alan ne s'aperçut de rien. Il en désarçonna une bonne demi-douzaine avec sa lance jusqu'à ce qu'elle se casse. Il saisit sa hache et guida son destrier en le pressant de ses cuisses d'acier. Il s'était rendu compte que Thomas n'était plus à ses côtés mais, certain qu'il protégeait ses arrières, il ne s'inquiéta pas outre mesure. Tout à coup, il eut l'impression que son crâne explosait. En un éclair, ce fut le noir total.

28

Keith Leslie passa la nuit précédant la bataille à vérifier soigneusement l'équipement des chevaliers d'Alan, réglant les courroies des selles, les étriers, passant au crible chaque détail, sans oublier les armures de protection des chevaux.

Deux heures avant le lever du jour, il s'allongea, épuisé, ne parvenant qu'à somnoler, la tête pleine d'images de batailles et d'affrontements sanglants.

Brusquement, alors qu'il flottait entre le rêve et l'éveil, il se redressa, bouleversé par une vision. Une vision fulgurante qu'il ne pouvait confondre avec un rêve tant elle était précise, claire et si lente qu'il n'en perdit pas une miette. Il vit Thomas tomber sous l'assaut d'un traître : un coup de plommée l'envoya au sol, inconscient. L'homme prit sa place sur son destrier, l'éperonna comme un forcené jusqu'à se retrouver derrière le seigneur de Warenne, comme s'il défendait ses arrières, À nouveau, comme au ralenti, il vit le boulet hérissé de pointes au bout de sa chaîne tournoyer, tournoyer…

— Noooon ! hurla Keith en pure perte.

Alan de Warenne roula sur le sol, inconscient. Aussitôt, l'épée du traître s'éleva et empala l'homme inerte et sans défense. Du félon, Keith ne vit que les yeux assoiffés de sang, luisants de haine et de triomphe. Un regard que jamais il n'oublierait, aussi longtemps que Dieu lui prêterait vie.

Le pauvre Keith se redressa péniblement, se mit à genoux et vomit dans la paille. Puis il partit en courant, affolé et désemparé. Il dépassa un convoi de bagages et arriva au niveau d'un groupe d'hommes qui discutaient en jubilant.

Apparemment, William Douglas s'était rangé aux côtés de Robert Bruce et les autres chefs écossais l'avaient suivi, un à un. La bataille d'Irvine était une victoire totale pour les Anglais. Keith Leslie resta à l'écart, désespéré. Sa vision l'avait bouleversé.

Au cœur de l'après-midi, il ne restait plus sur le champ de bataille que les cadavres et les mourants qui se fondaient dans une brume épaisse venue de la mer, telle une émanation de la nature voulant effacer les atrocités des hommes.

Taffy avait l'impression de devenir fou. Il repassa dans son esprit chaque étape de la bataille, s'efforçant de repérer à quel moment il avait commis une faute. Il se faufila au travers des lignes ennemies avec la souplesse d'une anguille. Mais il ne trouva ni le seigneur de Warenne ni Thomas.

Éperdu, scrutant inlassablement les lieux sur son destrier piaffant d'impatience, il se plongea une fois de plus dans la mêlée. C'était la première fois qu'il se retrouvait séparé de son maître au cours d'un combat. Il n'aurait su dire combien de temps il se battit car dans ces moments-là les guerriers perdent la notion du temps.

La situation s'éclaircit peu à peu, jusqu'à ce que les corps jonchant le sol soient plus nombreux que les vaillants. Taffy reconnut alors Montgomery et lança son cheval vers lui. La bataille était finie et gagnée.

— Vous avez été séparés ? lui demanda tout de suite le chevalier.

— Il y a déjà longtemps. Thomas est tombé mais il

s'est vite relevé pour rejoindre le seigneur de Warenne. J'ai continué à me battre de mon côté, je n'avais pas le choix. Mais depuis, je les ai perdus de vue.

— Tu es indemne, c'est déjà ça.

Ces paroles ne réconfortèrent nullement Taffy. Jamais il n'aurait dû se laisser séparer de son maître. Il avait failli à son devoir en ne restant pas fidèlement à son côté pour le protéger. Peu à peu, les chevaliers d'Alan se rassemblèrent mais aucun n'avait vu ce dernier depuis le début de la bataille. À présent, un épais brouillard blanchâtre enveloppait le paysage.

— Seigneur, nous ne le trouverons jamais. On ne voit pas à un mètre, dit Taffy, oppressé par une terreur froide.

— Allons, ne sois pas si pessimiste, le rassura Montgomery. D'ici peu, il fêtera la victoire avec le Bruce, le gouverneur et nous tous !

Mais Taffy savait qu'Alan ne fêterait rien du tout tant que tous ses hommes ne seraient pas réunis et comptés. Il passa de groupe en groupe, interrogeant les uns et les autres et tomba enfin sur Robert Bruce qui cherchait son frère.

— Nous le retrouverons, ne t'inquiète pas, lui dit Robert.

Ils finirent par localiser Nigel Bruce, blessé au bras par la lame d'une épée, dans l'infirmerie de fortune organisée sur place. Mais là non plus, pas trace d'Alan ni de Thomas.

— Ton maître est sûrement en train de te chercher de son côté, lui dit Robert pour l'apaiser. Mais ce brouillard à couper au couteau ne facilite pas les choses. Retourne au camp pour qu'ils sachent que tu es indemne.

Au fur et à mesure que le soir tombait, tous les chevaliers d'Alan répondirent à l'appel. Certains étaient blessés, d'autres souffraient de fractures. Les soigneurs gallois s'occupaient d'eux mais personne n'avait vu le seigneur de Warenne depuis qu'il avait lancé l'attaque, le matin. Taffy finit par communiquer son inquiétude aux archers, rentrés eux aussi. Ils organisèrent aussitôt les recherches en constituant plusieurs groupes afin de ratisser tout le terrain.

De son côté, Keith Leslie cherchait Taffy mais la confusion ne facilitait pas la tâche, d'autant plus que tous les hommes restés vaillants étaient partis en quête d'Alan.

Deux longues heures s'écoulèrent avant que les premiers groupes ne reviennent bredouilles. Keith soignait les chevaux blessés quand il aperçut enfin Taffy qui descendait lourdement de selle. Il se précipita aussitôt sur lui et agrippa sa cotte de mailles maculée de sang.

— Je l'ai vu... je sais ce qui est arrivé... j'ai vu Thomas aussi... c'est... un de ses hommes qui a agi !

— Tu t'es battu ? s'étonna Taffy.

— Non, j'ai eu une vision ! cria Keith, élevant la voix pour convaincre l'écuyer.

Un groupe d'archers gallois s'approcha aussitôt. Ils croyaient aux présages et savaient par expérience que certains Celtes ont le don de double vue.

— Je peux vous conduire à lui... je le trouverai !

— Le brouillard est trop épais. Nous reprendrons dès qu'il se sera levé.

— Alan de Warenne ne me laisserait jamais dans ce champ de bataille s'il pensait que je m'y trouve toujours, intervint Montgomery.

Il avait raison mais Taffy craignait tellement de ne retrouver que le cadavre de son maître que retarder cette funeste découverte lui eût convenu. Si seulement Thomas était là pour l'aider !

— Tu sais vraiment où il est ? demanda-t-il à Keith.

— Non, mais j'ai un instinct infaillible que j'ai appris à suivre.

— Qui nous accompagne ? lança Taffy.

Tous les hommes présents autour d'eux se joignirent de nouveau aux recherches, sans exception. Moins d'une heure plus tard, ils retrouvaient Alan de Warenne sous un amas de corps enchevêtrés, gisant sur une terre gorgée de sang. Ses compagnons de guerre se regroupèrent autour de lui en priant le ciel pour qu'il ne soit pas mort.

Taffy fut le premier à oser le toucher mais il retira vivement sa main quand il s'aperçut qu'il était glacé.

En s'approchant, ils découvrirent une terrible blessure au ventre. Montgomery le souleva doucement dans ses bras.

— Il vit... il vit, Seigneur!

Ses hommes le transportèrent au camp avec d'infinies précautions, déployant toute la douceur dont ils étaient capables. Taffy les suivait avec l'épée de son maître. Ils le déposèrent dans la tente de ce dernier, à même le sol. Taffy et Keith le débarrassèrent de son casque, de son camail, de son haubert et de ses cuissardes de cuir, puis ils s'écartèrent pour laisser les guérisseurs gallois examiner la blessure.

Sous les longs cheveux d'Alan plaqués en arrière par la sueur et le sang, ils découvrirent une énorme bosse. Toutefois, seule la blessure de son ventre retint leur attention. Les infections et les gangrènes causent plus de morts que les champs de bataille eux-mêmes.

L'un après l'autre, ils secouèrent la tête d'un air lugubre. Alan avait le ventre ouvert, l'estomac et les intestins percés. Le diagnostic s'imposait de lui-même. Blessure mortelle. La vie d'Alan de Warenne ne tenait plus qu'à un fil et ils formulèrent tous le même souhait muet : qu'il s'en aille doucement, sans reprendre connaissance. Cela lui épargnerait des souffrances inhumaines.

— Que l'on prévienne John de Warenne, déclara Montgomery.

Au moment même où il parlait, il se rendit compte que c'était à lui que revenait cette tâche, dans la mesure où il occupait le plus haut rang.

Quand il pénétra sous la tente du gouverneur, ce dernier négociait déjà avec les nobles écossais qui venaient de capituler sans même tenter une contre-offensive.

John de Warenne leva la tête à son approche.

— Dites à mon neveu que nous levons le camp tout de suite pour aller à Scone. Les Lowlands sont à nous!

Montgomery s'éclaircit la voix.

— Monsieur le comte, commença-t-il. Alan est tombé sur le champ de bataille.

— Ce n'est pas possible... nous avons gagné sans la moindre difficulté !

— Monsieur le comte, ses blessures sont si graves que nous craignons pour sa vie.

— Dieu du ciel !... Percy ! Prenez ma place ici. Les médecins ! Où sont les médecins, Seigneur ?

Flanqué par deux praticiens, le comte de Surrey, complètement hagard, entra sous la tente de son neveu. Quelqu'un écarta les couvertures et, quand ils virent le ventre ouvert d'Alan, aucun des deux médecins ne voulut le toucher de crainte d'empirer les choses et d'être tenus pour responsables de sa mort.

John de Warenne, commandant suprême de toute l'armée anglaise, cet homme solide et fier, se mit à pleurer comme un enfant.

— Ramenez-le auprès de sa femme et de son fils, demanda John à Montgomery. Peut-être ne survivra-t-il pas au voyage, mais je sais qu'il aurait souhaité les rejoindre.

John s'entretint ensuite avec Taffy que le chagrin paralysait.

— Tu diras à Lady Jane que je viendrai aussi vite que possible, que je reconnaîtrai le fils d'Alan comme mon héritier légal et que je serai son tuteur.

Roger Fitz-Waren et sa cavalerie légère marchaient sur Scone à vive allure. Il tenait à s'assurer que le gouverneur de l'Écosse, John de Warenne, s'installerait au palais sans rencontrer la moindre opposition et qu'il entamerait les négociations de paix sans délai. En réalité, sa hâte était due aux richesses inestimables que William Ormsby avait laissées derrière lui en s'enfuyant et sur lesquelles il tenait à être le premier à mettre la main.

Il ordonna à ses hommes d'emballer le trésor et de l'emporter à Torthwald, tout en leur promettant de leur en céder une bonne part s'ils tenaient leur langue. Lui-même se rendit à Édimbourg avec deux convois chargés de marchandises et attendit le retour de son père. Fitz savait que la mort d'Alan anéantirait totalement

John de Warenne et accélérerait peut-être même la mort de ce dernier. Il se faisait vieux. Quand il rentrerait à Édimbourg, Fitz le consolerait, l'entourerait de ses attentions en attendant avec une impatience secrète de devenir son nouvel héritier.

Pour enrayer les hémorragies, les guérisseurs gallois ne possédaient que de la poudre d'achillée. Pendant que l'un écartait les bords de la plaie, l'autre en saupoudrait la blessure. Alan gémit sans se réveiller.

Avec l'aide de Keith, Taffy lava le corps de son maître maculé de sang et de poussière. Sans se le dire, tous deux ruminaient les mêmes pensées : « Où trouveraient-ils le courage de regarder Jane en face ? »

— Thomas est toujours quelque part sur le champ de bataille, murmura Keith.

— Thomas est mort, répondit Taffy. Il a de la chance.

— L'écuyer irlandais a été bon avec moi... je vais le chercher et je le trouverai, répondit Keith avec conviction.

— Prends un cheval... tu y chargeras son cadavre, dit Taffy, la gorge serrée par le poids des larmes.

À Dumfries, comme le long de toute la frontière écossaise, le printemps était précoce. Cette année, la nature s'était surpassée. Jamais Jane n'avait vu autant de fleurs, d'oiseaux, de papillons. Même les brebis semblaient plus fertiles.

Elle aidait Sim et Ben à soigner les agneaux un peu chétifs. Ses frères avaient heureusement décidé de rester à Dumfries plutôt que d'aller rejoindre les rebelles. Se rendant utiles de leur mieux, les deux bergers travaillaient nuit et jour à tondre les bêtes. La laine était ensuite vendue au meilleur prix pour remplir les coffres du château. Jane était infiniment reconnaissante à Alan d'avoir libéré ses frères. Elle savait qu'il ne l'avait fait que pour elle.

Cela faisait trois mois qu'il était parti, et il lui manquait terriblement. Elle était impatiente qu'il voie son fils. Lincoln Robert était un bébé souriant, vigoureux et éclatant de santé.

Pendant son absence, Marjory de Warenne lui avait appris à lire et à monter à cheval. Maintenant que le beau temps revenait, Jane chevauchait quotidiennement dans la campagne avec Jory et Elizabeth. Jane les avait menées au bord de son étang. Son don de communiquer avec les animaux les avait fascinées. Elle leur avait parlé du lynx en regrettant de ne plus l'avoir revu depuis sa guérison.

Si Jory et Elizabeth se languissaient de Robert Bruce, Jane ne cessait de rêver au maître des lieux et au moment où il réapparaîtrait enfin. Elle pensait aussi à son frère Keith, à Taffy et Thomas, mais elle tâchait de ne pas s'inquiéter inutilement, songeant que tant qu'Alan était auprès d'eux, ils ne pouvait rien leur arriver de fâcheux.

Un jour où les trois femmes se rendirent à Lochmaben, elles apprirent qu'après un bref affrontement les Anglais avaient vaincu les Écossais à Irvine. Soulagées et fébriles à l'idée qu'ils allaient bientôt rentrer, elles repartirent à Dumfries, s'empressant d'annoncer le retour imminent des héros. Beaucoup d'Écossais haïssaient les Anglais avec passion, mais les habitants de Dumfries et la plupart de ceux de l'Annandale appréciaient et respectaient les Bruce et Alan de Warenne.

Ce jour-là, Jane promenait Lincoln dans la cour du château, lui montrant les poules, les oies, les pigeons, quand un épais nuage passa soudain devant le soleil. Tout à coup, son amulette devint glacée contre sa peau, son fils frissonna et se mit à pleurer.

Un horrible pressentiment l'assaillit, si violent qu'elle en eut le souffle coupé. Elle songea d'abord à Keith, craignant pour sa vie, puis se souvint que la bataille avait pris fin depuis dix jours et que des hommes auraient déjà dû commencer à rentrer à Dumfries. Un message aurait au moins dû leur parvenir.

Elle se précipita vers le château, confia Lincoln à Grace Murray, monta tout en haut de la tour et sortit sur le chemin de ronde pour scruter les collines verdoyantes. Elle invoqua son frère.

— Keith, dis-moi ce qui se passe !

Seul le murmure de la brise lui répondit. Elle crut pourtant déceler un grondement sourd dans le lointain, comme celui des sabots d'une horde de chevaux.

C'est alors que son amulette se glaça de nouveau. Jane ferma les yeux et prit entre ses doigts le lynx de pierre.

— Seigneur Dieu, cria-t-elle soudain, prise d'une angoisse mortelle. Alan ! Il lui est arrivé malheur !

Elle n'avait pas une minute à perdre. Sans hésiter, elle prit son grand sac de toile, sa faucille et partit sur-le-champ ramasser des plantes médicinales. Elle cueillit d'abord de l'aubépine dont elle distillerait les fleurs, du plantain, de la mélisse officinale et de la bistorte. Après avoir coupé des racines de garance et une bonne quantité de ciguë, elle alla voir Megotta pour lui demander des fleurs de pavot blanc que sa grand-mère faisait pousser dans son jardin. Elle s'enferma ensuite dans la distillerie et commença ses préparations.

Une cinquantaine de miles séparaient Scone de Dumfries. En temps normal, Alan de Warenne n'aurait mis que quelques jours à couvrir la distance mais ce voyage-là ressemblait à un pèlerinage. Ses chevaliers tenaient à le ramener à Dumfries, mort ou vif. Certains jours, ils ne parcouraient pas plus d'un mile tant ils prenaient de précautions.

Alan respirait toujours mais ses soldats savaient qu'il se mourait. Chaque fois qu'il se réveillait, ils lui donnaient un peu d'eau, de bouillon ou de vin, mais il vomissait toujours tout. En l'espace de dix jours, il devint méconnaissable. Il n'avait plus que la peau sur les os, une peau blafarde et marbrée.

Taffy et Keith se relayaient auprès de lui. Keith avait retrouvé Thomas titubant parmi les corps, sur le champ de bataille. Hagard et amnésique, il avait brusquement retrouvé la mémoire de ce qui s'était passé en revoyant son maître et il avait sombré dans un désespoir sans fond, se reprochant d'être responsable du drame.

Le treizième jour après la bataille, Montgomery et ses troupes ramenèrent à Dumfries leur seigneur mortellement blessé. Les gens du château furent profondément affligés d'apprendre la funeste nouvelle et Taffy et Keith redoutaient le moment où ils devraient affronter Jane. Ils auraient donné n'importe quoi pour lui épargner cette peine et songèrent même à l'empêcher de voir Alan, mais ils décidèrent finalement que mieux valait la laisser le soigner jusqu'à ce qu'il rende son dernier soupir.

Marjory de Warenne accourut dans la cour la première, sans qu'on ait eu le temps de la retenir. Quand elle vit son frère, elle se mit à sangloter et Elizabeth dut l'emmener pour tenter de la calmer, lui épargner la vue de ce spectacle insoutenable.

Jane, qui les guettait depuis trois jours, descendit dans la cour dès qu'elle les aperçut, depuis le chemin de ronde. Un calme étrange l'habitait. Elle arrêta Taffy et son frère d'un geste quand ils tentèrent de l'empêcher d'approcher d'Alan.

Elle le regarda sans frémir, sans ciller, même si ce qu'elle découvrit était pire que tout ce qu'elle avait imaginé. Alan ouvrit les yeux. À leur éclat, elle sut qu'il brûlait de fièvre. Malgré tout, elle lui sourit puis, avec une noblesse qui fit l'admiration de tous, elle se conduisit comme une vraie châtelaine.

— Emmenez-le dans sa chambre, s'il vous plaît, ordonna-t-elle avant de se tourner vers son père dont le visage était décomposé. Appelez le prêtre, vite.

Les chevaliers déposèrent Alan sur son lit. Quand le prêtre arriva, Jane prit la main d'Alan dans la sienne.

— Dépêchez-vous, mon père.

L'homme se signa et commença à administrer au mourant les derniers sacrements.

29

— Mon Dieu, mais que faites-vous ? s'écria Jane.

— Je lui donne l'extrême onction.

— Comment osez-vous ? s'écria Janc, outrée. Je vous

ai envoyé chercher pour nous marier. Hâtez-vous, vous ne voyez pas qu'il est à l'agonie ?

Le prêtre sembla d'abord confus, désorienté, mais le regard de Jane chassa tous ses doutes. Se tournant vers Alan, il déclara :

— Acceptez-vous de prendre cette femme pour épouse, pour le meilleur et pour le pire ?

Un éclat s'alluma dans les yeux verts d'Alan et tous crurent le voir hocher la tête.

— Il a répondu par l'affirmative, déclara fermement Jock.

Le prêtre continua de prononcer les vœux sacrés.

— Vous engagez-vous à lui obéir et à le servir jusqu'à ce que la mort vous sépare ?

— Oui, dit-elle sans l'ombre d'une hésitation.

Jory s'avança alors vers Jane et déclara, la voix altérée par le chagrin :

— C'est moi qui parlerai au nom de mon frère.

Et elle prononça les vœux d'Alan avec une conviction qui émut toute l'assemblée. Elle ôta ensuite sa bague sertie de rubis et la glissa à l'annulaire gauche de Jane.

— Je vous déclare mari et femme. Au nom du père et du fils et du Saint Esprit, acheva le prêtre en bénissant les époux.

— Merci, mon père. Ce sera tout. Si j'ai besoin de vous, je vous le ferai savoir, dit Jane avant de se tourner vers Jory qui retenait vaillamment ses larmes. Je ne sais pas si je parviendrai à le guérir de ses blessures, ajouta-t-elle, mais je vous promets de l'aimer tendrement. De toute mon âme.

Elle se tourna ensuite vers les chevaliers rassemblés dans la pièce.

— Merci à vous tous de me l'avoir ramené. Je vais le soigner à présent. Thomas et Taffy, si vous voulez bien m'accompagner dans la distillerie. J'ai besoin de vous. Keith, va chercher les guérisseurs gallois, s'il te plaît.

Les écuyers essayèrent de convaincre Jane qu'ils soigneraient eux-mêmes leur seigneur car ses blessures étaient trop horribles pour une dame. Jane se montra intraitable.

— Merci, mais je préfère m'occuper moi-même d'Alan.

Et puis il est trop fier pour ne pas souffrir d'être exposé à ses hommes dans l'état de faiblesse et d'impuissance où il est.

Quand les hommes remontèrent les décoctions et les herbes de la distillerie dans la chambre du maître, Jane leur demanda des linges propres en quantité. Soulagés de la voir prendre les choses en main avec autant d'assurance, ils se mirent en quatre pour la servir.

Une fois seule avec son mari, Jane lui murmura des mots tendres en écartant les couvertures qui l'enveloppaient. De sa plaie émanait une odeur fétide qui lui souleva le cœur.

— Je sais à quel point tu souffres, Alan. Laisse-moi faire... Remets-t'en complètement à moi. Je vais tenter de te soulager.

Alan cligna légèrement des paupières pour lui signaler qu'il l'avait entendue. Même si elle savait que jamais Alan de Warenne ne se livrerait totalement à quiconque, Jane lui sourit en glissant une main dans ses cheveux collés par la sueur, le sang et la poussière, s'efforçant d'ignorer cette crasse pour le moment. Elle se concentra sur la tâche plus urgente qui l'attendait. Positionnant ses doigts à la base de son crâne, elle se mit à le masser doucement, en petits mouvements circulaires tout en prononçant des paroles qui ressemblaient à des incantations.

— Je t'aime tant, mon amour... n'aie pas peur... je suis là... fais-moi confiance, Alan... laisse-toi aller...

Il ne devait surtout pas deviner quoi que ce soit de ce qu'elle éprouvait, ne rien soupçonner de la panique qui l'habitait, de la peur qui se mêlait à l'amour, à l'espoir et au désespoir. Elle brûlait d'agir vite, de tout faire en même temps pour ne pas perdre une seconde, mais la sagesse lui recommandait d'agir par étapes.

En premier lieu, elle devait le soulager de ses souffrances intolérables.

— Tu vas dormir, Alan... et quand tu te réveilleras, je t'apporterai ton fils... dors, maintenant, laisse la douleur s'assoupir, oublie-la...

Jamais le grand guerrier qu'était Alan ne s'était retrouvé ainsi, à la merci d'une femme. Mais il n'avait pas le choix. Presque une heure entière s'écoula avant qu'il ne s'endorme, mais Jane ne se souciait plus du temps qui passait. Seul le moment présent comptait.

Dès qu'elle fut certaine qu'il ne pouvait plus la voir, elle ferma les yeux, anéantie par le chagrin. La vie de l'homme qu'elle aimait ne tenait qu'à un fil. C'était un miracle qu'il ait survécu au voyage. Au fond d'elle-même, Jane savait qu'Alan était mourant mais elle résolut de l'ignorer. Et elle essuya rageusement les larmes qui lui échappaient.

Elle rejoignit Keith et les guérisseurs gallois qui l'attendaient dans la pièce voisine et alla droit au but.

— Je ne veux pas savoir comment tout cela est arrivé, nous nous pencherons sur la question plus tard. Pour l'instant, nous devons diriger toutes nos pensées sur un seul et unique but : le sauver.

Après les avoir longuement consultés, Jane se tourna vers son frère Keith.

— Va au monastère. Les franciscains ont expérimenté de nouveaux minéraux. Demande-leur des sels de permanganate et de potassium, peut-être aussi du soufre. J'espère qu'ils auront la bonté de nous donner toutes ces substances. Vite, Keith, je t'en prie. Et ne me répète plus jamais que mon mari est perdu, je te l'interdis ! s'écria-t-elle comme Keith tentait de protester. Pour l'instant, il vit, c'est tout ce qui importe.

Quand Jane retourna dans la chambre d'Alan, ses écuyers venaient d'y apporter des linges propres et des serviettes.

— Taffy, il me faut de l'eau chaude, tout de suite. Et dites aux cuisines de garder continuellement de l'eau bouillie à ma disposition. Qu'ils lui préparent aussi de l'eau d'orge.

Une fois seule avec Alan, Jane mit dans une petite tasse l'une de ses décoctions de sève de pavot blanc et de miel, destiné à adoucir le goût amer. Elle ne savait pas si Alan l'entendait ou s'il la comprenait mais elle lui parla comme si c'était le cas.

— Essaie de boire ça, mon amour. Tu vomiras peut-être mais tu en garderas toujours assez pour que cela te fasse dormir.

Comme elle s'y attendait, Alan rendit ce qu'il parvint à avaler. Ses souffrances la déchiraient mais elle devait tenir bon.

Thomas arriva avec de l'eau chaude. Ensemble, ils lavèrent Alan et remirent des draps propres. Fidèle à sa promesse, Jane alla chercher son fils et le montra à son père.

— Regarde, mon chéri, c'est papa, dit-elle au bébé qui gazouillait.

Elle faillit éclater en sanglots quand elle vit un pâle sourire affleurer sur les lèvres d'Alan et elle pria tous les saints et toutes les déesses de sa connaissance pour que le pavot l'emmène au plus vite dans les bras de Morphée.

Dès qu'il ferma les yeux, elle s'assit au bord du lit et nourrit son bébé affamé. Elle le ramena ensuite à Grace Murray et la pria d'installer sa belle-sœur Judith dans la chambre contiguë afin de la relayer quand elle-même ne pourrait nourrir Lincoln.

Elle s'allongea ensuite auprès de son mari et prit sa main brûlante dans la sienne en murmurant ses incantations magiques. Des mots d'amour, d'espoir. Des mots mystérieux dont elle l'abreuva comme d'une pluie d'été. Elle caressa du regard ses traits émaciés, ses joues assombries par la barbe, se reposant sans dormir pour autant.

La certitude qu'un lien invisible et inaltérable les reliait ne la quittait pas, même si ce lien tremblait un peu à présent, fragilisé par la proximité de la mort qui rôdait. Mais l'amour, la confiance en feraient une corde solide.

Sachant qu'elles amoindriraient ses forces en ces instants où elle en avait besoin, Jane refusait obstinément de nourrir des pensées négatives. Elle traverserait cette épreuve terrible avec foi et dignité et elle ne baisserait pas les bras avant d'avoir tout mis en œuvre pour sauver Alan de Warenne. Une phrase lui revint : « Si tu poses un rameau sur ton cœur, l'oiseau chanteur viendra s'y percher. »

Jane s'appuya sur cet adage.

Dans le luxueux appartement qu'elle occupait au château d'Édimbourg, Alice Bolton ne parvenait pas à croire que Fitz-Waren eût réussi un tel coup de maître. « Ma vengeance est totale! » ne cessait-elle de jubiler. Alan de Warenne était mort et ce n'était que justice! Elle avait réussi à l'anéantir en se servant de son cousin!

Alicia s'était beaucoup inquiétée pour son avenir mais elle ne doutait plus d'avoir suivi le bon chemin. Pendant tout le temps où elle était restée avec Alan de Warenne, jamais elle n'avait pu l'influencer en aucune manière que ce soit. À l'inverse, Fitz-Waren était malléable à souhait. Elle faisait de lui ce qu'elle voulait.

— Fitz, quand ton père viendra t'annoncer la mort d'Alan, n'oublie surtout pas de paraître surpris, choqué. Nous devrons tous les deux affecter le désespoir, le réconforter d'avoir perdu son neveu bien-aimé.

— Le vieux singe n'aura personne vers qui se tourner à part moi.

— Je vais m'assurer que ses appartements sont prêts et qu'il n'y manque rien. Rien ne vaut une touche féminine pour panser les blessures du cœur.

Fitz la regarda froidement. Cette traînée ne se rendait même pas compte de l'ironie de ses paroles. Elle était dénuée de tout sentiment humain. Il pensa à Jory de Warenne qu'il aimerait tant consoler dans cette rude épreuve.

Curieusement, il ne vit aucune ironie dans ses propres pensées…

Quand John de Warenne arriva au château d'Édimbourg, il était épuisé physiquement et moralement. Comment se réjouir de la victoire éclatante qu'il venait de remporter quand Alan était au bord du trépas? Il envoya son messager en France pour informer le roi Édouard de son succès sans joie aucune.

Il s'assit devant l'âtre où ses écuyers avaient allumé un bon feu. Ils avaient aussi préparé son bain et son repas auquel il toucha à peine.

Tout à ses pensées, il n'entendit pas Fitz et Alicia

entrer dans sa chambre jusqu'à ce que son fils prît la parole.

— Père, vous avez l'air souffrant.

John sursauta et posa sur les intrus un œil vague avant de reprendre pied dans la réalité.

— Oui, je souffre, dit-il alors. J'ai le cœur brisé. À quoi bon gagner l'Écosse si c'est pour perdre Alan ?

— Il est mort glorieusement, en affrontant l'ennemi, comme n'importe quel noble guerrier l'aurait souhaité, affirma Fitz.

John l'observa. Il parlait comme si Alan était déjà mort... Certes, il y avait de grandes chances pour qu'il le soit, paix à son âme.

— Dieu est très mystérieux. Il lui a donné un fils et donc un héritier in extremis.

— Alan avait un fils ! murmura Alicia pour elle-même. Mon seigneur, cet enfant est un bâtard. Alan de Warenne n'était pas marié à cette servante. D'ailleurs, qui vous dit que cet enfant est bien celui de votre neveu ?

John regarda Alicia comme s'il venait seulement de remarquer sa présence.

— Vous vous trompez. Alan est allé rejoindre Jane après Noël afin de l'épouser et de légaliser la situation de son fils.

— Comment savez-vous que c'est son fils ? insista Fitz.

— Enfin, comment un homme sait-il que c'est lui qui a conçu son enfant, d'après toi ?

La haine réduisit les yeux de Fitz en une ligne mince. En cet instant, il aurait vraisemblablement étranglé John de Warenne si ses écuyers n'avaient été dans la pièce voisine. Ses mains le démangeaient.

— Je reconnaîtrai le fils d'Alan comme l'héritier du comté de Surrey dès que j'aurai reçu la confirmation officielle de la mort de mon neveu.

— Alan de Warenne est en vie ? lâcha Alicia, incrédule.

— Il l'était encore, la dernière fois où je l'ai vu. Mais je doute qu'il ait survécu au voyage jusqu'à Dumfries. Il est grièvement blessé.

Des larmes coulèrent sur les joues de John et il oublia les deux traîtres qui fulminaient en silence.

À peine eurent-ils refermé la porte de leur chambre qu'Alicia cracha son venin.

— Espèce de bâtard inutile ! Bon à rien ! Tu es incapable de réussir quoi que ce soit ! Alan de Warenne vit toujours, pauvre minable !

Fitz-Waren blêmit puis la gifla à toute volée, si violemment qu'Alicia vit les étoiles. Elle se retint au dossier d'un fauteuil, chancelante.

— C'est la dernière fois que tu me traites de bâtard ! Je n'ai jamais eu droit qu'aux miettes que les Warenne voulaient bien me laisser ! Même toi tu appartenais à Alan !

Affolée, Alicia comprit trop tard qu'elle avait joué la mauvaise carte. Elle hurla mais un terrible coup de poing la fit tomber à la renverse. Sa tête heurta violemment le rebord de la cheminée et Alicia fut réduite au silence. Un silence éternel.

30

Alan gémit faiblement. Près de lui, Jane émergea de sa somnolence. Elle se leva, alluma les bougies puis le feu dans la cheminée afin de réchauffer la pièce.

Ses seins gorgés de lait lui faisaient mal. Elle fit sa toilette, enfila la robe de chambre en velours noir d'Alan et se dirigea vers la porte dans l'intention d'appeler Grace Murray pour qu'elle lui amène son fils. La main sur la poignée, elle s'immobilisa avant de se tourner vers Alan. *Du lait maternel ! Elle allait tenter de le nourrir avec son lait !* Il n'existait rien de plus digeste. L'espoir gonfla en elle.

— Alan, je veux que tu boives mon lait.

Aucune réaction dans son regard vitreux. Elle se demanda s'il la comprenait quand, pour la première fois depuis son retour, il parla.

— Pour… bébé.

— Non, Alan. Lincoln se porte bien. Il n'a pas besoin de mon lait mais toi, si ! Je t'en prie, Alan, essaie !

Elle lui laissa le temps de réfléchir avant d'ajouter :

— Si ce n'est pour moi, fais-le pour ton fils. Il a besoin que tu vives !

Sans hésiter davantage, elle prit le visage d'Alan entre ses mains et l'approcha de son sein. Du bout des doigts, elle introduisit le téton dans sa bouche sèche et brûlante, puis elle attendit. Une éternité s'écoula avant qu'elle ne sente enfin la langue d'Alan se mettre en mouvement.

La suggestion de Jane avait frappé Alan de stupeur. Il savait qu'il se mourait et maudissait le ciel de ne pas avoir rendu son dernier soupir sur le champ de bataille. Jane était trop petite, trop douce et trop fragile pour endurer le spectacle de son horrible blessure et pour supporter la puanteur qui s'en échappait. Elle s'épuisait à tenter de le soigner alors qu'elle aurait plutôt dû l'achever.

À présent, il sentait son sein entre ses lèvres. Il se demandait comment elle supportait encore de le toucher. Elle s'était montrée autoritaire, l'avait supplié, et maintenant voilà qu'elle usait de son pouvoir de séduction. S'il refusait, elle se sentirait rejetée. Il était sûr que la fin était proche et, en cet instant, il prit conscience que Jane était plus forte que lui et qu'il devait se plier à sa volonté. Il n'avait même pas la force de téter mais, au prix d'un immense effort de volonté, il parvint à aspirer doucement.

Cette fois, miraculeusement, il ne vomit pas. Un peu plus tard, il se sentit même un peu mieux malgré la fièvre et la douleur persistante. Près de lui, Jane s'était endormie. Sa présence lui apportait une sérénité qu'il n'avait jamais ressentie. Un calme étrange et très doux, si doux qu'Alan se demanda s'il ne s'agissait pas des instants qui précèdent la mort.

Il regarda le visage de Jane et constata qu'elle était épuisée. C'était une femme exceptionnelle, dotée de qualités rares qu'il n'avait rencontrées chez aucune de celles qu'il avait connues avant elle. L'égoïsme lui était totalement étranger. Jane donnait sans rien attendre en retour. Elle avait comblé son désir le plus cher en lui faisant un fils alors qu'il croyait ce vœu irréalisable. À présent, il pouvait mourir sans regret : Lincoln Robert l'avait rendu immortel. Qu'est-ce qu'un homme pouvait vouloir de plus ?

Jane lui était entièrement dévouée. Elle était venue à lui, le premier homme de sa vie, avec une confiance aveugle, malgré sa jeunesse, sa timidité et son côté farouche. Et voilà qu'elle lui donnait son corps à nouveau, mais plus pour le plaisir, cette fois, pour le sauver.

C'était cela, l'amour ! Jane l'aimait et Alan comprit tout à coup qu'il l'aimait aussi. Cette émotion était nouvelle pour lui, totalement inconnue, merveilleuse. La panique le saisit alors car il ne le lui avait jamais dit. Et s'il mourait cette nuit, la laissant dans cette ignorance ? Ses yeux de lynx s'attardèrent sur ses traits délicats, adorables, mais il ne voulut pas la réveiller tant elle semblait épuisée. Refusant de se montrer égoïste et regrettant de l'avoir tant été, il se mit à prier pour que Dieu lui permette de vivre le temps de déclarer à Jane son amour.

Thomas et Taffy retenaient leur souffle en regardant Jane poser sa main sur le cœur d'Alan pour voir s'il battait toujours.

— Il vit, murmura-t-elle, des larmes plein les yeux. Je dirai même qu'il a retrouvé une certaine vigueur. Je sens bien son cœur. Il dort.

Alan ouvrit les yeux à ce moment-là, au grand soulagement de ses deux écuyers.

— Il dormait, rectifia-t-elle. Mon amour, ajouta-t-elle en se penchant vers lui, il faut que je regarde ta plaie... J'essaierai d'être douce.

Avec d'infinies précautions, Jane écarta la peau, de part et d'autre du trou énorme dans le ventre d'Alan. Un léger soupir lui échappa.

— C'est propre ! Regardez... regardez !

Thomas se pencha sur la blessure de son maître.

— L'odeur a disparu ! s'exclama-t-il joyeusement.

Quand Taffy se pencha sur lui, Alan lui murmura

quelque chose à l'oreille et la surprise se peignit sur le visage de l'Irlandais.

— Il veut uriner. Serait-ce à dire qu'il a réussi à garder quelque chose sans le rejeter ?

— Ce doit être votre eau d'orge, Taffy, mentit-elle en rougissant, car elle ne voulait pas révéler la façon dont elle nourrissait son mari.

— Je vais lui en préparer encore ! s'écria-t-il, tout heureux, en se précipitant hors de la chambre.

Thomas s'occupa de son maître puis Jane draina de nouveau la blessure.

— Si demain elle reste aussi saine, j'essaierai de boucher la cavité avec du soufre et de suturer la plaie. Qu'en pensez-vous, Thomas ?

— Je crois que vous avez vraiment le don de guérir, Lady Jane.

Jane sourit à Alan et posa une main sur son front.

— La fièvre a baissé, mon chéri.

Ce qu'elle lut dans le regard d'Alan n'était ni du soulagement ni de la gratitude. Elle y reconnut la flamme de l'amour. Une larme roula sur sa joue qu'elle chassa avec des doigts tremblants.

— Si tu oses mourir maintenant, Alan de Warenne, je te tue !

Thomas l'aida à changer les draps du lit et Taffy apporta une nouvelle cruche d'eau d'orge. Elle les remercia avec chaleur mais leur expliqua fermement qu'elle entendait rester seule avec son mari.

Dès qu'ils furent tous les deux, elle s'allongea près de lui et se dévêtit.

— Tu n'oseras pas refuser ! C'est moi qui établis les règles à Dumfries. Quand tu auras retrouvé ta force, tu me plieras sans doute à ta volonté mais, pour l'instant, mon seigneur de mari, tu feras ce que je te dis de faire.

Alan effleura le sein qu'elle lui tendait, l'embrassa et murmura avec ferveur :

— Je t'aime, Jane...

Jane sentit son cœur chavirer. C'était vraiment la journée des miracles !

Trois jours plus tard, la blessure d'Alan de Warenne était suturée et un bandage lui entourait le ventre.

— À présent, nous allons te laver! décréta Jane avec détermination.

Avec l'aide de Taffy et Thomas, elle le savonna avec une grande douceur mais ils le laissèrent se reposer sans s'occuper de ses longs cheveux emmêlés car il se fatiguait très vite.

Même s'il allait mieux, Alan n'était pas encore sauvé, loin de là. Il était très faible et, la nuit, il transpirait quand il souffrait. Jane le soulageait durant de longues heures en lui apposant les mains tout en commençant à diminuer peu à peu les doses de pavot.

Un après-midi, Taffy appela Jane dans la chambre contiguë.

— Je ne vous en ai pas parlé plus tôt pour ne pas vous inquiéter mais le comte John de Warenne tenait à venir à Dumfries depuis un certain temps. Il m'a chargé de vous dire que... euh, eh bien si... je dis bien *si* votre mari mourait, il ferait de Lincoln Robert son héritier et le prendrait sous sa tutelle jusqu'à sa majorité.

Jane mit une main sur sa gorge. Elle ne connaissait pas bien ces questions de droit mais le terme de « tutelle » l'alarmait plus que tout. Il impliquait que John de Warenne pourrait lui enlever son fils.

— Envoyez-lui tout de suite un messager pour le prévenir qu'Alan est sauvé!

— Trop tard! Le gouverneur vient d'arriver. Il... il est dans la cour du château.

— Seigneur!... Courez prévenir Jory. Je dois me changer. Appelez mon père et... non, non, le régisseur de Dumfries n'a pas besoin de mes instructions même si le gouverneur de l'Écosse l'honore de sa visite! Appelez plutôt mon frère Andrew, dit-elle en enlevant son tablier. Où est Thomas? Il faut qu'il reste avec Alan pendant que j'accueille le gouverneur!

— Thomas s'est éclipsé. Il est rongé par la culpabilité à cause de ce qui est arrivé à notre maître à Irvine. Le gouverneur nous demandera des explications, bien sûr.

— Mon Dieu, pourquoi faut-il que le gouverneur vienne maintenant?

— Je resterai auprès du comte de Warenne, offrit Taffy, bien que cette visite l'emplît lui aussi d'appréhension.

Jane courut dans sa chambre, à l'étage inférieur, et pendant qu'elle choisissait une robe adaptée à la circonstance elle pria Grace Murray de préparer le jeune comte afin de le présenter au gouverneur. Lincoln Robert se mit à crier dès qu'il vit sa mère. Il avait cinq mois mais paraissait deux fois son âge tant il était grand, potelé et éveillé. Jane prit le temps de l'embrasser avant de se préparer.

Quand Andrew arriva, elle lui présenta son dos pour qu'il boutonne sa robe.

— Combien sont-ils ? lui demanda-t-elle.

— Le gouverneur a une escorte de douze hommes.

— Fais-leur préparer des chambres confortables, un repas de choix. Il ne faudra pas oublier l'eau de rose pour les rince-doigts ! Oh, et un harpiste... Seigneur, est-ce que je vais être à la hauteur ?

— Calme-toi, Jane, nous sommes tous là pour t'aider. Père est en train de leur servir un verre.

Quand Jane arriva dans la grande salle, elle fut soulagée de constater que Jory l'avait précédée. Vêtue d'une ravissante robe abricot, elle était au bras de son oncle. À la vue du vieil homme épuisé et abattu, toutes les mauvaises dispositions de Jane à son égard s'évanouirent.

— Je te présente Jane, la femme d'Alan, dit Jory. Elle accomplit des miracles et nous l'aimons de tout notre cœur.

Jane s'inclina en une gracieuse révérence mais John la releva aussitôt et la serra dans ses bras sans manières.

— Ma chère enfant, comment pourrai-je jamais te remercier ?

— Monsieur le comte, bienvenue à Dumfries, répondit-elle avec un sourire, feignant de ne pas remarquer les larmes de John qui tremblaient au bord de ses paupières.

— Je m'appelle John.

Jane l'aima tout de suite mais elle échangea un regard soucieux avec Jory car le gouverneur semblait bien fatigué.

— John, vous me paraissez un peu las. Il faut vous restaurer, vous reposer et vous soigner. Grâce au ciel, vous avez choisi le bon endroit pour cela !

Le comte de Warenne l'observait attentivement.

— Je ne sais pas comment il a survécu à ce voyage dans l'état où il était. Je voudrais le voir tout de suite, ne serait-ce que pour m'assurer qu'il est bien en vie parce que, franchement, cela me semble incroyable.

Jane lui prit un bras, Jory l'autre, et elles conduisirent le vieil homme dans la chambre de son neveu.

— Alan, mon garçon... comment te dire à quel point je regrette ce qui t'est arrivé. On m'a dit que ta femme était une guérisseuse exceptionnelle mais je la suspecte d'être un ange.

Jane serra la main de son mari dans la sienne et, à son grand soulagement, il lui répondit par une pression.

— Il n'a pas encore la force de parler beaucoup mais vous pouvez constater qu'il est heureux de vous voir.

— Notre fils, parvint à murmurer Alan.

— Asseyez-vous, John, je vais chercher Lincoln.

Quand elle lui apporta le bébé souriant et tout rose, John s'écria :

— Dieu du ciel, c'est tout le portrait de son père !

Il prit l'enfant dans ses bras. Après un bref instant où il sembla au bord des larmes, Lincoln se ravisa tout à coup pour s'intéresser de très près à l'oreille de son grand-oncle. Les yeux brillant d'émotion, John observa la jeune femme si menue, d'une beauté délicate, qui avait donné naissance à cette force de la nature. Une bonté sans limites l'illuminait d'un éclat incomparable.

Jory sourit à son oncle.

— En plus de toutes ses autres qualités, elle a le don de guérir, glissa-t-elle. Jane est une vraie bénédiction.

— Oh, non ! rectifia Jane. C'est moi qui suis très honorée d'être devenue la femme d'Alan et d'avoir été acceptée telle que j'étais.

John regarda Jory en secouant la tête.

— Elle n'a pas la moindre idée de sa valeur, c'est incroyable !

Jane rougit de plaisir et fit signe à Grace Murray de prendre son fils qui s'agitait de plus en plus.

— Le régisseur de Dumfries, mon père bien-aimé, veillera à votre confort. Mon frère Andrew, qui seconde mon père, vous conduira à vos appartements. Il vous a fait préparer un bain et s'efforcera de satisfaire tous vos désirs. Je vous retrouve en bas, au dîner, mon seigneur.

— John, lui rappela-t-il.

Deux jours plus tard, John de Warenne avait repris des forces et des couleurs. Le soulagement d'avoir trouvé son neveu en vie ainsi que le répit d'être momentanément libéré des lourdes responsabilités qu'il exerçait à Édimbourg contribuèrent à son rétablissement. Il faut dire que Jane lui avait préparé quelques potions énergétiques dont elle avait le secret.

Quand John décida d'entreprendre ses recherches pour essayer de comprendre ce qui s'était passé sur le champ de bataille d'Irvine, Jory lui demanda si elle pouvait assister à l'interrogatoire avec Jane. Le vieil homme n'ayant jamais rien pu refuser à sa nièce adorée, il accepta.

Ils se réunirent dans le petit salon attenant à la grande salle. John questionna tout d'abord Thomas, car il était le premier écuyer d'Alan.

— Je ne me souviens de rien, mon seigneur. Je me battais à la droite du comte de Warenne, comme d'habitude, et puis... plus rien ! La seule chose que je me rappelle ensuite, c'est m'être réveillé parmi les cadavres sur le champ de bataille, complètement sonné, comme si ma tête allait éclater. Je ne savais plus où j'étais, qui j'étais... C'est le jeune frère de Jane qui m'a trouvé et m'a ramené au camp.

Jane se sentit fière de Keith et de sa bravoure.

— J'aimerais entendre ta version des faits, Taffy.

— Nous étions tous les trois au cœur de la bataille, moi à gauche de mon seigneur et Thomas à sa droite. À un moment, je me suis rendu compte que Thomas n'était plus avec nous. J'ai eu peur qu'il n'ait été désarçonné mais, l'instant d'après, il avait repris son poste à mon grand soulagement. J'ai donc continué à me battre et, tout à coup, j'ai perdu de vue Thomas et le comte de

Warenne. J'ai dû continuer à me battre seul et je ne les ai pas revus.

Déçu, John questionna Montgomery qui ne l'éclaira pas davantage.

— Mon seigneur, intervint alors Taffy. Le jeune Keith Leslie a eu une vision. Il affirme que le seigneur de Warenne a été frappé par l'un de ses hommes.

— Je crois aux faits, non aux visions !

— Mon seigneur, intervint Jane. Keith Leslie est mon frère. Il est le septième fils de la famille et il a le don de double vue. Parfois, il voit des choses se produire sans être sur place.

— C'est lui qui nous a permis de retrouver Alan, renchérit Montgomery. Il nous a conduits jusqu'à lui alors que nous l'avions cherché sans succès pendant des heures, dans un brouillard à couper au couteau.

— Il a su aussi retrouver Thomas, précisa Taffy.

Marjory se leva.

— Je vais le chercher, décida-t-elle. Il jouit de dons particuliers, tout comme Jane.

Quand Jane vit Keith entrer dans la chambre, elle prit conscience qu'il était devenu un homme. La guerre, songea-t-elle, vole la jeunesse et l'innocence plus sûrement et plus vite que la vie.

— Keith, j'aimerais que tu nous dises précisément ce que tu as vu.

Le regard de Keith Leslie se fit lointain.

— C'était une vision très claire, très précise, contrairement à d'autres beaucoup plus floues. J'achevais de préparer les chevaux pour la bataille et je me suis allongé dans la paille pour me reposer quand, au lieu de m'endormir, j'ai senti le temps se ralentir puis j'ai vu l'un des chevaliers du seigneur de Warenne désarçonner Thomas en le frappant avec son fléau. Le chevalier est alors descendu de son cheval pour monter sur celui de Thomas qu'il s'est mis à éperonner comme un forcené jusqu'à ce qu'il repère le seigneur de Warenne. Il s'est placé derrière lui et, d'un coup, il a projeté le seigneur à terre. Le chevalier est alors descendu de cheval, il a dégainé son épée et la lui a plantée dans le ventre.

— Un chevalier d'Alan ? demanda John, incrédule.

— Mon seigneur, depuis ce jour funeste, je les ai tous regardés de près. Je n'ai cessé de le chercher mais je ne l'ai pas encore retrouvé.

— Tu as vu son visage ?

— Seulement ses yeux. Mais je ne les oublierai jamais. Ils étaient remplis de haine, assoiffés de sang, et, quand l'homme a eu accompli son meurtre, ils brillaient de triomphe ! Ces yeux-là avaient quelque chose de différent, oui... la paupière de son œil gauche tombe sur l'œil d'une façon prononcée.

Le visage de John de Warenne prit une couleur de cendres. Jory avait pâli, elle aussi. L'oncle et la nièce échangèrent un long regard. Keith Leslie venait de décrire quelqu'un qu'ils connaissaient bien tous les deux. Trop bien !

Thomas, Taffy et Montgomery évitèrent de se regarder. Mais tous les trois comprirent que le frère de Jane avait réellement vu la tentative d'assassinat ainsi que le meurtrier.

31

Cette nouvelle bouleversa Jane. Jusqu'à présent, elle pensait qu'Alan avait été blessé par un ennemi, mais que l'un de ses hommes ait voulu l'assassiner la faisait frémir.

Qui ? Pourquoi ?

Ses soldats l'admiraient, l'aimaient et le respectaient. Comment l'un d'entre eux avait-il pu commettre une telle infamie ? Une chose était sûre : Alan ne devait surtout pas le savoir. Il n'était pas assez fort pour supporter un tel choc.

Jane se souvint soudain qu'elle l'avait laissé seul, dans la tour de maître.

— Excusez-moi, s'il vous plaît, murmura-t-elle avant de s'éclipser.

Elle se glissa dans la chambre en silence, attentive à ne pas le déranger mais il ouvrit les yeux comme s'il avait senti sa présence. Jane entremêla ses doigts aux siens et lui sourit. Sa décision de lui cacher la vérité jusqu'à ce qu'il soit assez fort pour l'entendre se précisa. Elle le protégerait envers et contre tout.

C'est alors que de sombres pensées se profilèrent derrière son sourire apaisant. Et s'il ne se remettait jamais tout à fait ? S'il demeurait faible ? Infirme ? Diminué ? Il lui reprocherait alors de ne pas l'avoir laissé mourir…

Non ! s'admonesta-t-elle. Elle avait agi comme il fallait et, aussi longtemps qu'il vivrait, elle aurait assez de force, d'énergie et de foi pour deux !

— Tu vas bientôt guérir, mon amour. Je te le promets, lui murmura-t-elle à l'oreille avant de poser ses lèvres sur son front.

Elle posa ensuite les mains sur son corps afin de soulager ses douleurs et elle y parvint si bien qu'il finit par lui sourire.

— Ce soir, lui dit-elle, je dormirai près de toi, d'accord ?

— Jane…

Les larmes lui montèrent aux yeux mais elle les refoula vaillamment. Les larmes trahissaient la faiblesse. Ce n'était pas le moment.

Un peu plus tard, au cours du dîner, Jane remarqua que Jory ne quittait pas son oncle. Ils ne cessaient de se parler à voix basse, sans doute de la tentative d'assassinat. Peut-être suspectaient-ils quelqu'un ? Pour l'instant, Jane n'avait pas envie d'en savoir plus. Elle ne se sentait pas tout à fait prête à affronter la vérité.

À la fin du repas, John s'approcha de Jane, assise à côté d'Elizabeth de Burgh.

— Jane, je compte repartir dès demain matin. Je ne peux malheureusement pas disposer de mon temps à ma guise, le devoir m'appelle à Édimbourg. Je n'ai pas encore désigné de tuteur pour ton fils mais il n'y a plus d'urgence en la matière. Il semble d'ailleurs que cela ne soit plus nécessaire. Je l'espère en tout cas, de tout mon cœur.

Jane lui prit les mains.

— Merci, mon seigneur. Je vous jure de faire tout mon possible pour guérir Alan.

— Je n'en doute pas, ma chère enfant. Alan est un homme heureux d'avoir trouvé une femme comme toi mais je crois qu'il le sait. Que Dieu te bénisse. Je te donne ma parole de mettre la main sur celui qui a tenté de le tuer.

Il sait qui est le meurtrier ! comprit-elle alors. Mais John de Warenne était la bonté même, elle pouvait lui faire confiance.

— Dieu vous bénisse, mon seigneur, et merci de m'avoir acceptée.

— John, mon petit. N'oublie pas que je m'appelle John !

Jane se déshabilla à la lueur des bougies. Elle savait combien Alan aimait voir son corps et son unique désir étant de le satisfaire, elle le lui montrait. Une fois nue, elle se glissa entre les draps à côté de lui. Alan avait maintenant assez de force pour tourner la tête sur l'oreiller et elle lui parla doucement.

— Le gouverneur repart demain. Il ne rentrerait pas si vite à Édimbourg s'il doutait de ton rétablissement. J'aime beaucoup ton oncle, Alan.

Son sourire creusa les deux fossettes dans ses joues et elle ajouta :

— Crois-moi si tu veux, mais je pense qu'il m'a adoptée !

Sur ce, elle se souleva pour lui donner son sein où il puisait sa nourriture quotidienne ainsi que la force nécessaire à sa lente guérison. Un lien très particulier les unissait. Jane était plus que sa femme, elle était la source de sa vie.

Elle sourit de nouveau en essuyant le front de son mari où l'effort laissait perler quelques gouttes de sueur. Il lui faisait une confiance totale et elle s'en émouvait. C'est alors que pour la première fois depuis qu'Alan était rentré à Dumfries, et bien que sa vie ne tînt encore qu'à un fil, elle eut la certitude absolue que son bien-aimé survivrait.

Deux semaines plus tard, Jane essaya de lui donner une nourriture plus consistante et, grâce au ciel, il ne vomit pas. Dès lors, Alan reprit des forces de plus en plus vite et commença à s'asseoir. Jane prit alors l'habitude de lui amener Lincoln tous les jours.

La nuit, ils dormaient dans les bras l'un de l'autre, sans se séparer jusqu'au matin. Quand Alan recommença à faire preuve d'autorité, Jane comprit qu'il était vraiment sur la voie de la guérison.

— J'ai besoin d'air frais, décréta-t-il un beau matin de juin.

Jane ouvrit la porte donnant sur le chemin de ronde.

— Non, je veux sortir. Thomas !

Jane pria Taffy d'installer un fauteuil à l'extérieur. Au moment où les deux écuyers voulurent le porter, Alan estima qu'il pouvait marcher seul contre l'avis de sa femme. Elle connut un bref moment de panique à l'idée qu'il n'aurait bientôt plus besoin d'elle, mais elle se raisonna tout de suite. Elle remercia le ciel quand elle vit son mari faire ses premiers pas vers la guérison. Lui qui détestait dépendre des autres, il allait enfin retrouver son autonomie.

Thomas l'aida néanmoins à s'installer dans le fauteuil, au soleil.

— N'est-elle pas merveilleuse ? dit Alan en se tournant vers Jane.

— Oh, mon seigneur… on peut le dire. Jane est un ange.

— Alan, tu vas vraiment mieux ! s'écria Jory en arrivant avec Elizabeth. Tu as toujours une mine affreuse mais tes forces reviennent.

Alan ne semblait pas l'écouter. Les yeux toujours fixés sur Jane, il répéta :

— N'est-elle pas merveilleuse ?

— Mon Dieu, mais… tu es amoureux ! s'exclama sa sœur, interloquée.

Alan sourit d'un air espiègle.

— Je t'interdis de le lui dire !

Jory roula des yeux vers Elizabeth.

— Motus et bouche cousue.

— Tu as intérêt. Je suis le gardien de tes secrets, n'oublie pas, rétorqua son frère.

Comme Jane approchait, il lui tendit les mains et en profita pour l'attirer contre lui et lui voler un baiser.

— Hum… ton parfum me grise.

Jory éclata de rire et Alan fronça les sourcils.

— Ne t'inquiète pas, mon frère, personne ne risque de deviner ton secret !

— Un secret ? s'étonna Jane.

— Oh, il ne vous a rien dit ? Alan a fait vœu de chasteté afin d'expier ses péchés.

Jane se tourna vers son mari en riant et l'embrassa.

— Je connais une meilleure méthode expiatoire… lui glissa-t-elle au creux de l'oreille.

— À propos de pécheurs, en voilà un justement ! lança Jory en désignant un cavalier qui arrivait vers le château au grand galop.

Robert Bruce. Marjory remonta ses jupes à deux mains et courut vers l'escalier, talonnée par Elizabeth de Burgh.

— Attendez ! les rappela Jane. Vous voulez bien me laisser accueillir Robert ?

Jory posa sur son amie ses magnifiques yeux verts.

— Bien sûr, concéda-t-elle. À vous l'honneur.

Robert Bruce venait de franchir la porte quand Jane apparut. Il l'enveloppa aussitôt entre ses bras puissants et la serra contre lui.

— Je n'ai pas pu venir plus tôt, Jane, désolé. Je me suis fait un sang d'encre. Il paraît qu'il revient de loin, qu'il était perdu et que vous avez accompli des miracles. Comment avez-vous fait ?

— C'est lui qui a *fait* l'essentiel mais j'ai quelques pouvoirs, c'est vrai, Robert. Il va beaucoup mieux mais il est squelettique et se fatigue très vite. Parfois, la nuit, il souffre le martyre.

— Je vois. Vous, tenez-vous le coup ?

Les fossettes de Jane creusèrent brièvement ses joues.

— En devenant Lady Jane de Warenne, j'ai découvert en moi, grâce à Alan, une force dont j'ignorais l'existence.

Robert lui sourit, comme si ce qu'elle lui disait ne l'étonnait pas vraiment.

— Robert, qui est le chevalier à la paupière tombante ?

Le visage de Bruce s'assombrit.

— C'est... l'ennemi mortel d'Alan, Fitz-Waren, le fils illégitime de John de Warenne.

— Dieu tout-puissant ! s'exclama Jane. Alan l'ignore mais John et Jory le savent aussi, je l'ai compris au regard qu'ils ont échangé quand on leur a décrit l'assassin, mais ils ne m'en ont jamais parlé. Robert, quand Alan le saura il voudra aussitôt aller se venger mais il n'en a pas la force. En fait, je crains qu'il ne puisse plus jamais combattre.

Le Bruce posa un doigt sous le menton de Jane et l'obligea à le regarder.

— C'est ce que vous voudriez ?

— Oh, non ! Je veux qu'il redevienne celui qu'il était. Il ne tolérerait pas de ne pas recouvrer tous ses moyens.

— Jane, écoutez-moi. Alan est peut-être affaibli physiquement, mais son cerveau est intact. Il est assez fort pour entendre la vérité, croyez-moi.

Quand les deux hommes s'embrassèrent sur le parapet, les trois femmes essuyèrent une larme.

— Nom d'un chien ! s'exclama Robert. Moi qui venais faire ma cour à ta veuve, c'est raté ! Tu m'as l'air en pleine forme !

Un large sourire fendit le visage d'Alan.

— Avant de m'enlever Jane, tu devras me passer sur le corps !

— Tu plaisantes ? Tu n'es plus en état de te battre.

— Attends que je me rétablisse, tu ne perds rien pour attendre !

Jane entraîna les deux femmes à l'intérieur.

— Laissons-les se taquiner entre hommes.

— Robert se comporte comme si Alan était toujours le même, s'inquiéta Jory.

— Je crois qu'il sait ce qu'il fait, Jory. Ses propos le stimulent. Robert ne fera jamais rien qui puisse blesser Alan, nous le savons toutes les deux.

Robert s'assit sur le parapet du chemin de ronde.

— En arrêtant la famille de William Douglas, tu nous as permis de gagner la bataille d'Irvine. Tu savais que Douglas se rangerait de ton côté ?

— Je l'espérais. Je reviens tout juste d'Édimbourg. Le gouverneur m'a nommé shérif de Larnak. Il ne veut plus de troubles dans ce coin-là. Je pense que la victoire d'Irvine nous assurera quelques mois de paix.

— Parfait, j'ai besoin de l'été pour récupérer et retrouver ma force.

— John de Warenne a envoyé Fitz-Waren et sa cavalerie au nord pour aider Comyn. D'après les rumeurs, une querelle terrible a éclaté entre lui et le gouverneur qui l'a menacé de le destituer de son poste. Bon débarras, me suis-je dit, mais en rentrant chez moi, j'ai trouvé un message de mon frère Edward. Le grand justicier Ormsby s'est réfugié à Carlisle. Apparemment, Fitz-Waren lui avait envoyé l'un de ses officiers de cavalerie pour le prévenir de l'attaque imminente de Wallace.

— Le traître ! s'écria Alan. Non seulement il a mis la main sur les caisses illégalement remplies d'Ormsby mais il s'est en même temps allié avec Wallace, puisqu'il savait que Scone était sur le point d'être attaquée !

— Exactement, et maintenant, pensant se débarrasser de lui, le gouverneur l'a envoyé dans le nord, tout droit dans le camp de Wallace.

— Tu soupçonnes toujours Comyn et Wallace d'être alliés ?

— Ce ne sont pas des soupçons, c'est un fait établi.

Alan plissa les yeux.

— Toi, Comyn et le roi Édouard, vous me faites penser à trois chiens qui se battent pour le même os !

— Quand l'Écosse saigne, je saigne, Alan. C'est pour cette seule raison que je m'exerce à la patience.

Après un regard appuyé à son ami, il ajouta :

— Je t'ai épuisé, mon vieux. Tu ressembles à un mort vivant. Viens !

Robert l'aida à regagner son lit. Jane l'attendait.

— Je me demande bien ce que vous lui trouvez ! s'exclama Bruce, plaisantant pour dissimuler la profonde inquiétude que lui inspirait l'état de son ami. Non seulement il est inutile mais il est affreux !

Jane sourit et répondit légèrement :

— Peut-être, mais il fait de beaux enfants.

Cette nuit-là, quand Jane retrouva Alan, elle ôta les bandes du ventre d'Alan. Autour de la blessure, la peau demeurait très molle.

— Il vaut mieux la laisser à l'air libre. Cela accélérera la cicatrisation. Je sais que tu ne guéris pas aussi vite que tu le voudrais, mais c'est à cause de ton extrême faiblesse. Tourne-toi sur le côté, Alan, mais doucement surtout. Tout doucement...

Quand il fut en position, Jane lui massa le dos depuis la nuque jusqu'au creux des reins.

— Alan, j'ai hésité toute la journée à te le dire mais... Robert m'a finalement convaincue que tu étais de taille à l'entendre et je n'aime pas te cacher des choses, alors...

Il posa une main sur celle qui était en train de le soulager de ses douleurs.

— Ma chérie, si c'est à propos de Fitz-Waren, je sais déjà.

— Tu... tu sais ? Comment ?

— Dès que j'ai été capable d'articuler une phrase cohérente, j'ai interrogé Taffy et Thomas.

— Oh, Alan, promets-moi de ne pas...

— Jane, la seule chose que je compte faire cet été, c'est me rétablir, retrouver mes forces. Je commencerai d'ailleurs dès cette nuit. Dieu sait combien j'apprécie ce que font tes mains mais tu vas cesser de soulager mes douleurs. Il faut que je les affronte, que je lutte contre elles si je veux m'endurcir.

— Mais, Alan...

— Non, Jane, dit-il en se retournant. Si tu veux faire quelque chose pour moi... caresse-moi, dit-il en lui prenant la main pour la poser entre ses jambes.

— Je ne veux pas t'affaiblir, murmura-t-elle.

— C'est tout le contraire qui se passera, je t'assure.

Jane ôta sa chemise de nuit et s'allongea contre lui avec précaution, s'émerveillant de constater son érection, signe d'une vigueur retrouvée.

— Il ne manquerait plus que le Bruce soit en train de forniquer pendant que moi, je dors !

— Alan ! Ils font l'amour, c'est différent.

— Non, l'amour, ils le feront mais... après.

Elle laissa ses lèvres errer sur les siennes, les dessinant du bout de la langue.

— Mmm, d'ici à deux jours au plus tard, je te montrerai... murmura-t-il.

Alan de Warenne consacra les semaines qui suivirent à se remuscler. Peu à peu, il participa aux travaux manuels qui ne manquaient pas à Dumfries. Bientôt, les métiers de palefrenier, de forgeron, d'agriculteur n'eurent plus de secrets pour lui. À force de se démener, il redevint celui qu'il était avant d'être blessé. Un homme vigoureux et musclé. Une force de la nature.

Il consacrait à Jane le plus de temps possible, et comme il voulait la quitter le moins possible, il finit par la convaincre de l'accompagner aux champs, ou aux écuries. L'amour qu'ils éprouvaient l'un pour l'autre était si fort, si profond, que personne à Dumfries ne pouvait ignorer ce lien presque palpable qui les soudait. Le guerrier ténébreux était devenu un homme joyeux, enjoué, ne cessant de rire.

Jane l'avait envoûté. Son image le hantait nuit et jour et, s'il ne la voyait pas durant une heure ou deux, elle lui manquait. Sa voix l'enchantait, son rire mettait tous ses sens en émoi.

Pour la première fois de sa vie, Alan était éperdument

amoureux et il avait envie de le crier au monde entier. Tous les prétextes étaient bons pour la toucher. Pour un oui pour un non, il la renversait dans la paille, la soulevait dans ses bras, l'embrassait, la caressait.

À la fin du mois de juillet, il recommença à s'exercer au maniement des armes avec ses chevaliers et ses archers mais les progrès étaient lents et la patience s'imposait.

Il faisait de longues promenades à cheval avec Jane, au bord de la mer, sur l'herbe grasse des collines. Chaque soir, ils passaient un long moment avec Lincoln Robert avant de le mettre au lit. Ils le baignaient ensemble, lui donnaient à manger, jouaient avec lui avec un plaisir partagé. Quand ils se retrouvaient ensuite dans leur lit, à l'abri des rideaux qui les protégeaient, ils accomplissaient avec un goût insatiable les gestes de l'amour.

— Je t'aime, Jane, lui répétait-il inlassablement. Il est important que je te le dise. Je t'aime de tout mon cœur, de toute mon âme.

Et chaque soir, après leurs étreintes, il ajoutait :

— Jane, m'aimeras-tu toujours comme cette nuit ?

— Toujours, Alan, mon amour, affirmait-elle avec feu.

32

Un après-midi de la fin juillet, au bord de l'étang de la forêt, Alan débarrassa Jane de sa robe et, pour corser le jeu, car elle adorait sa façon de la courtiser, elle feignit d'être timide, d'hésiter à enlever ses sous-vêtements. Elle finit par plonger, aussi nue que lui, dans l'eau fraîche.

En quelques brasses puissantes, il la captura.

— Tu te souviens de ce lynx que j'ai soigné ? Une nuit, j'ai rêvé que je nageais avec lui dans cet étang, un rêve très étrange…

— Tu es aussi inconsciente dans tes rêves que dans la

vie. Laisse-moi te montrer le danger qu'il y a à nager avec un lynx, la taquina-t-il en l'entraînant sous l'eau.

Quand elle émergea à la surface, sereine et souriante, elle lui offrit son petit sourire énigmatique.

— Je sais combien un lynx peut s'avérer dangereux et sauvage mais j'espérais l'apprivoiser, le défia-t-elle.

Alan se mit à rire.

— Admettons que je sois ce lynx. Que ferais-tu d'un lynx apprivoisé ?

— Rien, Alan. Je veux que tu restes exactement tel que tu es, à jamais.

Il l'attira contre lui et l'embrassa sur les joues, les paupières puis il la souleva dans ses bras et sortit de l'eau.

— Ne me porte pas, Alan, je suis trop lourde.

— Lourde, toi ? Tu es légère comme une plume. Et puis tu oublies que j'ai besoin d'exercice.

— Hm, hm, je sais exactement à quel genre d'exercice tu penses mais je ne crois pas que ce soit très efficace pour la musculation.

— C'est toi qui le dis, répliqua-t-il en l'entraînant dans l'herbe douce.

Il roula sur le dos de sorte que Jane fût à plat ventre sur lui.

— Tu sens la chaleur du soleil sur ton corps ?

Jane enfouit son visage contre sa poitrine et respira l'odeur de sa peau avec ivresse.

— Quand j'étais malade et que tu te penchais sur moi, ton odeur était comme une bouffée de rosée.

Il lui lécha le cou, la gorge, le bout des seins.

— J'adore ton goût, Jane. J'ai bien peur que tu ne m'aies ensorcelé. Je suis en train de me demander si tu ne m'aurais pas jeté un sort. Attends un peu que je sois complètement rétabli…

— Ah oui ? Et que me feras-tu ?

— Je te ferai frissonner, comme ça…

Il l'enlaça étroitement et entreprit de mettre sa menace à exécution. Ses nombreuses semaines d'abstinence l'avaient rendu ardent. Pendant qu'il l'emmenait avec lui vers une extase brûlante, il s'émerveilla de la voir lui répondre avec une passion partagée en murmurant son nom d'une voix rauque, lui caressant le visage en gémissant de plaisir.

La deuxième fois, il la tourna sur le dos. Jane se cambra aussitôt et il la pénétra en refermant ses mains sur ses seins magnifiques. Il se mit à aller et venir en elle de plus en plus loin, de plus en plus fort, lui arrachant à chaque poussée des cris de bonheur. Quand elle fut au bord de la jouissance, il accéléra brusquement et laissa leur orgasme les emporter au septième ciel.

Une fois rassasiés, ils somnolèrent à la chaleur du soleil, sous la caresse de la brise. Un peu plus tard, Alan s'étira en murmurant :

— J'aimerais que cet été ne finisse jamais. J'ignorais qu'être amoureux pouvait remplir une vie à ce point.

— Amoureux ?

— Eh oui, je suis tombé amoureux. D'ailleurs, je continue de tomber et j'espère bien ne jamais arriver au fond.

Attablé dans la grande salle de Dumfries, Montgomery s'approcha d'Alan en jetant un regard d'excuse à Jane.

— Mon seigneur, des cavaliers venus du sud arrivent. Il s'agit du haut justicier Ormsby. Il dit que le gouverneur l'a convoqué et qu'il entend faire une halte ici.

— Ce gros porc ? Je vois. John doit l'avoir convoqué à Édimbourg pour qu'il réponde aux accusations portées contre lui.

Alan quitta l'estrade pour aller parler à Jock.

— Nous allons devoir héberger du monde. Ormsby est tellement lâche qu'il voyage sûrement avec une armée de garde.

Montgomery s'approcha de lui et ajouta :

— Un immense convoi d'hommes et une cohorte de soldats le suivent.

— Seigneur ! Cela veut dire que John rencontre à nouveau des problèmes et qu'il me les cache délibérément. Jock, vous installerez le convoi dans la cour du château. Les soldats monteront leurs tentes dans la prairie sud. Montgomery, allez prévenir Robert Bruce.

Il rejoignit Jane et Marjory sous le dais.

— Il faut prévenir les cuisines. Ormsby pense à son gros ventre aussi souvent qu'à sa bourse !

Quand Ormsby vit Alan de Warenne l'accueillir en personne, une vive surprise se peignit sur ses traits.

— On m'a dit que vous aviez été grièvement blessé pendant la bataille d'Irvine.

— C'est exact mais je me suis vite rétabli.

— Je dois une fière chandelle aux de Warenne. Si le gouverneur ne m'avait pas envoyé Fitz-Waren pour me prévenir de l'imminence de l'attaque de Scone, je n'aurais pu me sauver à temps.

— Exprimez bien votre gratitude au gouverneur, William. Je suis certain qu'il attribuera à Fitz-Waren tous les honneurs qui lui reviennent, répliqua sèchement Alan. Mon régisseur, Jock Leslie, a préparé votre chambre. Nous nous retrouverons au dîner.

Le temps qu'Ormsby et ses chevaliers s'installent et redescendent pour le dîner, Robert Bruce avait parcouru les huit miles qui séparaient Lochmaben de Dumfries. Quand le haut justicier vit le Bruce arriver, il se hérissa :

— N'êtes-vous pas appelé vous aussi par le gouverneur ?

— Pas encore. Mais il sait que mes hommes sont postés jusqu'au Forth pour assurer la sécurité des routes.

— Mon oncle a nommé Bruce shérif de Larnak, expliqua Alan.

— Ah ? Et pourquoi ? demanda Ormsby, suspicieux.

— Réfléchissez, mon cher. Quand Andrew de Moray a fomenté la rébellion dans les Highlands, le roi a envoyé Comyn pour la réprimer. Ce traître s'est allié à de Moray et, à présent, ils comptent rejoindre Wallace.

— Wallace est un monstre ! À Scone, il a tenté de m'enlever. S'il pouvait mettre la main sur moi ou sur le gouverneur, il aurait une monnaie d'échange pour discuter avec le roi et exercer sur lui un chantage.

Alan se figea.

— Tous les Écossais qui ont perdu leurs chefs de

clan à Irvine vont rejoindre Wallace. Je vous accompagne chez mon oncle, dit-il à Ormsby.

— Nous sommes bien assez. Nous n'avons pas besoin de vous. Cressingham et Roxburgh ont été appelés, eux aussi.

— Tu n'es pas encore en état de te battre, remarqua le Bruce.

— C'est vrai, je n'ai pas encore recouvré toutes mes forces mais cela ira. Mes hommes sont en pleine forme, de toute façon.

Sur ce, Alan chargea Thomas, Taffy et Montgomery de distribuer les ordres.

Alan attendit d'être couché près de Jane pour l'informer de sa décision. Elle l'aimait trop pour lui faire remarquer qu'il n'était pas encore redevenu celui qu'il était avant d'être blessé.

Bien sûr, Alan devina qu'elle le ménageait, il ne l'en aima que davantage.

— Je ne veux pas que tu t'inquiètes, mon amour. Aucune force au monde ne m'empêchera de revenir auprès de toi. N'oublie pas que tu m'as jeté un sort!

Jane était pure et sensuelle à la fois. Il se sentait totalement sous son charme, comme si elle chantait nuit et jour dans son cœur le chant des sirènes, lui indiquant la route à suivre. Et il la suivait. Il n'avait pas le choix.

Il écarta les boucles rousses du visage de sa bien-aimée, suivit d'un doigt léger la ligne de ses sourcils, de ses joues. Tout en elle le fascinait. L'envoûtait. Il l'attira au creux de ses bras et la dévora de baisers.

— J'emmène l'armée à Stirling, et toi, tu rentres à Dumfries, c'est un ordre! déclara John à Alan d'un ton sans réplique.

— Es-tu en train de me dire que je ne suis pas capable de mener mes hommes?

— Exactement. Ravale ta satanée fierté et rentre chez toi!

— Tu te crois plus apte que moi, peut-être? Pour l'amour de Dieu, John, tu as plus de soixante ans!

— Exact, mais je ne prends plus part aux combats. Je me contente de donner les ordres et, aujourd'hui, je t'ordonne de rentrer à Dumfries.

Devant l'air obstiné de son neveu, John ajouta:

— Il n'y aura peut-être même pas de combats. J'espère les persuader de renoncer à se battre. J'ai une armée de quatre mille hommes, Alan. De quoi les faire réfléchir. Le meilleur service que tu puisses me rendre, c'est de rentrer à Dumfries pour parfaire ton rétablissement et recouvrer totalement tes forces. Je pourrais avoir besoin de toi plus tôt que tu ne le crois.

Alan dut se plier à sa volonté inflexible. Au fond, il ne tenait pas à montrer à ses hommes qu'il n'était peut-être pas encore à la hauteur. Mieux valait attendre, John avait raison. Il était encore très maigre. Et puis, Jane serait tellement heureuse et soulagée de le voir revenir. Avant de partir, il passa chez un bijoutier et acheta une alliance à son épouse, un anneau en or gravé d'un symbole celte représentant l'éternité de la vie et de l'amour.

Cette nuit-là, il ne parvint pas à trouver le sommeil, tant Jane lui manquait. Après s'être tourné et retourné dans son lit, il prit une décision. Dès son retour, il l'emmènerait à la chapelle et l'épouserait de nouveau. Il voulait prononcer les vœux sacrés en toute conscience. Réconforté par cette décision, il plongea enfin dans les bras de Morphée.

Hélas, un cauchemar l'attendait à Dumfries. Dès qu'Alan franchit la porte des écuries et vit le visage de Keith, il comprit qu'un drame s'était produit.

— Dieu merci, vous êtes revenu, mon seigneur!

— Que se passe-t-il?

— Venez, mon père a un message pour vous.

Alan le suivit, gagné par une angoisse noire. La première personne qu'il vit dans la grande salle fut Jory.

— Dieu soit loué! s'écria-t-elle aussitôt. Je me préparais à partir te chercher à Édimbourg. Le Bruce est à Larnak et je ne savais pas quoi faire.

— Quelqu'un va-t-il enfin se décider à me dire ce qui se passe, nom d'un chien !

À ce moment-là, il leva la tête vers l'escalier en haut duquel se tenait Grace Murray en larmes avec son fils dans les bras.

— Mon Dieu... c'est Jane, n'est-ce pas ? Où est-elle ?

— Nous l'ignorons ! cria Jory.

Jock apparut alors avec un message à la main. Spontanément, Alan et ses écuyers le suivirent dans le petit salon où Marjory et Keith les rejoignirent. Alan prit le parchemin que Jock lui tendit d'un air lugubre.

Livrez John de Warenne à William Wallace et votre femme vous sera rendue saine et sauve.

— Miséricorde ! s'écria Alan en blêmissant. Thomas, poste un garde auprès de mon fils. Jour et nuit. Qui a apporté ce message ?

Jock secoua la tête.

— Il ne peut s'agir que des bergers qui côtoient Ben et Sim.

Le poing d'Alan s'abattit sur la table.

— J'aurais mieux fait de les pendre haut et court ! Montgomery ! Trouvez-les ! Je les mets aux arrêts.

— Je les ai enfermés dans le donjon, mon seigneur, glissa Jock.

— Amenez-les-moi. Jory, laisse-nous, s'il te plaît.

Elle voulut protester mais elle comprit que ce n'était guère le moment. Alan semblait prêt à commettre un meurtre.

Quand les frères Leslie arrivèrent, Alan les scruta d'abord en silence. Il assena brusquement l'un de ses gantelets sur la table.

— Vous avez quelque chose à me dire, affirma-t-il.

Rouges de honte et d'effroi, les deux hommes se mirent à parler en même temps puis Ben dit :

— Nous ferions mieux de commencer par le début.

— Oui, vous feriez mieux, jeta Alan.

— À l'automne, dans les Uplands, nous avons écouté William Wallace prôner l'Écosse libre et nous nous sommes sentis honteux de servir un maître anglais.

Nous avons pris conscience que nous vivions dans l'esclavage et dans la soumission aux occupants. C'est que la plupart des Anglais ne se conduisent pas comme des hommes d'honneur.

Sim prit le relais.

— Beaucoup d'hommes rejoignirent les troupes rebelles de Wallace mais pas nous. En tant que sympathisants, nous nous sommes contentés de leur fournir des moutons, de temps à autre, pour qu'ils ne meurent pas de faim. Une nuit, des paysans que les Anglais avaient dépouillés de tous leurs biens s'introduisirent dans la forge pour voler des armes et de la nourriture à la cave. Nous avons fermé les yeux en évitant de sonner l'alarme.

Le visage d'Alan se durcit.

— Et le convoi de Carlisle ?

— Je vous jure que nous ne savions rien ! dit Ben. Nous venons seulement de comprendre que nous n'aurions jamais dû parler ouvertement de Dumfries avec les autres bergers.

— Vous allez en venir à Jane, oui ou non ?

— Deux bergers de notre connaissance cherchaient refuge après s'être enfuis de chez leur maître, expliqua Sim d'une voix altérée par l'émotion. Ils disaient qu'ils devaient être pendus et nous les avons cachés chez moi parce que la femme de Ben était malade et Jane était à son chevet. Le lendemain matin, Jane avait disparu et nous avons trouvé ce parchemin planté au couteau dans la porte du château.

— D'où ces bergers venaient-ils ?

— De Torthwald, mon seigneur.

Alan ferma les yeux pour chasser de sa vision l'image de Fitz-Waren. Mais elle persistait. Elle s'incrustait.

— Qu'on les enferme, dit-il à Montgomery. Si jamais ils ont touché à un seul cheveu de Jane, vous serez pendus.

Alan de Warenne et trente de ses chevaliers prirent aussitôt la route de Torthwald. Comme ils ne furent pas admis sur-le-champ à pénétrer dans le château, ils pendirent le garde à la grille et pénétrèrent de force dans le château.

Seuls quelques hommes de Fitz-Waren se trouvaient à l'intérieur pour garder les richesses volées à Scone. Alan ne fut pas long à les faire parler. Ils lui apprirent que deux bergers avaient amené une jeune femme aux longs cheveux roux au château mais Fitz-Waren était parti avec elle deux jours plus tôt. Ils jurèrent leurs grands dieux qu'ils n'avaient pas pris part à l'enlèvement, qu'ils étaient de fidèles officiers de John de Warenne et que jamais ils ne nuiraient au gouverneur en aucune manière que ce soit. Même sous la torture, ils jurèrent qu'ils ne savaient pas où s'était rendu Fitz-Waren avec son otage.

Leurs souffrances n'étaient rien comparées à celles qu'endurait Alan. Nul n'était mieux placé que lui pour savoir que Fitz-Waren était le diable en personne, un être sans foi ni loi, cruel et sanguinaire. Il tremblait de savoir Jane entre ses mains et imaginer ce qu'il pouvait lui faire le mettait à l'agonie. Son seul espoir, c'est que tant qu'elle était son otage, il serait bien obligé de l'épargner.

Ne supportant pas de rester sous le toit de Fitz-Waren, Alan et ses hommes montèrent leur camp à l'extérieur pour passer la nuit.

Autour du feu, Alan réfléchit longuement à la meilleure façon de localiser Wallace. Il songeait à rejoindre les troupes de John pour interroger ses espions quand une autre idée lui vint. Ayant toujours suspecté l'Église écossaise de soutenir Wallace, il se dit que Robert Wishart, évêque de Glasgow, n'aurait aucun mal à joindre l'insoumis.

À Glasgow, au palais de l'évêque, Alan laissa ses chevaliers à l'extérieur et se présenta avec ses deux écuyers. Au bout d'une demi-heure d'attente, il perdit patience et saisit un prêtre au collet.

— Va dire à Wishart qu'Alan de Warenne veut le voir tout de suite, et que s'il n'arrive pas dans la minute, je mets le feu à son palais.

Quelques instants plus tard, Robert Wishart le rejoignait. Sans préambule, Alan lui tendit le parchemin.

— Vous êtes l'héritier du comte de Surrey, n'est-ce pas ? dit l'évêque après avoir pris connaissance du message.

— En effet, et la dame que Wallace a prise en otage est ma femme.

— Vous voulez que l'Église intervienne pour qu'elle vous soit rendue, mon seigneur ?

Le poing ganté de fer d'Alan s'abattit sur la table du réfectoire, la marquant à tout jamais.

— Je veux que l'Église me livre ce sauvage !

— J'ai juré allégeance au roi Édouard. Je ne peux prendre contact avec William Wallace pour vous.

— Mais vous connaissez quelqu'un susceptible de le faire, affirma de Warenne en le fixant au fond des yeux.

Après un bref silence, l'évêque de Glasgow leva la main, comme s'il venait de se rappeler quelqu'un.

— Revenez demain soir, à la tombée de la nuit.

Alan ne sut jamais comment il passa ces longues heures sans devenir fou. Le lendemain soir, une main sur sa dague, il suivait un homme encapuchonné dans une soutane noire à travers les couloirs obscurs du palais de l'évêque. L'homme le conduisit dans une pièce sombre, à peine éclairée par quelques bougies, et s'éclipsa. Une large silhouette s'avança vers lui dans le noir et il se retrouva face à face avec le Bruce.

33

De Warenne jura.

— Damné Robert, pourquoi ne suis-je pas surpris de voir que tu joues sur les deux tableaux ?

— C'est vraiment parce qu'il s'agit de Jane que je me dévoile ainsi.

— Emmène-moi à Wallace tout de suite. Si jamais il lui a fait du mal, c'est un homme mort.

— J'irai le voir moi-même et je ramènerai Jane. Comme de toute façon tu ne lui livreras pas ton oncle, je paierai le prix qu'il demandera, quel qu'il soit.

— C'est moi qui vais le lui faire payer ! Conduis-moi jusqu'à lui.

— Dans l'état où tu es, cela dégénérera et tu ne réussiras qu'à mettre Jane en danger.

— Elle est déjà en danger ! C'est Fitz-Waren qui l'a vendue à Wallace !

— Alors garde tes forces pour te venger de lui. Alan, tu es un fin négociateur mais il n'y a aucune entente possible avec Wallace. Tu vas me laisser faire, d'accord ?

Wallace lui demanderait bien plus que de l'argent et le Bruce connaissait assez son ami pour savoir que jamais il ne se soumettrait à trahir son pays.

— Écoute, je me fondrai parmi tes hommes. Je resterai à l'écart, personne ne me reconnaîtra, je te jure de ne pas intervenir.

Robert ricana.

— Menteur ! À la première provocation, tu sortiras ton couteau pour lui trancher la gorge.

— Alors il fera mieux de ne pas me provoquer.

— D'accord, s'inclina Robert, au mépris de toute prudence. Rendez-vous dans deux heures sur la Great Western Road.

— Tu me prends pour un idiot ? Je ne te quitte pas.

Durant les deux heures qui suivirent, des lingots d'argent furent secrètement transférés de l'une des places fortes de Bruce à Glasgow, au palais de l'évêque.

Ensuite, avec dix de ses hommes, Robert Bruce se rendit à Clydebank où un groupe d'hommes les arrêta et leur demanda le mot de passe. À la grande surprise d'Alan, ils les conduisirent alors au château de Dumbarton gouverné par Mentieth qui avait prêté serment d'allégeance au roi Édouard.

N'y avait-il que des traîtres dans ce pays ?

Quand l'aube se leva, un cavalier vint chercher le Bruce désarmé et le conduisit au milieu d'un champ où un autre cavalier l'attendait dans la brume.

— Je m'attendais à vous voir en personne.
— Est-ce que la dame va bien ?
— Vous avez John de Warenne ?
— C'est impossible. Même s'il le désirait, Alan de Warenne ne pourrait vous livrer le gouverneur d'Écosse. Il est trop bien gardé.
— Si je tiens sa femme, il trouvera un moyen.
— Si ce moyen existait, ne croyez-vous pas que Fitz-Waren vous aurait amené John plutôt qu'une femme sans défense ?
— Si ce n'est pour me donner le gouverneur, pourquoi êtes-vous là ?
— Pour négocier un certain prix... une fois que j'aurai constaté que la dame se porte bien.
Le Bruce ne tenait pas à ce que Wallace sache que celle qu'il détenait occupait une place particulière dans son cœur.
— Combien ?
— Cinq mille livres.
Cela représentait une somme considérable, suffisante en tout cas pour constituer une petite armée.
— Soyez sérieux, mon vieux.
— J'ai aussi des informations, en plus de l'argent. Mais je veux voir la femme.
L'insurgé fixait Bruce de ses yeux pâles et ce dernier soutint son regard, sachant qu'il ne devait surtout pas faiblir.
— S'il est arrivé malheur à Jane de Warenne, ce n'est pas le roi Édouard que vous devrez craindre.
William Wallace fit faire demi-tour à son cheval et leva un bras en direction du château.
— Je vais vous montrer qu'elle va bien mais je la garde pour l'instant.
Le Bruce ne bougea pas, même s'il s'inquiétait de la réaction de ses chevaliers postés derrière lui, particulièrement de l'un d'entre eux. Peu après, les hommes de Wallace amenèrent Jane, assise sur un poney, la tête haute. Robert fut envahi de fierté devant son port altier. Elle personnifiait à elle seule toute la noblesse celte.
Jane ne manifesta aucune surprise quand elle le reconnut. Elle parcourut du regard ceux qui l'accompa-

gnaient, postés un peu plus loin derrière lui. Jane le vit immédiatement. Aucun homme ne se tenait à cheval comme Alan de Warenne. Malgré le calme qu'elle affichait, une tempête la dévastait secrètement. Elle se sentait à la fois heureuse qu'il soit là et affolée des risques qu'il prenait. Et puis elle devinait les tourments qu'il endurait, si près, sans pouvoir la secourir. Elle détourna les yeux de peur de perdre contenance et reporta son attention sur Robert Bruce.

Tout à coup, le soleil se refléta sur son casque et Jane se sentit étourdie, comme prise de vertige. Elle comprit qu'il s'agissait d'une vision prémonitoire quand le casque de Robert devint une couronne royale, et son pourpoint, une robe magnifique, brodée d'or. Il était roi ! À ses côtés lui apparut alors une toute jeune femme, couronnée elle aussi. Jane passa une main devant ses yeux pour dissiper la vision et son garde ramena son poney vers le château de Dumbarton.

Quand Alan de Warenne aperçut la frêle et fière silhouette de Jane, un vif soulagement l'envahit. Il se retint à grand-peine de lui faire un signe. L'épreuve qu'il endurait était si pénible que la sueur coula le long de son dos. Quand elle mit une main devant ses yeux, comme prise d'un malaise, il faillit éperonner son cheval pour voler vers elle mais le garde l'emmena et il ne bougea pas. Il comprit qu'aucune négociation n'avait encore eu lieu.

Wallace remit son otage en sécurité et revint vers le Bruce.

— Quelle information avez-vous ?

— Elle concerne John de Warenne et vous permettra d'aller le chercher vous-même si vous êtes assez malin. Qu'en dites-vous ?

— Faut voir.

Bruce risqua le tout pour le tout.

— Le gouverneur est en route pour Stirling à la tête de quatre mille hommes.

La surprise se peignit sur les traits rudes de Wallace.

— Si vous arrivez le premier, vous pourrez choisir la bonne stratégie. Une fois de plus, le convoi de Percy ferait une proie facile. Il rejoint Cressingham et Roxburgh. C'est tout ce que je peux vous dire, en plus des cinq mille livres.

— Dix mille et vous récupérez l'otage... une fois la somme remise.

— Elle est déjà remise, répondit Bruce en lui montrant le reçu que Wishart lui avait signé, pour dix mille livres en lingots d'argent.

— Vous aviez anticipé ma réponse, grimaça Wallace avant de lever le bras de nouveau.

Cette fois, Jane sortit seule du château, sur le poney. Bruce tendit le reçu à William Wallace.

— J'ajouterai un petit conseil, gratuit celui-là. Ne vous fiez pas trop à Comyn. Vous êtes un idéaliste et votre ambition est de faire des vassaux des hommes libres. Comyn possède un fief immense et la fin du système féodal irait contre ses intérêts.

Sur ce, Robert Bruce saisit les brides du poney de Jane et retourna à travers champs vers ses hommes.

— Merci, mon seigneur, murmura Jane.

— Ne me remerciez pas. C'est votre mari qui paiera la rançon et n'attirez surtout pas l'attention sur lui avant que nous soyons en sécurité à Glasgow. S'ils savaient que de Warenne est là, il deviendrait immédiatement leur nouvel otage.

Les chevaliers d'Alan s'arrêtèrent dans une auberge de Glasgow, le King's Crag. Jane entra dans la cour entourée d'une douzaine d'hommes vêtus de cuir. Quand Taffy se précipita pour l'aider à descendre de selle, elle le gratifia d'un sourire timide.

Alan de Warenne était tellement ému qu'une boule lui nouait la gorge. Il l'embrassa sur le front avant de refermer ses bras autour d'elle et de la serrer contre son cœur. Il donnerait sa vie pour elle.

Il chargea ensuite Taffy de l'emmener dans l'auberge avant d'étreindre son ami Bruce et de le remercier sincèrement.

— Tu recevras l'argent d'ici peu.

Robert enfourcha son cheval avec un grand sourire.

— Je savais que je pouvais être généreux puisque c'est toi qui payais. Adieu, l'ami.

Sur ce, il repartit avec ses hommes au grand galop. Alan se tourna vers Montgomery.

— Venez, je voudrais que vous portiez un message au gouverneur. Il doit être à mi-chemin de Stirling à présent.

Le message était le suivant :

Fitz-Waren a enlevé ma femme Jane et l'a vendue à William Wallace qui voulait l'échanger contre toi. J'ai payé une rançon pour la récupérer mais, je t'en conjure, méfie-toi de Fitz-Waren. Il représente une menace constante pour nous. Et surtout pour toi. Environ dix mille hommes de Wallace sont postés entre Clydebank et Dumbarton. Je pense qu'il va se liguer avec Montieth, Moray et Comyn.

Alan mordilla ensuite le bout de sa plume, se demandant si Robert Bruce avait ou non divulgué des informations concernant les plans du gouverneur. Il décida de mettre son oncle en garde, au cas où :

Méfie-toi qu'aucun piège ne t'attende à Stirling.

Confortablement installés dans la chambre de l'auberge, Alan et Jane partageaient un bain. La baignoire en bois était tout juste assez grande pour Alan mais ils ne parvenaient pas à se séparer depuis qu'ils s'étaient retrouvés. Assise sur Alan, Jane reposait contre son torse.

— Ta blessure ne te fait plus souffrir ?

— Non. Même mes cicatrices commencent à s'atténuer.

Maintenant que Jane se sentait en sécurité, elle raconta à Alan les détails de sa mésaventure.

— À aucun moment je n'ai eu peur des bergers de Torthwald, même s'ils m'ont emmenée en me couvrant la tête d'une cagoule. En revanche, avec Fitz-Waren, ce fut une autre affaire. J'ai compris qui il était dès que j'ai vu son regard démoniaque et sa paupière tombante sur l'œil gauche. J'aurais voulu le tuer à cause de ce qu'il t'a fait mais il est terrifiant. Il ne m'a jamais touchée, s'empressa-t-elle de préciser. Il m'a dit qu'il avait tué Alicia et que je subirais le même sort si je refusais de coopérer. Dès qu'il m'a livrée à Wallace, j'ai compris que j'étais sauvée.

Le monstre avait donc tué Alicia... songea Alan. Un crime de plus à son actif...

— Heureusement que John m'a ordonné de rentrer. Dieu seul sait ce qui se serait passé si je n'étais pas revenu à Dumfries.

— Tu n'as pas pendu Sim et Ben, n'est-ce pas ?

— Aurais-tu une récompense à me proposer pour les avoir épargnés ? plaisanta-t-il.

Jane rit doucement en s'enfonçant un peu plus profondément dans la baignoire et Alan l'embrassa sur l'épaule, s'émerveillant du spectacle de sa poitrine à fleur d'eau.

— Où est passé le savon ? lança-t-elle innocemment. Ah ! Je l'ai trouvé...

— Petite sorcière, murmura-t-il en riant, comme elle refermait sa main entre ses jambes.

Ils se livrèrent à un court jeu érotique puis Alan se calma soudain, mesurant l'ampleur, la profondeur de l'amour qu'il éprouvait pour Jane. Il en avait pris conscience quand il avait failli la perdre.

Il la sécha tendrement avant de l'emmener au lit.

— J'ai quelque chose pour toi, mon cœur.

— Oh, j'adore les surprises, s'écria-t-elle gaiement.

Mais quand Alan lui glissa l'alliance au doigt, elle se mit à pleurer.

— Ne pleure pas, mon amour, un cadeau est censé apporter du bonheur, dit-il en prenant son visage entre ses mains avant de boire ses larmes. Tu es si belle que j'en ai le souffle coupé.

Il la contempla avec une telle intensité que ce fut comme s'il lui faisait l'amour. Jane ne s'était jamais sentie aussi femme.

— Je t'aime, Jane. Acceptes-tu de m'épouser à nouveau, pour que je prête serment de vive voix ?

— Alan, c'est si romantique...

— C'est toi qui me rends romantique. J'adore être ton mari mais je veux aussi être ton amant.

Elle lui tendit aussitôt ses lèvres et il l'embrassa avec une passion insatiable. Des ondes coururent dans le corps de Jane tandis qu'Alan la caressait partout sans interrompre son baiser, pressant ses seins entre ses doigts, son ventre, ses hanches.

— Tu sais quoi ? lui murmura-t-il au creux de l'oreille.

— Non...

— Quand tu souris et que tes fossettes creusent tes joues, cela me rend fou. Fou d'amour pour toi.

Il prit un sein dans sa main et laissa son pouce tourner autour de la petite pointe rose.

— Et quand tu sais que je regarde tes seins, ils durcissent et se tendent. Cela me rend fou...

Jane gémit de plaisir et réagit exactement comme il le décrivait. La main d'Alan glissa alors vers son ventre.

— Quant à cet endroit secret, brûlant, palpitant, il est irrésistible.

Ivre de désir, Jane répondit passionnément à ses caresses et ils firent l'amour avec une fougue étourdissante. Après l'orage de l'extase, ils restèrent blottis l'un contre l'autre et s'embrassèrent avec tendresse. Alan lui refit l'amour plus posément, désireux de lui montrer combien elle lui était précieuse, et Jane connut les instants les plus merveilleux de sa vie. Elle comprit qu'il l'aimerait toujours.

Plus tard, au creux des bras d'Alan, elle lui raconta sa vision.

— J'ai toujours senti que Robert serait roi un jour mais maintenant, j'en suis certaine. La seule chose qui me trouble c'est que ce n'était pas Marjory à ses côtés mais Elizabeth de Burgh.

Alan se mit à rire et la serra plus étroitement.

— Seigneur ! Si Robert a derrière lui le puissant comte d'Ulster, il sera roi d'Écosse. Et bientôt !

Montgomery délivra le message d'Alan à John de Warenne aux abords des Highlands. John le relut trois fois, tant il lui coûtait d'admettre que Fitz-Waren soit tombé aussi bas. Il rédigea aussitôt un mandat d'arrêt contre lui, se maudissant de l'avoir envoyé sans le savoir dans les bras de Wallace. John avait toujours su que Fitz était un être dépravé, dangereux, mais il n'avait jamais eu le courage de le reconnaître.

Il s'attarda ensuite sur l'information concernant la position et l'importance des troupes de Wallace. Avec son armée, ils traversèrent le Forth à Abbey Ford plus tôt que prévu et montèrent leur camp sur les terres de Cambuskenneth Abbey. John envoya ses éclaireurs de l'autre côté du fleuve aux rives boueuses qui protégeait Stirling. Comme il le craignait, Wallace était déjà là.

Son armée était installée au pied des monts Ochils, au nord du Forth. John de Warenne se savait persuasif et il se dit qu'une discussion bien menée convaincrait les Écossais qu'ils n'avaient aucune chance. Ses ennemis, certes courageux, manquaient néanmoins d'entraînement et leur armement plutôt sommaire ne ferait pas le poids contre celui des Anglais.

Quand il envoya ses émissaires pour entamer les négociations avec Wallace, ce dernier lui renvoya le message suivant :

Nous ne sommes pas venus jusqu'ici pour nous soumettre mais pour libérer notre pays !

John de Warenne étant un homme patient, il envoya une seconde délégation mais Cressingham s'y opposa. Pour lui, il fallait agir vite.

De Warenne lui fit remarquer qu'il leur était difficile d'évaluer les forces écossaises massées au pied du pont, de l'autre côté du Forth, un pont si étroit qu'il leur faudrait une journée entière pour le traverser. Et puis, il se souvint des mises en garde d'Alan à propos d'un piège qui le guettait à Stirling.

Il se demanda alors pourquoi l'ennemi n'avait pas détruit le pont, afin de bloquer les Anglais de l'autre côté. John suggéra l'envoi d'éclaireurs pour voir s'ils ne pouvaient franchir le fleuve un peu plus loin, sans emprunter le pont. Cressingham s'énerva, l'accusant de lâcheté, estimant qu'il gaspillait l'argent de la couronne en hésitant de la sorte.

Divisés par ce désaccord, les hommes formèrent deux

clans et, malgré les ordres contraires de John, ceux qui se rallièrent à l'avis de Cressingham décidèrent de franchir le pont de Stirling. Ils ne virent pas l'ombre d'un Écossais et, en milieu de matinée, la moitié de l'armée anglaise était sur l'autre rive.

C'est alors que les cris de guerre des rebelles de Wallace et des Highlanders de Moray s'élevèrent. Une nuée d'Écossais armés de lances et de haches fondit sur les Anglais, pieds nus dans la boue pour s'y déplacer plus aisément.

Sur l'autre rive, de Warenne assista au carnage, impuissant à défendre les siens. Cressingham fut l'un des premiers à être désarçonné. Son cadavre gisait maintenant dans la boue. Quand John comprit que la bataille était perdue, il ordonna à ses hommes d'incendier le pont et se replia.

Cette victoire redonna espoir aux Écossais. William Wallace fut sacré chevalier et proclamé gardien du royaume. Son armée s'empara des forteresses de Stirling et de Dundee, récupérant les châteaux occupés et les villes. Si le peuple, galvanisé par ces succès, suivait Wallace, les nobles en revanche restaient beaucoup plus réticents. Pour eux, Wallace n'était qu'un paysan dont la puissance et la popularité commençaient à menacer leurs privilèges héréditaires.

34

Quand le roi Édouard apprit la nouvelle et la mort de son trésorier, Hugh de Cressingham, il revint immédiatement de France afin de reconstituer son armée pour reconquérir l'Écosse.

Robert Bruce se rendit à Dumfries pour échanger des informations. Les Warenne étant très proches du roi, il tenait à faire savoir que Wallace détruisait systématiquement les cultures et s'emparait des troupeaux partout où il le pouvait.

— Édouard est en route pour Édimbourg afin de rejoindre le gouverneur. De nombreux comtes l'ont précédé, Bigod, Bohun et bien sûr, le comte d'Ulster et ses Irlandais, apprit Alan à Robert.

— Quand leur armée quittera Édimbourg pour se diriger vers le nord, elle ne trouvera que des champs incendiés et des fermes brûlées. Wallace emmène même les fermiers avec lui, de sorte que les soldats anglais ne trouvent rien à manger nulle part. Ils approchent, et seules des patrouilles de nuit peuvent les tenir en échec.

Alan secoua la tête, écœuré par toutes ces destructions.

— Nous nous joindrons à tes patrouilles de nuit pour les renforcer et je vais prévenir le gouverneur immédiatement. D'autres nobles ont-ils déjà rejoint Wallace ?

— Pas ouvertement, en tout cas, à part Moray, Montieth et Comyn.

— Cette fois, ils n'auront pas la moindre chance de s'en tirer.

— Mon pays est en train d'être ravagé non seulement par les Anglais mais par les Écossais, remarqua Robert Bruce avec amertume. Je ne sais pas si l'histoire a connu une période aussi riche en complots et en trahisons. Que restera-t-il de l'Écosse ? Nous devrions essayer de nous unir.

Les femmes, qui venaient d'arriver pour accueillir Robert, furent frappées par le ton désabusé de sa voix.

— Pauvre Robert, dit Marjory. Tu voudrais que les Anglais quittent ton pays, n'est-ce pas ?

— Pour être franc, oui, excepté les Anglais ici présents.

— Et les Irlandaises ? demanda Elizabeth de Burgh.

Robert lui ébouriffa les cheveux.

— Les Écossais ne haïssent que les Anglais, pas les Irlandais. Sans doute à cause de ce sang celte qui coule dans nos veines.

— Elizabeth est tout excitée parce que son père accompagne le roi, expliqua Marjory.

— J'espère qu'il aura un peu de temps à m'accorder.

— Nous pourrions l'inviter à Dumfries, suggéra Jane. Le roi aura assez à faire avec John à Édimbourg.

— Je suppose que je devrais offrir l'hospitalité à Édouard et aux siens, à Lochmaben et Caerlaverock, nota sèchement Robert.

— John sera soulagé de savoir qu'il peut compter sur ton soutien.

— Est-ce qu'il a arrêté Fitz-Waren ?

Alan secoua la tête.

— Deux de mes chevaliers surveillent Torthwald mais le traître semble avoir disparu de la surface de la Terre.

— N'en parlons plus, intervint Jane. Alan s'est entièrement remis, c'est tout ce qui compte, tout au moins pour moi.

— À propos, je trouve que tu le nourris trop bien, Jane. Il grossit ! lança Robert.

— Ce n'est que du muscle, répliqua Alan. Ne sois donc pas jaloux, Robert.

Les fossettes de Jane se creusèrent.

— Vous restez pour la nuit, mon seigneur ?

— On ne peut rien vous refuser, Jane, dit Robert en souriant.

— Viens à l'armurerie, je voudrais te montrer un nouveau haubert sur lequel nous travaillons. Beaucoup plus confortable que ces cottes de mailles si lourdes et dans un alliage presque impossible à transpercer.

Dès que les hommes furent sortis, Elizabeth et Marjory se précipitèrent dans leurs chambres pour choisir leur plus jolie robe. Jane suivit Marjory et s'assit sur le lit tandis qu'elle inspectait ses tenues.

— Je ne supporte pas l'idée qu'Alan retourne se battre. J'ai tellement peur pour lui !

— Arrangez-vous pour qu'il ne le sache pas. Il doit se croire tout-puissant.

— Mais je l'aime tant ! Pourquoi faut-il toujours que les hommes fassent la guerre ?

— Jane, l'être humain est un conquérant et certaines choses ne s'obtiennent que par la violence.

— Jory, est-ce que vous aimez Robert ?

— Bien sûr que je l'aime ! Un jour, il coiffera la couronne d'Écosse. Cette pensée me dévaste mais je ne ferai jamais rien pour l'en empêcher. Je n'ai pas l'intention de détourner Robert de son destin.

Jory posa la robe qu'elle venait de choisir au pied de son lit et vint s'asseoir à côté de son amie.

— Je ne serai jamais reine à ses côtés, Jane, je le sais. Les Écossais n'accepteront pas une reine anglaise.

— Mais vous voulez malgré tout qu'il devienne roi ?

— Bien sûr ! Et je ferai tout ce qui est en mon pouvoir pour qu'il réalise son vœu le plus cher !

— Vous l'aimez à ce point ?

— Je l'aime sans limites ! Je ferais n'importe quoi pour lui.

— Je sais que Robert Bruce a le soutien de quelques comtes écossais mais celui du puissant comte de Burgh accélérerait son accès au trône, glissa Jane.

— Vous avez raison, Jane. Ce serait formidable !

Jane hésita avant d'aller finalement au bout de son raisonnement.

— Imaginez que Robert demande la main d'Elizabeth. Le comte d'Ulster n'hésiterait plus à le hisser au sommet.

Jory resta sans voix et devint pâle comme une morte.

Ce soir-là, au cours du dîner, la guerre resta au centre de toutes les conversations.

— Édouard a décidé d'éliminer Wallace, apprit Alan à Robert. Il a offert une forte récompense et des fiefs aux nobles qui aideraient à le capturer.

— Le roi est un génie diabolique dans l'art de diviser pour gagner. Son outil favori est la corruption. Combien de fois a-t-il essayé avec moi ! répondit le Bruce.

Pour distraire les hommes, Jane amena Lincoln dont le goût prononcé pour le pain les amusa. Elle remarqua aussi l'humeur pensive de Jory. Les préoccupations assombrissaient son beau visage et le cœur de Jane se serra. Jory ressemblait beaucoup à son frère par sa blondeur, son teint clair et ses yeux verts mais la similitude s'arrêtait là. Alan était redevenu la force de la nature qu'il était et Jane remercia le ciel avec ferveur.

Elle le suivit d'un regard tendre quand il courut dans

l'escalier avec son fils sur ses épaules, accroché à ses cheveux et criant de joie.

Jory avait raison, comme toujours. Elle devait garder ses peurs pour elle et laisser Alan se croire invincible.

Plus tard, dans la nuit, dans la tour des dames de Dumfries, le Bruce reprenait son souffle. Haletante, Jory se laissa retomber sur lui.

— Tu es une vraie tigresse, ce soir, ma chérie. Pourquoi cette férocité ?

— Tu vas partir te battre !

— C'est l'idée de me perdre qui te rend insatiable ?

— Oui ! dit-elle en lui mordant l'épaule.

— On me demande pour organiser des patrouilles autour du Galloway, de l'Annandale et de Larnak. Wallace est en passe de ravager les Lowlands. Il faut l'arrêter. Mais je n'irai peut-être pas me battre.

— Je ne parlais pas de la peur de te perdre au cours d'une bataille.

— Comment pourrais-tu me perdre autrement ? demanda-t-il en dégageant le front de Jory d'une longue mèche blonde.

— Tu le sais aussi bien que moi. Notre séparation est inévitable.

Il plaça ses doigts sous son menton et l'obligea à le regarder.

— Jusqu'à présent, tu vivais le moment présent sans te soucier de l'avenir.

— Robert, il y aurait un moyen d'accélérer ton accès au trône d'Écosse. Avec l'appui du comte d'Ulster...

— Ma chérie, de Burgh possède la moitié de l'Irlande. Il est déjà lui-même un souverain. Que pourrais-je lui offrir qu'il n'ait déjà ?

— De faire de sa fille une reine, en l'épousant, murmura-t-elle. C'est le genre de cadeau que peu de pères refusent.

— Elizabeth n'est qu'une enfant !

— Si tu n'avais pas d'yeux que pour moi, mon amour, tu te serais aperçu qu'Elizabeth est presque une femme et qu'elle est déjà follement amoureuse de toi.

— Tais-toi, dit-il en lui imposant le silence par un long baiser.

— Promets-moi d'y songer, insista-t-elle dès qu'il l'eut libérée.

— Jory, mon cœur, tu me connais suffisamment pour savoir que je ne penserai pas à grand-chose d'autre.

Dans la tour opposée, Jane, qui avait bu deux coupes de vin pour se donner du courage, flottait dans une étrange euphorie.

— Tu es bien gaie, ce soir, lui confia Alan. Je m'attendais à te voir en larmes, à l'idée de mon départ imminent.

— Non, je n'ai pas peur pour toi, mon amour, répondit-elle en le renversant sur le lit. Tu as des muscles d'acier, continua-t-elle en glissant ses mains le long de ses cuisses. Hum...

— Tu es restée trop longtemps sous l'influence de Jory ! Maintenant, tu ne penses plus qu'à toi et à ton propre plaisir, la taquina-t-il.

Jane se redressa et resta à genoux, assise sur ses talons.

— Tu te trompes, Alan... vois-tu... Jory n'est pas si égoïste, au contraire. Elle est capable d'une totale abnégation. Elle a toujours été si généreuse avec moi ! Je l'aime beaucoup, avoua-t-elle sans pouvoir retenir une larme.

— Et moi, je t'adore, murmura-t-il, ému de voir que sa gaieté n'était qu'une façade. Je connais un moyen de dissiper ce chagrin.

— Lequel ?

— Celui-ci, fit-il en l'attirant contre lui.

Il lui prit la main et la guida pour qu'elle le caresse, ce qu'elle s'empressa de faire avec passion. Ce fut le prélude à une nuit d'amour passionnée qui eut effectivement pour effet de dissiper les larmes de Jane.

À Édimbourg, le roi réunit le conseil de guerre pour mettre sur pied une nouvelle stratégie. Tout comme John de Warenne, il avait soixante ans et le poids des ans commençait à lui peser.

Selon Alan, il misait trop sur sa cavalerie et ils discutèrent longuement de la meilleure façon de placer les archers. Le roi était difficile à convaincre mais il ne tenait pas à disséminer son armée et finit par écouter Alan.

— Ne m'avait-on pas dit que vous étiez mort sur le champ de bataille ? lui dit soudain Édouard en plissant les yeux.

— Des rumeurs exagérées, Majesté.

— Avez-vous lu les rapports de Bruce sur la façon dont Wallace a ravagé les terres du nord du pays, Sire ? intervint John de Warenne.

— Espérons que ces rumeurs-là aussi sont exagérées. J'ai fait venir un convoi de vivres de Carlisle. Nous avons de quoi faire face.

Quand le roi reçut un message du comte d'Angus l'informant que l'armée de Wallace était basée près de Falkirk, ses troupes se mirent en marche. Ils constatèrent très vite que Bruce n'avait pas menti. La campagne écossaise était dévastée et les villes incendiées.

À leur arrivée à Linlithgow, à quelques miles de Falkirk, il ne restait plus de fourrage pour les chevaux. Les Anglais passèrent la nuit roulés dans des couvertures, là où il subsistait un peu d'herbe sèche.

Trop fier pour faire monter sa tente alors que ses généraux dormaient à même le sol, Édouard les imita. Au milieu de la nuit, un cheval s'agita et piétina le roi, lui cassant plusieurs côtes. La panique gagna ses troupes. Certains suggérèrent d'annuler l'opération et de repartir à Édimbourg mais le roi s'obstina. Ses médecins le bandèrent puis il enfila son armure et monta sur son destrier, John de Warenne à ses côtés. L'armée leva le camp avant l'aube.

Quand le jour se leva, Wallace lança ses hommes à l'attaque tandis que la cavalerie menée par John de Comyn restait en réserve.

L'armement des Écossais était dépassé mais le roi, blême de douleur sur son cheval, constata qu'Alan de Warenne avait raison. Sur le sol détrempé et plein de mousse, les chevaux glissaient, s'enlisaient. Les Anglais durent changer leur stratégie, laissant les archers gallois d'Alan en première ligne.

Les Écossais tombèrent en grand nombre sous leurs flèches. Alors Comyn chargea et un terrible carnage s'ensuivit d'où les Anglais sortirent vainqueurs. Les Écossais survivants s'enfuirent dans les collines et Wallace avec eux.

Mal en point, le roi Édouard se retrouva à la tête d'une armée d'hommes affamés et décida un repli à Carlisle, de l'autre côté de la frontière, en Angleterre. Wallace fut déclaré hors la loi, et le roi, malgré la dégradation de son état, rédigea d'autres ordres d'arrestation, notamment à l'encontre de Montieth et Comyn.

Ce dernier ne fut pas long à envoyer des messages de conciliation, si bien que le roi finit par lui pardonner, songeant que s'il arrêtait Comyn et lui tranchait la tête, il laisserait la place libre à Robert Bruce qui en profiterait pour s'emparer du trône d'Écosse.

Lorsque le comte de Montieth s'aperçut qu'il avait choisi le camp des perdants, il n'eut de cesse de convaincre Comyn d'obtenir pour lui aussi le pardon. En échange, les deux hommes se rallièrent au roi d'Angleterre et Montieth s'engagea à livrer Wallace à Édouard.

35

— Le roi se meurt, c'est vrai ? demanda Alan de Warenne à Robert Bruce qui venait de rentrer du château de Carlisle.

— Ce serait trop beau ! rétorqua ce dernier, très irrévérencieux.

— Le prince Édouard n'assure pas la relève ?

— Si, mais il ne s'est pas arrangé avec les années. Il est plus efféminé et incompétent que jamais. Quel drame pour le roi d'avoir un fils pareil !

— Voilà qui devrait plutôt arranger tes affaires, non ?

— C'est sûr que je crains davantage le fantôme du père que le fils sur le trône !

— Mon oncle est là-haut. Il a de la fièvre et tousse comme un perdu. Il est arrivé hier à cheval pour m'annoncer que Wallace aurait été pris.

— Voilà qui explique le soudain rétablissement du roi ! s'exclama le Bruce. Il s'est senti mieux soudain, suffisamment pour retourner à Londres en tout cas.

— Wallace sera torturé et condamné à mort. Il n'y a pas de clémence pour les ennemis du roi, dit Alan.

— Pourquoi faut-il que de valeureux combattants comme lui soient éliminés et que des traîtres tels que Comyn continuent de prospérer en toute impunité ? remarqua Bruce non sans amertume.

— Question d'époque, sans doute. Les Écossais n'accepteront jamais de se soumettre aux Anglais, je le sais bien. Un autre prendra la place de Wallace et les combats continueront jusqu'à la mort d'Édouard. Ensuite son fils lui succédera et détruira tout ce que son père aura fait. Toutes ces guerres, tous ces morts n'auront servi à rien. Je suis fatigué de me battre.

— Si je prenais les armes contre le roi, dit lentement Robert, est-ce que tu t'opposerais à moi ?

Alan secoua la tête.

— Je rentrerais en Angleterre et je vivrais sur mes terres.

Bruce haussa les sourcils.

— Et le gouverneur ?

— Sa santé est fragile, à présent. Il se fait vieux. Je crois que je le persuaderai de me suivre sans trop de difficultés.

Jory posa le livre qu'elle lisait à son oncle, et rejoignit les hommes. Elle scruta le visage de Robert, essayant de deviner s'il avait pris une décision, après leur dernière conversation, mais il demeura impénétrable.

Il prit ses gants.

— Je ne peux pas rester. Tu m'accompagnes un bout de chemin, Jory ?

— Avec plaisir.

Elle affichait un air serein et gai, comme si rien ne menaçait leur amour.

Quelques instants plus tard, ils galopaient côte à côte vers le couvert des arbres où ils s'arrêtèrent et attachèrent leurs chevaux avant de se jeter dans les bras l'un de l'autre, s'embrassant à perdre haleine.

— Tu as parlé à de Burgh ?

Il chercha le regard de la jeune femme, l'air désolé.

— Mon amour, pourquoi me pousses-tu à cela alors que tu m'aimes avec une telle passion ?

— Parce que je veux que tu accomplisses ton destin ! Laisse-moi aller au bout de ce noble sacrifice. Tu lui as parlé, oui ou non ?

— Oui, mais je n'ai pas évoqué le sujet. Je l'ai invité à Lochmaben.

Jory se haussa sur la pointe des pieds et l'embrassa de nouveau.

— Je t'aime, Robert ! C'est bien. Tu as fait ce qu'il fallait.

Il l'enveloppa de ses bras et la serra contre lui.

— Tu sens toujours le freesia, murmura-t-il.

— C'est mon odeur préférée.

Il glissa une main sous son pourpoint et lui tendit un parchemin, l'air abattu.

— Tu veux bien donner cette lettre à Elizabeth ? C'est son père qui lui demande de la rejoindre à Lochmaben.

Jory prit la lettre avec un grand sourire qui étouffa secrètement le cri de douleur qui montait dans sa gorge.

Jane ôta la brique froide qu'elle avait posée sous les pieds de John de Warenne et en mit une chaude à la place. Elle lui donna ensuite une cuillerée de sirop de véronique et d'angélique destiné à calmer la toux.

— Tu es un ange, ma chère enfant, et j'ai beaucoup de chance d'être ici, à Dumfries, avec les miens. Je n'ose imaginer ce qui serait advenu de moi si j'étais resté à Édimbourg.

Marjory, qui entrait à ce moment-là, formula clairement ce que Jane pensait.

— Vous ne devriez pas y retourner, mon oncle. Vous avez servi le roi toute votre vie durant, au détriment de votre santé. Il est temps de vous décharger de vos responsabilités sur de plus jeunes épaules.

— Ma chère Jory, j'ai longuement parlé avec le roi, à Falkirk. Lui aussi ressent le poids des ans. Je crois qu'il va réunir plusieurs hauts responsables qui gouverneront l'Écosse. C'est trop pour un seul homme.

— Voilà de bonnes nouvelles, mon seigneur, dit Jane. À présent, essayez de vous reposer.

Jory la suivit hors de la chambre.

— Je dois porter une lettre de son père à Elizabeth. Vous m'accompagnez ?

Jane comprit que son amie avait besoin de son soutien.

— Bien sûr, Jory.

Elizabeth se montra enchantée d'être invitée chez les Bruce.

— Il va me falloir une nouvelle robe ! s'écria-t-elle, tout excitée.

Jane regarda Jory et elles se comprirent sans mot dire.

— Une ? À votre place, j'en prévoirais plusieurs, Elizabeth. N'oubliez pas que Robert Bruce est le célibataire écossais le plus convoité !

Elizabeth devint rouge comme une pivoine.

— Oh, il faut que je prévienne Maggie et Molly ! Elles vont être dans tous leurs états. Vous venez avec moi à Lochmaben, Jory ?

— Je vous ai tout appris, Elizabeth. Il est grand temps que vous commenciez à voler de vos propres ailes.

Dès que la jeune fille se fut éclipsée, Jane contempla Jory avec une profonde admiration.

— Tant de générosité, tant d'altruisme de votre part m'éblouit, lui avoua-t-elle. Je ne crois pas que j'aurais le courage d'agir comme vous le faites.

— Et sur qui croyez-vous donc que j'ai pris exemple, si ce n'est sur vous, Jane ?

À Londres, au palais de justice de Westminster, William Wallace fut accusé d'une longue liste de crimes et d'appels à la révolte.

Le roi Édouard l'ayant déclaré hors la loi, il ne fut pas autorisé à se défendre. Il fut condamné à subir le supplice de l'écartèlement avant d'être décapité.

Toute l'Écosse apprit bientôt que les Anglais se livraient à une véritable boucherie sur sa personne, le traînant d'abord derrière un chariot à travers toute la ville, écartelé puis éventré alors qu'il vivait encore. Son corps fut découpé en pièces, sa tête exposée sur un pieu sur le London Bridge, sa jambe droite envoyée à Berwick et la gauche à Perth, son bras droit à Newcastle et le gauche à Stirling.

Ces cruautés perpétrées sur le brave guerrier ne firent qu'attiser la haine des Écossais contre le roi Édouard, d'autant plus qu'il avait gracié les nobles qui l'avaient trahi.

Quand il apprit que non seulement les Écossais mais les Bruce et les Warenne désapprouvaient sa barbarie, il les discrédita et ils connurent la disgrâce. John de Warenne fut démis de ses fonctions de gouverneur d'Écosse. À sa place, Édouard nomma quatre administrateurs mais Robert Bruce, premier comte d'Écosse, n'en faisait pas partie. De plus, le roi nomma un nouveau shérif de Larnak et demanda aux Bruce de rembourser les dettes contractées par son grand-père depuis deux décennies.

Robert Bruce grinça des dents. Il se demanda si les documents saisis, lors de l'arrestation de Wallace, l'impliquaient en quoi que ce fût. Si jamais c'était le cas, c'en était terminé de son alliance secrète avec le comte d'Ulster.

Il fut toutefois rassuré quand Édouard de Burgh arriva à Lochmaben. Ce dernier lui apprit que les palatins irlandais condamnaient violemment la façon dont Wallace avait été traité. Sans perdre de temps, Bruce proposa des fiançailles avec Elizabeth de Burgh en échange du soutien de l'Ulster quand il monterait sur le trône.

— Baliol est mort et nous savons tous deux que les jours d'Édouard sont comptés. Son héritier ne représente une menace pour personne.

— Mais vous aurez à combattre Comyn. Vous êtes les deux seuls prétendants au trône. Savez-vous qu'il a demandé au roi de récupérer tous les biens de Baliol, en vertu de leur parenté ?

Le Bruce eut un rire sardonique.

— Je vois mal Édouard Plantagenêt accéder à une telle requête.

Ulster acquiesça.

— Comyn est lui aussi en disgrâce en ce moment.

Les deux hommes discutèrent durant une longue partie de la nuit et le puissant comte irlandais finit par convenir de l'intérêt de ces fiançailles secrètes. Elles représentaient pour lui et son pays d'indéniables avantages. Pour l'avenir.

Les documents furent signés lors d'une cérémonie nocturne durant laquelle Elizabeth faillit s'évanouir de bonheur sous l'œil sévère de son père et l'indifférence de Robert.

À la fin de la semaine, ils escortèrent la jeune fille à Dumfries où Ulster devait revenir la chercher pour un bref voyage dans son Irlande natale et tant aimée. La fiancée nageait dans l'euphorie, même si Robert n'avait pas encore commencé sa cour.

Ce soir-là, Alan et Robert parlèrent longuement, après que tous les autres se furent retirés.

— John se rétablit peu à peu mais il est très affecté par le revirement d'Édouard à son égard.

— Il y aurait du Fitz-Waren là-dessous que cela ne m'étonnerait pas, fulmina Alan. Je suis sûr qu'il se cache en Angleterre. Si jamais je le trouve, je le tue ! John et moi avons décidé de nous retirer sur nos terres de sorte que, si Édouard nous demandait de réprimer une révolte des Bruce, nous soyons loin et fassions la sourde oreille.

— À ce propos, le moment est venu, je crois. Si je n'agis pas maintenant, il sera trop tard ensuite. Je n'ai jamais connu une telle disgrâce et mon ennemi Comyn est dans le même cas.

— Qu'est-ce que tu mijotes, exactement ?

Le Bruce sourit.

— Je vais proposer à Comyn une sorte d'union. À nous deux, nous possédons la moitié de l'Écosse. Si l'un soutenait l'accès au trône de l'autre, il recevrait en échange ses terres et ses châteaux. Qu'en penses-tu ?

— C'est une idée de génie ! Il ne pourra pas refuser, car en somme il n'y aura pas de vrai perdant.

— Il est temps que j'agisse dans mes propres intérêts.

Alan eut un sourire moqueur, se demandant si son ami avait jamais agi autrement.

— On ne peut dire que la confiance règne entre Comyn et moi. Je n'irai pas à Dalswinton et lui ne viendra pas à Lochmaben. Nous devrons trouver un endroit neutre pour négocier.

— Dumfries ?

Le Bruce secoua la tête.

— Pas question. Je ne veux pas t'impliquer là-dedans.

— Que penses-tu du monastère franciscain ?

— Bonne idée, admit Robert. Un lieu saint, ce serait parfait. C'est triste que tu quittes Dumfries. Quand je serai roi et que nos deux pays seront en paix, tu reviendras.

— Ma femme et mon fils sont écossais. Nous reviendrons de toute façon, ne t'inquiète pas.

— Jane est malheureuse de partir ? s'inquiéta aussitôt Robert.

— Non, Dieu soit loué. L'Angleterre l'effraie un peu.

— A-t-elle la moindre idée de la richesse des Warenne et du luxe dans lequel ils vivent là-bas ?

— Bien sûr que non ! Tu t'imagines qu'elle m'a épousé pour mon argent ?

— Pourquoi voudrais-tu qu'elle ait épousé une sinistre brute comme toi ?

Robert Bruce se dirigea ensuite vers la tour des dames et frappa doucement à la porte de Jory.

— Mon amour, ma vie, je viens te dire au revoir.

Jory se blottit dans ses bras, déterminée à ne pas pleurer. Elle voulait lui laisser d'elle un souvenir heureux, celui de son sourire lumineux.

— Robert, tu resteras à jamais une part de moi-même.

Organiser le départ des Warenne dans le Surrey ne fut pas une mince affaire. John repartait avec toute son armée. Ils décidèrent finalement de procéder par étapes. John partirait le premier avec son escorte personnelle, les Gallois à pied suivraient quelques jours plus tard. Le dernier serait Alan avec ses chevaliers et sa famille.

Alan trouvait Jock Leslie tellement compétent et efficace qu'il lui proposa de s'installer avec lui en Angleterre, avec les siens. Jock refusa poliment.

— Notre vie est ici, mon seigneur. Je préfère maintenir Dumfries en état pour le jour où vous reviendrez.

— Ce ne sera peut-être pas avant des années, Jock, et vous manquerez beaucoup à Jane.

— Toute la famille s'est réunie et ils ont tous choisi de rester, à l'exception de Keith. Il ne supporte pas de se séparer des chevaux !

— Jane est ravie qu'il nous suive. Elle songe déjà à faire venir les aînés de ses neveux pour qu'ils soient éduqués en Angleterre.

Jock fit claquer sa langue dans sa bouche.

— Pour ça, il faudra attendre que Megotta ne soit plus de ce monde, j'en ai peur !

Les effets personnels de Jory de Warenne occupèrent un chariot entier et Jane fut très occupée à emballer ses biens, ses meubles, ses vêtements et ceux de Lincoln Robert.

Avant de partir, Alan reçut un message de Bruce l'informant que Comyn et lui avaient signé leur engagement secret.

Le soir, quand Jane eut baigné son enfant, Alan l'aida à le mettre au lit.

— Il faut prendre les deux berceaux et... oh, rappelle-moi de dire à Thomas de trouver une place pour notre baignoire, mon chéri.

— Si tu continues à nous charger autant, nous nous

enliserons dès la première pluie ! Tu crois que nous n'avons pas de baignoires en Angleterre ?

Jane se haussa sur la pointe des pieds et noua ses bras autour de son cou.

— Au diable les baignoires, c'est l'étang de la forêt qui va me manquer. Tu veux bien m'y emmener demain, pour la dernière fois ?

Alan l'aimait trop pour lui refuser quoi que ce fût.

36

Après Falkirk, Fitz-Waren n'eut pas d'autre choix que de vivre caché, ce qui ne l'empêcha pas de trahir Wallace et d'être responsable de son arrestation. Son père ayant lancé un mandat d'arrêt contre lui, il ne put rester dans l'armée. D'ailleurs, ses propres officiers lui tournèrent le dos et, pour sauver leur peau, ils étaient prêts à le livrer au gouverneur.

Plus ses fonds s'épuisaient, plus sa haine grandissait. Il avait bien des richesses à Torthwald mais les chevaliers d'Alan gardaient l'entrée du château jour et nuit. Il retourna donc à Édimbourg où il se cacha dans les maisons de plaisir. Quand il n'eut plus un sou, il en fut réduit à voler dans les cuisines et à dormir dans les écuries.

Dès qu'il apprit que John était malade, il se mit à souhaiter ardemment sa mort. Surprenant des conversations entre les domestiques des châteaux où il se terrait, il sut également que le roi n'en avait plus pour longtemps à vivre. Une étincelle d'espoir illumina son cerveau dépravé. Anticipant l'avenir, il se dit qu'il ne lui serait pas difficile de se glisser dans les faveurs du jeune Édouard et d'obtenir le comté de Surrey... à condition, bien sûr, d'éliminer d'abord John et Alan de Warenne.

Animé de ces viles intentions, il suivit John de Warenne jusqu'à Dumfries, et se cacha dans la forêt de Selkirk. Les nuits d'été étaient chaudes et ses projets le comblaient. Armé d'un poignard et d'un arc qu'il se construisit lui-même, il attendit patiemment son heure, caché dans les fourrés, son esprit malade enfiévré par l'idée des meurtres qu'il s'apprêtait à commettre.

Alan prit Jane sur sa selle pour se rendre une dernière fois jusqu'à l'étang de leur cœur. Adossée contre son mari, dont elle sentait les jambes puissantes autour de sa taille, Jane lui montra des loutres, au bord du Nith.

Comme ils approchaient de la forêt, une biche s'arrêta net à leur approche, puis disparut entre les arbres.

— Ton cheval l'a effrayée. Nous aurions dû venir à pied.

— Tu aurais voulu me priver du plaisir de t'avoir contre moi ?

Jane leva la tête vers lui, le regard langoureux, et elle sentit durcir son désir contre ses reins. Un désir qui ne faiblit pas tout le long du chemin.

— Mon seigneur, il me semble qu'un bain dans l'eau froide de l'étang s'impose ! le taquina-t-elle.

— Nous avons mieux à faire que de nager, répondit-il en s'arrêtant sur la rive.

— Dans ce cas, inutile de nous déshabiller...

Alan descendit de cheval et la souleva dans ses bras, la laissant glisser le long de son corps.

— Vraiment, mon amour ?

Les fossettes qu'il aimait tant apparurent dans les joues de Jane.

— Je vous laisse trouver une autre raison.

Alan la déshabilla lentement, savourant la délicieuse attente du plaisir différé. Au fur et à mesure qu'il dénudait son corps, il posait ses lèvres brûlantes sur sa peau que les rayons du soleil chauffaient déjà. Quand ce fut au tour de Jane de déshabiller Alan, il se montra beaucoup plus pressé. Leur passion se précisait, galvanisée par l'idée de faire l'amour dans leur paradis secret.

Alan s'étendit dans l'herbe haute et les fleurs sauvages, et il attira Jane contre lui. La végétation était si dense qu'elle les cachait presque totalement.

— Je t'aime, murmura-t-il en la couvrant de baisers.

— Quand as-tu découvert que tu m'aimais ? murmura Jane au creux de son oreille.

— Je t'ai toujours aimée.

— Menteur ! Tu ne m'avais pas remarquée jusqu'à ce que Jory s'en mêle et m'apprenne à te rendre jaloux.

Il couvrit sa bouche de la sienne puis la regarda avec gravité.

— Tu veux la vérité ? Jory t'a montré comment éveiller le désir d'un homme, mais je t'aime pour l'être que tu es, un être exceptionnel, d'une douceur, d'une générosité et d'une délicatesse sans pareilles. Je crois que je suis tombé éperdument amoureux de toi quand tu me soignais. Tu m'as tout donné, sans compter. Oui, je t'aime, Jane, irrémédiablement.

Le cœur de Jane chavira.

— Mmm, le désir et l'amour... quelle glorieuse combinaison, murmura-t-elle en se lovant pour épouser son corps tout en lui offrant ses lèvres, de sorte que les mots devinrent bientôt inutiles.

Caché dans les fourrés touffus, Fitz-Waren épiait les amants d'un regard malveillant. La haine que lui inspirait Alan de Warenne semblait suinter par tous les pores de sa peau. Le responsable de tous ses malheurs était là, à sa portée. C'était à cause de lui que son père l'avait rejeté, à cause de lui qu'il s'était retrouvé en disgrâce et que le sort s'était acharné contre lui. De plus, il avait survécu à la blessure terrible qu'il lui avait infligée. Et pour clore le tout, voilà qu'il venait le narguer en profitant des meilleurs plaisirs de la vie sous ses yeux !

Les hautes herbes lui cachaient les corps des amants mais il entendait tout ce qu'ils se disaient, ne perdait rien du moindre soupir, du moindre gémissement. Il contint son impatience à grand-peine. Cette fois, il ne le raterait pas.

Fitz-Waren prépara son arc, sa flèche, et attendit.

Alan émergea de la douce torpeur qui suivait les ébats.
— Tu dors, mon amour ?
— Mmm, je regardais quelque chose que je n'avais encore jamais vu, là, dans l'herbe.
— Qu'est-ce que c'est ? demanda-t-il en laissant glisser une main le long du dos de Jane, jusqu'au creux de ses reins.
— Un couple d'escargots... regarde.
Ils observèrent les gastéropodes qui rampaient lentement l'un contre l'autre, ondulant, s'effleurant, se collant l'un à l'autre.
— Voilà comment je veux te faire l'amour, murmura-t-il.
— C'est comme cela que tu le fais.
— Avec autant de minutie ?
— Il me semble que oui... je crois d'ailleurs que tu m'as fait un autre bébé.
Alan écarquilla les yeux.
— Jane... tu ne devrais pas courir nue dans la forêt, dans ton état !
Elle se leva et secoua ses longues boucles rousses.
— Il ne manquerait plus que ça ! Et n'essaie pas de m'interdire de nager ou de monter à cheval !
Sur ce, elle entra dans l'étang avec grâce et se retourna, sachant qu'il la suivrait.
Tout à coup, elle vit un homme émerger des fourrés et tendre son arc en direction d'Alan.
— Alan ! hurla-t-elle, horrifiée.
Il fit aussitôt volte-face. La flèche mortelle le frôla, le manquant de peu. Il eut le temps de reconnaître l'ignoble Fitz-Waren avant qu'il ne disparaisse entre les fourrés mais le cri de douleur de Jane l'empêcha de se lancer à sa poursuite. Elle disparut sous l'eau et il crut que l'angoisse l'étouffait. La flèche l'avait touchée et il pria pour qu'elle ne l'eût pas tuée.
Il plongea sans perdre une minute et la panique le gagna tandis qu'il la cherchait sous l'eau trouble. Dieu tout-puissant ! Où était-elle ? Il ne voyait rien ! Enfin, il distingua son corps inerte flottant près de la rive. Jane avait perdu connaissance...
Il la souleva dans ses bras et la soutint hors de l'eau.

La flèche lui avait transpercé l'épaule. Une telle blessure n'était pas mortelle mais Jane ne respirait plus ! Il sortit de l'étang aussi vite qu'il le put, cassa la flèche à ras et coucha Jane sur l'herbe avant de se pencher sur elle pour lui insuffler son air, bouche contre bouche.

— Respire, Jane… respire, je t'en prie…

Peu après, Jane toussa et recracha de l'eau. Au moment où elle reprenait conscience, une douleur fulgurante lui vrilla l'épaule, lui arrachant un cri.

— Merci, mon Dieu, merci ! Jane, sois courageuse, je t'en prie. Je te ramène au château. Je sais, c'est douloureux mais ça va aller, mon cœur.

Il enfila ses chausses, l'enveloppa dans sa robe et parvint à remonter en selle en la tenant fermement d'un bras. La calant de son mieux, il se mit en route.

Fitz-Waren n'était pas le seul voyeur caché dans la forêt, ce jour-là. Des yeux verts avaient épié l'homme tapi dans les feuillages. Des yeux de lynx. Il était maître dans l'art d'observer en silence, dans une immobilité totale, avec une patience infinie. Le félin semblait fasciné par l'objet de son attention. Il se lécha les babines tandis que l'eau lui venait à la bouche à l'idée de la chair fraîche qu'il s'apprêtait à déguster. Confortablement installé, il attendit que l'homme se mette en mouvement afin d'entamer sa poursuite. Il adorait faire courir ses proies.

Quand Fitz-Waren s'était rendu compte que sa flèche n'avait pas touché celui qu'il voulait, il s'était figé un instant. Un regrettable instant, car Alan de Warenne eut le temps de le reconnaître. Il comprit qu'il n'avait aucune chance de lui échapper, à moins que l'imbécile ne choisisse de secourir la femme. Pris de panique, il s'était mis à courir le long du chemin forestier et c'est alors qu'il entendit quelqu'un derrière lui. Il accéléra, courant à perdre haleine, mais son poursuivant gagnait inexorablement du terrain.

Ses poumons étaient sur le point d'éclater. Il étouffait. Comprenant que sa seule chance était d'affronter la bataille, il saisit son poignard et se retourna d'un coup. Ce qu'il vit lui fit sortir les yeux des orbites!

Le lynx avait pris son élan. Il s'abattit sur sa proie.

La violence du choc lui fit lâcher le poignard et il retomba lourdement sous le poids de l'animal. Affolé, Fitz-Waren haletait éperdument tandis que les griffes du lynx déchiraient ses vêtements et qu'il plantait un croc immense dans sa gorge. Comme il hurlait, le sang jaillit en petits bouillons et il regarda avec horreur l'animal lécher tranquillement son sang. Il se délectait...! Une incroyable ressemblance le frappa alors. Les yeux verts du félin qui le fixaient sans ciller étaient ceux d'Alan de Warenne! Les mêmes! Et sa fourrure pâle rappelait la couleur des cheveux de son ennemi. La terreur lui glaça l'échine quand il comprit que le lynx avait l'intention de s'amuser avec lui, de prendre son temps avant de lui donner le coup de grâce.

— Va chercher Megotta! cria Alan à Keith Leslie qui prit en toute hâte son cheval, l'enfourcha et partit au triple galop vers la chaumière de sa grand-mère.

Taffy s'était précipité.

— Envoie mes chevaliers ratisser la forêt. Qu'ils abattent Fitz-Waren!

Quand Marjory vit son frère et Jane couverts de sang, elle céda à la panique et se mit à crier.

— Tout va bien, Jory. Elle a été touchée par une flèche. Fais préparer de l'eau chaude et des pansements.

Alan emmena Jane à l'étage et la coucha sur le lit afin d'examiner la blessure. La flèche avait percé l'épaule gauche mais, à son grand soulagement, il constata que l'impact était net.

Jane était blême et se mordait les lèvres tant elle souffrait.

— Mon cœur, sois courageuse. Je vais te débarrasser de ce qui reste de la flèche, et tout ira mieux.

Elle hocha la tête, s'en remettant les yeux fermés à l'homme qu'elle aimait. Alan sortit son couteau et s'agenouilla près d'elle. Il ne se servirait de la lame que s'il ne parvenait pas à extraire la pointe de la flèche.

— Tu as le droit de crier, mon amour, ne te retiens pas.

Il savait qu'il allait lui infliger des souffrances insupportables mais il n'avait pas le choix. Il craignait surtout pour le bébé, à cause du choc.

D'une main sûre et agile, il la débarrassa de la flèche. Le sang coula abondamment mais aucun éclat ne resta dans la chair. Alan s'était tellement concentré sur sa tâche qu'il n'avait pas entendu ses cris.

Jory lava la plaie de Jane et la saupoudra d'achillée avant de la bander.

— J'ai envoyé chercher Megotta. Elle te donnera du pavot. Bientôt, tu ne souffriras plus.

Jane s'affola.

— Non ! Ce serait dangereux pour le bébé.

Alan lui caressa la joue, éperdu d'amour et d'admiration devant le courage et l'abnégation de sa bien-aimée.

— Je te reconnais bien là, Jane. Je t'aime, tu sais.

Il l'embrassa sur le front et entraîna Jory dans la pièce adjacente.

— Jane est de nouveau enceinte ? s'enquit-elle aussitôt.

— Oui. Je te la confie, Jory. Veille bien sur elle, j'ai un travail à terminer.

Dans la cour du château, Thomas l'attendait avec un cheval sellé. Alan enfila la cotte de mailles que son écuyer lui tendit et, ensemble, ils partirent dans la forêt, en direction de l'étang. Ils ne furent pas longs à découvrir ce qui restait de Fitz-Waren : un cadavre à moitié dévoré, la gorge largement ouverte. Alan se baissa pour ramasser le corps.

— Laissez, mon seigneur ! Je m'en occupe, intervint Thomas.

— Non, je m'en charge, répondit Alan. Fitz-Waren ne sera pas enterré à proximité dc l'étang que Jane aime tant.

Alan de Warenne et ses chevaliers durent différer leur départ. Jane eut beau lui répéter qu'elle était assez vaillante pour voyager, Alan ne voulut rien entendre. Il estimait qu'elle devait se reposer et que rien ne les pressait.

Les événements qui advinrent alors lui prouvèrent qu'il avait tort.

Le lendemain, Robert Bruce et deux de ses hommes surgirent dans la cour de Dumfries à bride rabattue. Dès qu'il vit son ami, Alan comprit qu'il y avait un problème. Bruce refusa non seulement d'entrer mais même de descendre de cheval.

— Je n'ai pas le temps ! Pourquoi diable faut-il que vous soyez encore là ?

— Jane n'était pas en état de voyager, trancha Alan sans plus d'explications. Que se passe-t-il ?

— Comyn m'a trahi ! Il a envoyé nos accords secrets signés de nos mains à Édouard ! Nous avons heureusement intercepté le messager avec les documents compromettants.

— Seigneur ! Comyn est un traître dans l'âme !

— Exact. Je viens de le poignarder sur l'autel du monastère.

— Quoi ? Mais que vas-tu faire ?

— Foncer à Scone pour être couronné. Je n'ai pas d'autre alternative, sinon ses amis m'arrêteront pour trahison.

— Tu as tué Comyn dans un lieu saint. Tu as plutôt besoin d'absolution !

— Le clergé est avec moi. Ne t'inquiète pas, l'ami, mais quitte l'Écosse dès aujourd'hui !

Sur ce, Robert repartit au grand galop. D'une certaine manière, leurs destinées étaient étrangement imbriquées. Leurs ennemis communs venaient de trouver la mort à quelques heures d'intervalle.

— Nos projets sont changés, annonça Alan à Jane et à sa sœur. Nous partons aujourd'hui mais je pense que voyager à cheval est trop dur pour Lincoln et toi, Jane.

Vous prendrez le bateau de Solway à Chester. Je vous retrouverai là-bas d'ici à une semaine.

Elles eurent beau protester, Alan fut intraitable. Il prit Jory à part et lui confia son désir de la savoir auprès de Jane et du bébé afin qu'elle veille sur eux durant la traversée.

Quand Alan retrouva sa femme dans leur chambre, elle posa une main sur son bras.

— Alan, quelque chose ne va pas. Hier encore, tu affirmais que nous n'étions pas pressés de quitter Dumfries.

Il scruta son regard et comprit qu'il ne devrait jamais lui mentir, aussi lui raconta-t-il la visite de Robert en lui demandant de n'en rien dire à Jory.

— Dieu sait ce qu'elle serait capable de faire, impulsive comme elle est ! Au mieux, elle s'inquiétera au point de sombrer dans la dépression.

— Jory réagira très bien, elle est très forte.

— Une vraie tête brûlée, dit Alan en soupirant.

Jane se haussa sur la pointe des pieds et l'embrassa.

— C'est de famille !

Il l'enlaça en prenant soin de ne pas toucher son épaule.

— Dès que tu auras passé la frontière, je veux que tu gardes le lit. Tu dois te reposer non seulement à cause de ta blessure mais aussi du bébé. Seigneur, si seulement nous pouvions éviter ce voyage !

— Ne t'inquiète pas, tout ira bien.

— Je ferais mieux de prendre le bateau avec vous.

— Non, Alan. Ta place est aux côtés de tes hommes. Et puis, dans une petite semaine, nous nous retrouverons à Chester.

— Thomas et Taffy voyageront avec vous.

— Oh, mon amour ! Ils t'en seront infiniment reconnaissants !

Moins d'une heure après l'embarquement, Jory était penchée sur le bastingage, vomissant tout ce qu'elle avait absorbé. Jane la ramena dans leur cabine où elle la lava avec de l'eau de rose.

— Couchez-vous, Jory. Je vais vous donner un anti-nauséeux.

Jory grimaça.

— C'est moi qui étais censée m'occuper de vous.

Une demi-heure plus tard, la bistorte avait produit son effet et Jory était en pleine forme.

— Jane, vous n'avez aucune nausée. Vous êtes sûre que vous attendez un enfant ?

— Sans l'ombre d'un doute ! Mes seins ont grossi, ils sont plus fermes.

— Aaaah, dit Jory pensivement, tandis qu'un sourire rêveur jouait sur ses lèvres.

Jane l'observa de plus près.

— Jory… vous n'êtes pas… ?

— Je n'ose pas y croire…

— Alan avait raison, vous êtes une tête brûlée.

— Jane, j'aimerais savourer mon secret le plus longtemps possible.

— Robert ne sait pas ?

— Bien sûr que non ! Nos destins se sont séparés mais il restera toujours en moi… avec moi. Il m'a laissé le plus beau des souvenirs, non ?

Une semaine plus tard, quand Jane vit Alan de Warenne pénétrer dans la cour du château de Chester, elle se précipita vers lui pour l'accueillir, ivre de joie.

Il la détailla attentivement mais, à son regard lumineux, il comprit qu'elle se portait bien, et lc bébé aussi.

Alan descendit de cheval et la prit doucement dans ses bras.

— Et ton épaule, mon amour ?

— Toujours un peu sensible mais elle guérit. Je voulais te sauter au cou pour te montrer combien j'allais mieux !

Il s'empara de ses lèvres, et elle répondit à son baiser avec passion.

— Hmm, je vais devoir te laisser plus souvent si tu me réserves à chaque fois des retrouvailles aussi enflammées !

— Attends un peu que nous soyons dans notre

chambre. Jamais je n'aurais imaginé que des châteaux puissent être aussi somptueux !

— Et quand tu verras la cathédrale de Chester... Je compte t'y emmener dès aujourd'hui pour t'épouser en bonne et due forme.

Un peu plus tard, Jane et Alan de Warenne prononcèrent leurs vœux sur l'autel de la cathédrale.

— Je n'ai jamais rien vu d'aussi beau, lui confia Jane en sortant.

— Te sens-tu vraiment mariée, à présent ?

— Oui, je suis Lady Jane de Warenne, cela ne fait aucun doute.

Alan ne put s'empêcher de la taquiner.

— Maintenant que tu es en Angleterre, tu vas devoir te comporter comme une vraie lady. Plus question de se baigner nue ou de se dévêtir dans les forêts ! Nous sommes dans un pays civilisé.

Jane feignit de se rembrunir. Après tout, elle avait le droit de le taquiner, elle aussi.

Une fête fut donnée à Chester pour célébrer ce second mariage. Au fur et à mesure que la soirée passa, que le vin coula et que les danses se succédèrent, Jane devina qu'Alan était de plus en plus impatient de se retirer avec elle dans leur chambre. Elle feignit de vouloir s'amuser pendant une heure encore avant de céder.

Une fois dans leur chambre, Dieu sait quel démon la possédait, elle voulut prolonger le jeu. Quand, n'y tenant plus, il l'emprisonna dans ses bras, elle se déroba.

— Tu m'as rappelé certaines règles en vigueur dans ce pays, mon chéri. J'ai promis de t'obéir les yeux fermés : plus de promenades à cheval, de fatigues inutiles, et pas question de faire l'amour. À cause du bébé.

— Quoi ?

Alan l'observa de plus près, doutant qu'elle soit sérieuse. Seigneur ! Elle avait l'air de penser ce qu'elle disait !

— Maintenant que je suis ta femme, continua-t-elle, imperturbable, j'entends que tu sois fier de moi. J'ai appris à jouer du luth, à jouer aux échecs... je saurai te distraire, durant les longues soirées d'hiver. Laisse-moi te montrer !

— Mais… nous ne sommes pas en hiver, dit-il bêtement.

— S'il te plaît, viens jouer avec moi.

Son intention alluma le feu en lui mais il s'assit de mauvaise grâce. Sa femme était si belle qu'il ne regardait même pas les pièces d'échecs, tant elle l'accaparait tout entier.

— Alan, je t'ennuie ? demanda-t-elle, l'air ingénu.

— Non, ma chérie, mais si nous mettions du piquant à ce jeu en nous donnant des gages ?

— Tes désirs sont des ordres.

Quelques secondes plus tard, Alan lui prit un pion. Jane ôta une de ses mules en satin et la lui tendit.

— Ah, non, mon amour. C'est moi qui choisis le gage. Je veux la robe, ajouta-t-il en plissant les yeux. C'est ma préférée.

Avec une lenteur suspecte, Jane défit un à un les boutons et se débarrassa de la robe. Ses gestes étaient si provocants, qu'Alan soupçonna quelque chose. Délibérément, il perdit l'un de ses chevaliers.

— J'ai perdu, constata-t-il, l'air résigné. Tu peux remettre ta robe.

Jane le regarda avec stupeur.

— Mais je ne veux pas la remettre !

— En Angleterre, une dame de ton rang ne joue pas aux échecs à moitié nue.

— Je ne suis pas à moitié nue, je suis en chemise.

— Pas pour longtemps, nom d'un chien !

Il voulut l'attraper mais elle lui échappa en dansant à travers la chambre. Alan s'élança à sa poursuite en se débarrassant de ses propres vêtements qu'il envoya voler un à un. Jane réussit à s'esquiver jusqu'à ce qu'il parvienne à la renverser sur un tas de coussins. Dès qu'elle fut à sa merci, il lui ôta sa chemise, la bloqua sous lui et laissa son sexe glisser entre ses seins jusqu'à son ventre.

— Seigneur de Warenne, vous ne vous contrôlez plus ?

— Lady de Warenne, en votre présence, j'en suis incapable.

Jane se cambra, incapable de prolonger plus longtemps cette douce torture. Avant de la pénétrer, il l'embrassa sur tout le corps, s'attardant dans les moiteurs brûlantes de sa féminité. Quand enfin ils ne firent plus qu'un, ils s'envolèrent ensemble vers l'extase. Accrochée à lui, Jane crut s'évanouir de bonheur tant elle aimait son corps d'athlète, musclé et puissant comme un roc.

— Quel dommage de dédaigner ce lit magnifique, murmura-t-elle peu après dans un soupir.

— Je n'ai pas l'intention de le dédaigner. Je veux te faire des choses qui ne se font que sous un baldaquin.

Plus tard, après avoir fait trembler le lit sous leurs étreintes, les amants enlacés continuèrent de s'embrasser, insatiables. Alan prit l'amulette entre les seins de Jane et la regarda de près.

— Il semble que la magie du lynx nous ait protégés.

— J'ai toujours trouvé une ressemblance troublante entre mon lynx et toi. Peut-être es-tu vraiment un lynx, tantôt bête, tantôt homme ?

— À toi de choisir, murmura-t-il en lui mordillant l'oreille.

Plus tard, épuisés d'amour, ils se regardèrent, éblouis.

— Jane, m'aimeras-tu toujours comme cette nuit ?

Elle effleura ses lèvres du bout des doigts.

— Oh, oui ! Toujours ! Corps et âme.

NOTE DE L'AUTEUR

Bruce fut couronné roi Robert Ier à Scone, par les évêques de Glasgow, St. Andrews et Moray, les hommes d'Église les plus puissants d'Écosse. Par défi envers le roi Édouard, tout le nord lui assura son soutien. Seize comtes de Perthshire, douze d'Angus et de Fife, onze d'Aberdeen, de Banff, de Moray et six de Lennox, quatre de Stirling et d'Argyll, et enfin le comte de Dumbarton se déclarèrent pour Bruce.

Robert épousa Elizabeth de Burgh, fille du comte d'Ulster, et leur mariage dura vingt-cinq années.

Il fallut attendre la bataille décisive de Bannockburn, en 1314 pour que le roi Robert consolide l'indépendance de l'Écosse.

Le 23 mai :

Passion dans le bayou ଓ Patricia Hagan (n° 5807)

La jeune Angela Sinclair ne sait plus quoi faire : elle doit partir pour La Nouvelle-Orléans afin d'épouser Raymond Duval, un homme choisi par son père, maître de BelleClair. Quitter sa ville impliquerait de quitter Brett Cody, ce fils d'ouvrier agricole au regard brûlant. Tout les sépare mais, la nuit, ils se retrouvent pour échanger des baisers passionnés dans le bayou voisin…

Un mari pour enjeu ଓ Christina Dodd (n° 7309)

Madeline apprend que son père, joueur invétéré, a de très grosses dettes. Il tente même de la gager pour participer à un championnat de jeux de hasard. Lors du tournoi, elle revoit Gabriel... et est désespérée de constater que le seul homme qu'elle ait jamais aimé a, lui aussi, la passion du jeu.

Les sœurs Essex–3, Le duc apprivoisé ଓ Eloïsa James (n° 8675)

Un an après la mort subite de son mari, Imogen Maitland réfléchit sérieusement à prendre un amant. C'est alors qu'elle rencontre Gabriel Spenser, le demi-frère illégitime de son ancien gardien, Rafe, duc de Holbrook. Si les deux frères se ressemblent, ils sont très différents. Gabriel semble beaucoup moins accaparant, mais cela sera-t-il suffisant pour la séduire ?

Si vous aimez Aventures & Passions, laissez-vous tenter par :

Passion intense

Quand l'amour vous plonge dans un monde de sensualité

Le 23 mai :

Sex and Co ଓ Joan Elizabeth Lloyd (n° 8676)

Dans une banlieue typique de New York, quatre femmes se retrouvent régulièrement dans leurs petites maisons pittoresques avec jardin toutes semblables. Elles parlent de leurs escapades et se font des confidences. Ainsi Cait, Monica, Eve et Angie révèlent leurs plus grands secrets…

Nouveau ! 1 rendez-vous mensuel aux alentours du 15 de chaque mois.

5424

Achevé d'imprimer en France (Malesherbes)
par Maury-Imprimeur
le 4 mars 2008.
Dépôt légal mars 2008. EAN 9782290008034
1er dépôt légal dans la collection : janviers 2000.

Éditions J'ai lu
87, quai Panhard-et-Levassor, 75013 Paris
Diffusion France et étranger : Flammarion